ARSÈNE LUPIN

MAURICE LEBLANC

ARSÈNE LUPIN E O TRIÂNGULO DE OURO

Tradução
Eric Heneault

Esta é uma publicação Principis, selo exclusivo da Ciranda Cultural

Traduzido do original em francês
Le triangle d'or

Texto
Maurice Leblanc

Tradução
Eric Heneault

Preparação
Jéthero Cardoso

Revisão
Agnaldo Alves

Produção editorial
Ciranda Cultural

Diagramação
Linea Editora

Design de capa
Ciranda Cultural

Imagens
alex74/shutterstock.com;
YurkaImmortal/shutterstock.com;
Irina Solatges/shutterstock.com;
studiostoks/shutterstock.com;
NadzeyaShanchuk/shutterstock.com;
kiberstalker/shutterstock.com

Dados Internacionais de Catalogação na Publicação (CIP) de acordo com ISBD

L445a Leblanc, Maurice

Arsène Lupin e o triângulo de ouro / Maurice Leblanc ; traduzido por Eric Heneault. – Jandira, SP : Principis, 2021.
288 p. ; 15,5cm x 22,6cm. - (Arsène Lupin)

Tradução de: Le triangle d'or
ISBN: 978-65-5552-528-1

1. Literatura francesa. 2. Ficção. I. Heneault, Eric. II. Título. III. Série.

CDD 843
2021-1968 CDU 821.133.1-3

Elaborado por Vagner Rodolfo da Silva - CRB-8/9410

Índice para catálogo sistemático:
1. Literatura francesa : Ficção 843
2. Literatura francesa : Ficção 821.133.1-3

1ª edição em 2021
www.cirandacultural.com.br

SUMÁRIO

PRIMEIRA PARTE

A CHUVA DE FAÍSCAS

MAMÃE CORALIE

Um pouco antes de soarem as dezoito e trinta, quando as sombras do anoitecer se tornavam mais espessas, dois soldados alcançaram o pequeno cruzamento, plantado de árvores, que forma o encontro da Rua de Chaillot com a Rua Pierre-Charon, em frente ao museu Galliera.

Um deles vestia um capote azul-horizonte do soldado de Infantaria. O outro, um senegalês, roupas de lã bege, com calça larga e paletó cinturado, que desde a guerra vestem os zuavos e as tropas da África. Um deles só tinha uma perna, a esquerda; o outro, um único braço, o direito.

Deram a volta da esplanada, no centro da qual se ergue um lindo grupo de estátuas de Silenos, e pararam. O soldado da Infantaria jogou seu cigarro. O senegalês o recolheu, deu umas tragadas rápidas, então o apertou, para apagá-lo entre o polegar e o indicador, e o pôs no bolso.

Tudo isso sem uma única palavra.

Quase ao mesmo tempo, da Rua Galliera, surgiram mais dois soldados, dos quais teria sido impossível dizer a que corpo do Exército pertenciam, já que seu traje militar se compunha das mais diversas roupas civis. No entanto, um ostentava o barrete do zuavo, o outro o quepe do artilheiro. O primeiro andava com muletas, o segundo com bengalas.

Os dois homens ficaram perto do quiosque situado à beira da calçada.

Pelas ruas Pierre-Charon, Brignoles e de Chaillot, mais três outros chegaram isoladamente, um caçador a pé maneta, um sapador que mancava e um marinheiro cujo quadril parecia torto. Foram direto, cada um em direção a uma árvore, nas quais se apoiaram.

Não trocaram nenhuma palavra. Nenhum desses sete mutilados parecia conhecer seus companheiros, nem parecia se preocupar ou notar a presença deles.

De pé atrás das árvores, ou atrás do quiosque, ou atrás do grupo de silenas, eles não se mexiam. E os raros passantes que, nessa noite de 3 de abril de 1915, atravessavam esse cruzamento pouco frequentado, que postes de luz encapuzados mal iluminavam, não perdiam tempo para notar as silhuetas imóveis.

Soaram dezoito e trinta.

Nesse momento, a porta de uma das casas que dão para a praça se abriu. Um homem saiu da casa, fechou a porta, atravessou a Rua de Chaillot e contornou a esplanada.

Era um oficial, com traje cáqui. Sob seu barrete de vermelho policial, enfeitado com três sutaches dourados, uma larga faixa de pano lhe envolvia a cabeça, escondendo a testa e a nuca. O homem era alto e muito delgado. Sua perna direita terminava em um toco de madeira provida de uma arruela de borracha. Apoiava-se em uma bengala.

Tendo deixado a praça, desceu na calçada da Rua Pierre-Charron. Lá, virou-se e olhou calmamente para vários lugares.

Esse exame o levou até uma das árvores da esplanada. Com a ponta da bengala, tocou levemente uma barriga que ultrapassava. A barriga se encolheu.

Isso feito, o oficial foi embora.

Dessa vez, afastou-se definitivamente pela Rua Pierre-Charron em direção ao centro de Paris. Assim, alcançou a Avenida dos Champs-Élysées, que percorreu pela calçada esquerda.

Duzentos passos adiante havia uma construção enorme, transformada, como o anunciava uma faixa, em enfermaria.

O oficial se postou a certa distância, de modo a não ser visto por quem saía de lá, e esperou.

Soaram dezenove e quarenta e cinco.

Passaram-se ainda alguns minutos.

Cinco pessoas foram embora da casa. E então mais duas. Finalmente, uma dama apareceu na soleira do saguão, uma enfermeira vestindo um grande casaco azul marcado com a cruz vermelha.

– É ela – murmurou o oficial.

Ela tomou o caminho que ele próprio tomara e alcançou a Rua Pierre--Charron, que ela seguiu na calçada da direita, dirigindo-se assim para o cruzamento da Rua de Chaillot.

Andava com ligeireza, o passo suave e cadenciado. O vento que ia de encontro a seu ritmo rápido inchava o longo véu azul que flutuava em volta dos seus ombros. Apesar da largura do casaco, adivinhavam-se o ritmo de seu quadril e a juventude de sua postura.

O oficial permanecia para trás e andava com ar distraído, fazendo sarilhos com a bengala, como um passeador caminhando à toa.

E nesse instante não havia outras pessoas visíveis nessa parte da rua, a não ser ela e ele.

Mas, como ela acabara de atravessar a Avenida Marceau, e bem antes que ele mesmo chegasse lá, um automóvel estacionado ao longo da avenida deu a partida e começou a andar no mesmo sentido que a jovem mulher, ao passo que mantinha uma distância constante.

Era um táxi. O oficial notou duas coisas: primeiramente, que havia dois homens dentro e, em seguida, que um desses homens, de quem ele pôde distinguir rapidamente o rosto atravessado por um espesso bigode e coroado por um chapéu cinza, ficava quase constantemente debruçado para fora da porta do carro e conversava com o motorista.

No entanto, a enfermeira andava sem olhar para trás. O oficial havia mudado de calçada e apressava o passo, ainda mais que tinha a impressão de ver o automóvel acelerar à medida que a jovem se aproximava do cruzamento.

De onde se encontrava, o oficial abarcava de um só olhar quase toda a pequena praça, e por mais aguda que fosse a acuidade de sua visão, ele não distinguia nada na sombra que pudesse revelar a presença dos sete mutilados. Ademais, nenhum passante. Nenhum carro. No horizonte, entre as trevas das largas avenidas que se cruzavam, apenas dois bondes, com os toldos baixados, interrompiam o silêncio.

A jovem mulher, mesmo admitindo que prestasse atenção nos espetáculos da rua, também não parecia ver nada que fosse de natureza a preocupá-la. E a manobra do carro que a seguia não devia tê-la intrigado muito, já que não se virou para trás uma única vez sequer.

Entretanto, o carro ganhava terreno. Na beira da praça, dez a quinze metros no máximo separavam o oficial da enfermeira. Quando ela, ainda abstraída, chegou às primeiras árvores, o carro se aproximou ainda mais e, deixando o meio da rua, começou a ladear a calçada, enquanto, do lado oposto dessa calçada, consequentemente à esquerda, aquele dos dois homens que se debruçava havia aberto a porta e descia no estribo.

O oficial atravessou a rua mais uma vez, rapidamente, sem medo de ser visto, já que aquelas pessoas, no ponto em que as coisas haviam chegado, pareciam despreocupadas com tudo que não dissesse respeito ao seu propósito. Levou um apito à boca. Não tinha dúvida de que o acontecimento que imaginava estivesse prestes a se produzir.

De fato, o carro parou bruscamente.

Pelas duas portas, os dois homens surgiram e pularam na calçada da praça, poucos metros antes do quiosque.

Ouviu-se, ao mesmo tempo, um grito de pavor vindo da jovem mulher, e um apito estridente lançado pelo oficial. Nesse momento, também, os dois homens alcançaram e agarraram seu alvo, que tentaram levar imediatamente para o carro, e os sete soldados feridos, parecendo surgir do próprio tronco das árvores que os dissimulavam, corriam atrás dos dois agressores.

A batalha durou pouco. Ou melhor, não houve batalha. Logo no primeiro momento, o motorista do táxi, constatando que se tratava de um ataque, deu partida e fugiu às pressas. Quanto aos dois homens, vendo sua tentativa falhar, enfrentando uma leva de bengalas e muletas ameaçadoras, e sob o cano de um revólver que o oficial apontava em sua direção, soltaram a mulher, correram em ziguezague para não serem alvos fáceis e se perderam na sombra da Rua Brignoles.

– Corra, Ya-Bon – ordenou o oficial ao senegalês maneta –, e traga um deles pelo pescoço.

Em seu braço ele sustentava a jovem, que tremia e parecia prestes a desmaiar. Disse-lhe com muita solicitude:

– Não tema nada, mamãe Coralie, sou eu, o capitão Belval… Patrice Belval…

Ela balbuciou:

– Ah! É você, capitão…

– Sim, e aqui estão todos os seus amigos reunidos para defendê-la, todos os seus antigos feridos da enfermaria que encontrei no anexo dos convalescentes.

– Obrigada… obrigada…

E ela acrescentou, com voz tremida:

– E os outros? Aqueles dois homens?

– Sumiram. Ya-Bon está atrás deles.

– Mas o que queriam? E por que milagre você estava aqui?

– Falaremos disso mais tarde, mamãe Coralie. Primeiro, vamos falar de você. Onde devemos levá-la? Olhe, deveria vir até aqui… o tempo de se recompor e descansar um pouco.

Com a ajuda de um dos soldados, ele a empurrou delicadamente para a casa de onde ele mesmo havia saído quarenta e cinco minutos antes. A jovem mulher se entregava à sua vontade.

Todos entraram no térreo e passaram para um salão, onde acendeu as luzes elétricas e onde a lareira estava acesa.

– Sente-se – disse.

Ela se deixou cair em uma cadeira, e o capitão deu ordens.

– Você, Poulard, vá buscar um copo na sala de jantar. E você, Ribrac, uma jarra de água fresca na cozinha… Chatelain, você vai encontrar uma garrafa de rum no armário da despensa… Não, não, ela não gosta de rum… Então…

– Então – disse ela, sorrindo –, um copo d'água apenas.

Um pouco de cor voltava-lhe às faces, que, aliás, eram naturalmente pálidas. O sangue afluía aos lábios, e o sorriso que animava seu rosto era confiante.

Esse rosto, absolutamente charmoso e doce, tinha uma forma pura, traços excessivamente finos, uma tez morena clara e a expressão ingênua de uma criança que se surpreende e vê as coisas com olhos sempre arregalados. E, não obstante, tudo isso, que era gracioso e delicado, dava em certos momentos uma impressão de energia que decorria certamente do brilho escuro dos olhos e das duas fitas pretas e regulares que desciam do véu branco sob o qual a testa estava presa.

– Ah! – exclamou alegremente o capitão quando ela bebeu a água –, parece que está melhor, mamãe Coralie?

– Bem melhor.

– Que bom! Mas que minutos terríveis temos vivido! E que aventura! Vamos ter de conversar e esclarecer tudo isso, não é? Enquanto isso, rapazes, façam o favor de cumprimentar mamãe Coralie. Hein, meus amigos, quem teria dito, quando ela os paparicava e afofava o travesseiro para que sua cabeça se acomodasse nele, quem teria dito que chegaria nossa vez de cuidar dela, e que seriam as crianças que iriam paparicar sua mãe?

Juntaram-se em volta dela os manetas e mancos e coxos, os mutilados e enfermos, todos felizes por vê-la. E ela lhes apertava as mãos, com todo carinho.

– E aí, Ribrac, e essa perna?

– Não estou sofrendo mais, mamãe Coralie.

– E você, Vatinel, como vai seu ombro?

– Não tem mais sinal de nada, mamãe Coralie...

– E você, Poulard? E você, Jorisse?...

Sua emoção crescia ao reencontrá-los, eles que ela chamava de seus filhos. E Patrice Belval exclamou:

– Ah! Mamãe Coralie agora está chorando! Mamãe, mamãe, foi assim que conquistou o coração de todos nós. Quando fazíamos os maiores esforços para não gritar, na cama de tortura, víamos profusas lágrimas que brotavam de seus olhos. Mamãe Coralie chorava por seus filhos. E aí apertávamos ainda mais os dentes.

– E eu, eu chorava ainda mais – disse ela –, justamente porque vocês tinham medo de me causar pena.

– E hoje volta a chorar. Ah! não, chega de compaixão! A senhora nos ama. Amamos a senhora. Não há motivo para nos lamentarmos. Vamos, mamãe Coralie, um sorriso... E veja, Ya-Bon está chegando, e Ya-Bon sempre está rindo.

Ela se levantou bruscamente.

– Você acha que ele conseguiu alcançar um desses dois homens?

– Acredito, e como! Eu disse a Ya-Bon para trazer um pelo pescoço. Ele não vai falhar. Só tenho receio de uma coisa...

Haviam se dirigido para o vestíbulo. O senegalês já subia os degraus. Com a mão direita, segurava a nuca de um homem, um trapo para melhor dizer, que ele parecia carregar na ponta dos dedos, como um fantoche. O capitão ordenou:

– Solte-o.

Ya-Bo abriu os dedos. O homem desmoronou na laje do vestíbulo.

– Era mesmo o que eu temia – murmurou o oficial. – Ya-Bon só tem a mão direita, mas quando essa mão agarra alguém pela garganta, só um milagre para não o estrangular. Os boches bem que sabem disso.

Ya-Bon era uma espécie de colosso, cor de carvão reluzente, com o cabelo crespo e alguns pelos frisados no queixo, com uma manga vazia fixada no ombro esquerdo e duas medalhas espetadas no seu dólmã. Uma explosão de obus lhe arruinara uma bochecha, um lado da mandíbula, metade da boca e o céu da boca. A outra metade dessa boca se abria até a orelha em um riso que nunca parecia se interromper, e que surpreendia ainda mais que a parte ferida do rosto, remendada tanto quanto possível e coberta por um enxerto de pele, sempre permanecia impassível.

Ademais, Ya-Bon perdera o uso da fala. No máximo, emitia uma série de grunhidos confusos em que se ouvia seu apelido Ya-Bon eternamente repetido.

Disse-o mais uma vez com ar satisfeito, olhando por vez seu superior e sua vítima, como um bom cão diante de uma peça de caça que pegou.

– Bem – disse o oficial –, mas da próxima vez pegue um pouco mais leve.

Debruçou-se sobre o homem e, constatando que só estava desmaiado, disse à enfermeira:

– Você o reconhece?

– Não – afirmou ela.

– Tem certeza? Nunca viu essa cara em lugar nenhum?

Era uma cara bem grande, com cabelo preto e engomado, um bigode cinzento. As roupas, de pano azul e bem cortadas, indicavam uma boa situação financeira.

– Nunca… nunca – repetiu a jovem mulher.

O capitão vasculhou os bolsos. Não havia nenhum documento.

– Pois bem – disse, levantando-se –, vamos esperar que acorde para interrogá-lo. Ya-Bon, amarre-lhe braços e pernas e fique aqui, no vestíbulo. Vocês outros, camaradas, está na hora de voltar ao anexo. Eu tenho a chave. Despeçam-se de mamãe e apressem-se.

Uma vez que se despediram, ele os empurrou para fora, voltou para a jovem mulher, trouxe-a até o salão e exclamou:

– Agora, vamos conversar, mamãe Coralie. E primeiramente, antes de qualquer explicação, escute-me. Vou ser breve.

Estavam sentados diante do fogo claro cujas chamas brilhavam alegremente. Patrice Belval acomodou uma almofada sob os pés de mamãe Coralie, apagou uma luz elétrica que parecia incomodá-la e então, certo de que ela estava bem à vontade, prosseguiu:

– Como sabe, mamãe Coralie, saí da enfermaria há oito dias e estou morando no boulevard Maillot, em Neuilly, no anexo reservado aos convalescentes dessa enfermaria, anexo em que me aplicam curativos de manhã e aonde vou dormir à noite. Aproveito o resto do tempo para passear, ando à toa, almoço e janto aqui e ali, visito antigos amigos. Ora, nesta manhã eu esperava um deles na sala de um grande café-restaurante do boulevard quando escutei o fim de uma conversa…. Mas preciso lhe dizer que essa sala é separada em dois por uma divisória que se eleva à altura de um homem, e contra a qual se encostam, de um lado, os consumidores do café e, do outro, os clientes do restaurante. Eu ainda estava sozinho, do lado do restaurante, e os dois consumidores que estavam de costas para mim e que eu não via provavelmente acreditavam que não havia ninguém, porque falavam em tom um tanto alto demais, dadas as frases que surpreendi... e que, depois, anotei neste caderninho.

Tirou o caderninho do bolso e prosseguiu:

– Essas frases, que se impuseram à minha atenção por motivos que vai entender, foram precedidas por algumas outras que tratavam de faíscas, de uma chuva de faíscas que já ocorrera duas vezes antes da guerra, uma espécie de sinal noturno cuja possível volta prometiam espiar, de modo a agirem rapidamente assim que se produzisse. Tudo isso não lhe diz nada?

– Não... Por quê?

– Logo verá. Ah! Esqueci-me de lhe dizer que os dois interlocutores se expressavam em inglês, e de maneira correta, mas com entonações que me permitem afirmar que nenhum dos dois era inglês. Aqui estão suas palavras fielmente traduzidas:

"Então, para concluir", disse um deles, "está tudo acertado. Vocês estarão, você e ele, hoje à noite, um pouco antes das sete, no lugar marcado."

"Sim, estaremos lá, coronel. Já reservamos o carro."

"Bem, lembre-se de que a garota sai da enfermaria às sete horas."

"Não se preocupe. Não há erro possível, já que ela sempre segue o mesmo caminho, passando pela Rua Pierre-Charron."

"E todo o plano já está acertado?"

"Cada passo. Vai acontecer na praça em que termina a Rua de Chaillot. E mesmo admitindo que haja lá algumas pessoas, elas não terão tempo de socorrer a dama, dada a rapidez com que agiremos."

"Confia no seu motorista?"

"Tenho certeza de que o pagamos de modo que nos obedeça. Isso basta."

"Perfeito. Quanto a mim, vou esperá-los onde sabe, em um automóvel. Vocês me entregarão a garota. A partir daí, seremos donos da situação."

"E o senhor, da garota, coronel, o que não é desagradável, já que é incrivelmente bonita."

"Incrivelmente. Há muito tempo que a conheço de vista, mas nunca consegui ser apresentado... Portanto, conto mesmo aproveitar a ocasião para levar as coisas a toque de caixa."

– O coronel acrescentou:

"Talvez haja choros, ranger de dentes. Melhor assim! Adoro que me resistam... quando sou o mais forte."

– E ele se pôs a rir grosseiramente. O outro o imitou. Como pagavam suas bebidas, levantei-me imediatamente e dirigi-me para a porta do boulevard, mas só um deles saiu por essa porta, um homem com grande bigode pendente e que usava um chapéu cinza. O outro havia ido embora pela porta de uma rua perpendicular. Naquele momento só havia um táxi na rua. O homem o tomou e tive que renunciar a segui-lo. Somente... somente... como eu sabia que toda noite você saía da enfermaria por volta das sete horas e seguia a Rua Pierre-Charron, então eu tinha motivos para acreditar...

O capitão se calou. A jovem mulher refletia com ar preocupado. Após um instante, ela disse:

– Por que não me avisou?

Ele exclamou:

– Avisá-la! E se, afinal de contas, não se tratasse de você? Por que deixá-la preocupada? E se, ao contrário, se tratasse de você, por que alertá-la? Após o fracasso do golpe, seus inimigos lhe teriam preparado outra armadilha e, ignorando-a, não teríamos como evitá-la. Não, o melhor era ir à luta. Contratei o pequeno grupo de seus antigos doentes, que estão sendo tratados no anexo, e como justamente o amigo que eu esperava mora nessa praça, aqui mesmo, perguntei se por acaso ele deixaria seu apartamento à minha disposição das seis às nove horas. Eis o que fiz, mamãe Coralie, e agora que sabe tanto quanto eu, o que acha?

Ela lhe estendeu a mão.

– Penso que me salvou de um perigo que ignoro, mas que parece terrível, e eu lhe agradeço.

– Ah, não – disse ele –, não aceito agradecimentos. Fico tão feliz por ter conseguido! Não, o que lhe peço é sua opinião sobre o caso em si.

Ela não hesitou um segundo sequer e respondeu nitidamente:

– Não tenho. Nenhuma palavra, nenhum incidente, dentro de tudo que me conta, desperta em mim a menor ideia que possa nos informar.

– Não pensa que possa ter inimigos?

– Pessoalmente, não.

– E esse homem a quem seus dois agressores deviam entregá-la, e que disse que a conhece?

Ela corou levemente e declarou:

– Toda mulher já encontrou na vida homens que a perseguem mais ou menos abertamente, não é? Não sei lhe dizer quem é.

O capitão permaneceu calado por bastante tempo, então prosseguiu:

– Afinal de contas, não podemos esperar qualquer esclarecimento senão pelo interrogatório de nosso prisioneiro. Se ele se recusar a responder, azar o dele... eu o entrego à polícia, que, por sua vez, saberá resolver o caso.

A jovem mulher estremeceu.

– A polícia?

– Obviamente. O que quer que eu faça desse indivíduo? Não pertence a mim, mas à polícia.

– Não, não! – exclamou ela, vivamente. – De jeito nenhum! Como! Entrariam em minha vida!... Haveria inquéritos!... Meu nome estaria envolvido em todas essas histórias!

– No entanto, mamãe Coralie, não posso...

– Ah! Eu lhe peço, eu lhe suplico, meu amigo, encontre um meio, mas que não se fale de mim! Não quero que falem de mim!

O capitão a observou, bastante surpreso ao vê-la tão agitada, e disse:

– Não falarão de você, mamãe Coralie, eu lhe garanto.

– E então, o que vai fazer desse homem?

Ele se levantou.

– Meu Deus – disse, rindo –, primeiramente, vou lhe perguntar com todo o respeito se ele se dignará a responder às minhas perguntas, então vou lhe agradecer as atenções que teve para com você, e finalmente vou pedir que se retire.

Ele se levantou.

– Deseja vê-lo, mamãe Coralie?

– Não – disse ela –, estou tão cansada! Se não precisar de mim, interrogue-o sozinho. Você me contará depois...

De fato, ela parecia exausta por essa emoção e essa fadiga novas, acrescentadas àquelas que já lhe tornavam tão penosa a vida de enfermeira. O capitão não insistiu e saiu fechando atrás dele a porta do salão.

Ela o ouviu dizendo:

– E aí, Ya-Bon, fez boa guarda? Nada de novo? E seu prisioneiro? Ah, aqui está, camarada? Começa a respirar? Ah! É que a mão de Ya-Bon é um tanto pesada... Hein? O quê? Não está respondendo... Ah! Mas o que é isso? Não está se mexendo... Caramba, mas parece...

Soltou um grito. A jovem mulher correu até o vestíbulo. Encontrou o capitão, que tentou lhe bloquear a passagem e que lhe disse energicamente:

– Não vá adiante. Para que serviria?

– Mas você está ferido! – exclamou ela.

– Eu?

– Tem sangue lá, na sua manga.

– De fato, mas não é nada, é o sangue desse homem que me manchou.

– Então ele foi ferido?

– Sim, ou ao menos sangrava pela boca. Alguma ruptura de vaso...

– Como! Mas Ya-Bon não apertou tanto assim...

– Não foi Ya-Bon.

– Quem, então?

– Os cúmplices.

– Então eles voltaram?

– Sim, e o estrangularam.

– Eles o estrangularam! Não, olhe, é inacreditável.

Ela conseguiu passar e se aproximou do prisioneiro.

Ele não se movia. Seu rosto tinha a palidez da morte. Um fino cordão de seda vermelho, finamente trançado, com argola em cada extremidade, cercava-lhe o pescoço.

A MÃO DIREITA E A PERNA ESQUERDA

– Um canalha a menos, mamãe Coralie – exclamou Patrice Belval, após reconduzir a jovem mulher ao salão e fazer uma inquirição rápida com Ya-Bon. – Lembre esse nome que achei gravado no relógio dele: "Mustapha Rovalaïoff", o nome do canalha.

Pronunciou essas palavras em tom alegre, em que não havia mais sinal de emoção, e prosseguiu, enquanto andava de lá para cá pelo cômodo:

– Nós, que já assistimos a tantas catástrofes e que vimos morrer tantas boas pessoas, mamãe Coralie, não vamos chorar a morte de Mustapha Rovalaïoff, assassinado por seus cúmplices. Nem mesmo uma oração fúnebre, não é? Ya-Bon o pegou com o braço e, aproveitando um momento em que não havia ninguém na praça, levou-o para a Rua Brignoles, com ordem para jogá-lo por cima da grade, no jardim do museu Galliera. A grade é alta. Mas a mão direita de Ya-Bon não conhece obstáculos. Assim, mamãe Coralie, o caso está encerrado. Não falarão de você e, dessa vez, peço um agradecimento.

Pôs-se a rir. E continuou:

– Um agradecimento, mas nada de elogios. Caramba, como eu sou péssimo carcereiro! E com que destreza os outros deram cabo de meu prisioneiro! Como não previ que o segundo de seus agressores, o homem de chapéu cinza, ia alertar o terceiro cúmplice que esperava no carro, e que ambos viriam resgatar seu companheiro? E não é que vieram mesmo? E enquanto você e eu conversávamos, arrombaram a entrada de serviço, passaram pela cozinha, chegaram diante da pequena porta que separa a despensa do vestíbulo e entreabriram essa porta. Lá, perto deles, no sofá, o personagem ainda estava desmaiado, e firmemente amarrado. Como fazer? Impossível tirá-lo fora do vestíbulo sem alertar Ya-Bon. E, no entanto, se não for libertado, se falar, irá entregar seus cúmplices, impedirá a conclusão de um plano preparado cuidadosamente. Então? Então um dos companheiros se debruça furtivamente, estende o braço, rodeia com o cordão essa garganta que Ya-Bon já danificou bastante, reúne as argolas das duas extremidades e aperta, aperta lentamente, aperta tranquilamente até a morte. Nenhum ruído, nenhum suspiro. Tudo ocorre no silêncio. Viram, mataram e foram embora. Boa noite. Pronto, o camarada não vai falar.

A alegria do capitão redobrou.

– O camarada não vai falar – prosseguiu –, e a Justiça, que encontrará seu cadáver amanhã de manhã no jardim fechado, não entenderá nada do caso. E nós também não, mamãe Coralie, e nunca saberemos por que essas pessoas queriam sequestrá-la. Verdade! Se não valho muito como carcereiro, como policial não valho nada mesmo.

Seguia deambulando de um lado a outro do salão. A amputação de sua perna, ou melhor, de sua panturrilha, não parecia incomodá-lo, e as articulações da coxa e do joelho, tendo conservado sua flexibilidade, a cada passo provocavam no máximo certo desencontro do quadril com os ombros. Aliás, sua altura corrigia bastante essa falta de harmonia, aparentemente reduzida a proporções insignificantes pela desenvoltura de seus gestos e a despreocupação com a qual ele parecia aceitá-la.

Tinha o rosto aberto, bastante escuro, queimado pelo sol e endurecido pelas intempéries, uma expressão franca, alegre e frequentemente zombadora. O capitão Belval devia ter entre 28 e 30 anos. Lembrava um pouco, por sua aparência, esses oficiais do Primeiro Império a quem a vida dos campos militares dava um ar especial, e que depois mantinham nos salões e junto das mulheres.

Ele ficou imóvel para contemplar Coralie, cujo lindo perfil se destacava nas luzes da lareira, e então voltou a se sentar ao lado dela e lhe disse suavemente:

– Não sei nada de você. Na enfermaria, as enfermeiras e os médicos a chamam de senhora Coralie. Seus feridos a chamam de mamãe. Qual é seu sobrenome de casada ou solteira? É casada ou viúva? Onde mora? Não o sabemos. Todo dia, nos mesmos horários, você chega e vai embora pela mesma rua. Às vezes, um velho criado de longos cabelos cinzentos e barba emaranhada, como cachecol em volta do pescoço e usando óculos amarelos, acompanha-a ou vem buscá-la. Às vezes, também, espera por você, sentado na mesma cadeira, no pátio envidraçado. Já o questionamos, mas ele não responde a ninguém.

– Não sei nada de você, senão uma coisa: que é adoravelmente bondosa e caridosa, e que também, posso dizê-lo, não é?, é adoravelmente linda. E talvez seja porque sua existência é desconhecida por mim, mamãe Coralie, que a imagino tão misteriosa e, de certo modo, tão dolorosa, sim, tão dolorosa! Você dá a impressão de viver na pena e na inquietação. Sente-se que está sozinha. Ninguém se dedica à sua felicidade e segurança. Então, pensei… há muito tempo que venho pensando nisso e espero a ocasião para confessá-lo… pensei que precisa certamente de um amigo, de um irmão que a guie e defenda. Estou enganado, mamãe Coralie?

À medida que falava, parecia como se a jovem mulher se ensimesmasse, que pusesse maior distância entre ambos, como se não quisesse que ele penetrasse nessas regiões secretas para as quais ele apontava.

Ela murmurou:

– Sim, está enganado. Minha vida é bem simples e não preciso ser defendida.

– Não precisa ser defendida! – exclamou ele com crescente animação. – E então, esses homens que tentaram sequestrá-la? Esse complô urdido contra você? Esse complô cuja descoberta seus agressores temem tanto que chegam a suprimir o cúmplice que se deixou pegar? Então, como, isso não é nada? Estou enganado ao afirmar que está cercada de perigos? Que seus inimigos possuem uma audácia extraordinária? Que é preciso defendê-la contra essas conspirações? E que, se não aceitar a assistência que lhe ofereço… então… então…

Ela se obstinava em seu silêncio, cada vez mais distante, quase hostil.

O oficial golpeou o mármore da lareira com o punho e debruçou-se sobre a jovem mulher:

– Então – disse ele, terminando sua frase em tom decidido –, se não aceitar a assistência que lhe ofereço, então estou lhe impondo.

Ela meneou a cabeça.

– Estou lhe impondo – repetiu furiosamente. – É meu dever e meu direito.

– Não – disse ela, a meia voz.

– Meu direito absoluto – retrucou o capitão –, e por um motivo superior a todos os outros e que me dispensa até de consultá-la, mamãe Coralie.

– Qual é? – disse a jovem mulher, olhando-o.

– É que eu a amo.

Ele lhe lançou essas palavras nitidamente, não como um apaixonado que arrisca uma confissão tímida, mas como um homem orgulhoso do sentimento que experimenta e feliz por declará-lo.

Ela baixou os olhos, corando, e ele exclamou, em tom alegre:

– Estou lhe confessando sem rodeio, hein, mamãe? Nada de tiradas ardentes, nada de suspiros, nem grandes gestos, nem mãos juntas. Não, apenas três pequenas palavras que lhe digo sem me ajoelhar. E isso me é tanto mais fácil que você já o sabia. Sim, mamãe Coralie, por mais que queira se mostrar surpresa, você bem que sabe que eu a amo, e sabe disso há tanto tempo quanto eu. Vimos nascer juntos esse sentimento, quando suas mãozinhas adoradas tocavam minha cabeça ensanguentada. As outras me torturavam. As suas eram como carícias. Assim como eram carícias seus olhares de compaixão. E eram carícias suas lágrimas que caíam porque eu sofria. Mas, primeiramente, é possível vê-la sem amá-la? Seus sete doentes que chamei hoje estão apaixonados por você, mamãe Coralie. Ya-Bon a adora. Só que são simples soldados. Eles se calam. Eu sou capitão. E falo sem constrangimento, e de cabeça erguida, pode crer.

A jovem mulher pusera as mãos sobre as faces ardentes, e, com o busto inclinado, calava-se.

Ele prosseguiu, com uma voz que soava claramente:

– Compreende o que quero lhe dizer ao declarar que falo sem constrangimento e de cabeça erguida? Sim, não é? Se, antes da guerra, eu tivesse sido como hoje, mutilado, não teria tido essa segurança, e lhe teria confessado humildemente meu amor, pedindo-lhe perdão por meu atrevimento. Mas agora… Ah, acredite, mamãe Coralie, que aqui, diante de você, que é mulher e que amo apaixonadamente, nem penso mais em minha enfermidade. Nem por um único instante tenho a impressão de poder lhe parecer ridículo ou presunçoso.

Parou, como se quisesse retomar o fôlego, e, levantando-se, prosseguiu:

– É preciso que seja assim. É preciso que se saiba mesmo que os mutilados dessa guerra não se consideram como párias, infelizes ou desgraçados, mas como homens absolutamente normais. Sim, normais! Uma perna a menos? E depois? Será que isso significa que não temos cérebro ou coração? Então, porque a guerra tirou de mim uma perna ou um braço, ou até as duas pernas e os dois braços, eu não teria o direito de amar, sob o risco de ser rechaçado ou de pensar que têm piedade de mim? Piedade? Mas não queremos que lamentem por nós, nem que se esforcem para nos amar, nem mesmo que se acreditem caridosos por nos tratarem amavelmente. O que exigimos, tanto diante da mulher como diante da sociedade, diante do transeunte que cruza conosco como diante do mundo de que fazemos parte, é total igualdade entre nós e aqueles que a boa fortuna ou a covardia pouparam.

O capitão voltou a bater na lareira.

– Sim, igualdade total. Nós todos, coxos, manetas, zarolhos, cegos, estropiados, disformes, pretendemos valer, física e moralmente, tanto, e talvez mais, quanto qualquer um. Como! Aqueles que se serviram das duas pernas para correr mais rapidamente ao ataque, uma vez amputados, seriam distanciados na vida por aqueles que esquentaram as duas patas no chão da lareira de um escritório? Ora! Há lugar para nós como para os outros! E pode crer que esse lugar, ao qual temos direito, saberemos tomá-lo e saberemos mantê-lo. Não há felicidade que não tenhamos o direito de alcançar e não há tarefa de que não sejamos capazes, com um pouco de exercício e treino. A mão direita de Ya-Bon já vale todos os pares de mãos do universo, e a perna esquerda do capitão Belval lhe permite percorrer duas léguas por hora, se quiser.

Ele se pôs a rir.

– A mão direita e a perna esquerda… a mão esquerda e a perna direita… Não importa o que nos resta se soubermos utilizá-lo. Em que perdemos valor? Quer se trate de um cargo ou quer se trate de perpetuar a raça, não somos mesmo o que éramos antes? E talvez melhores ainda. Acredito poder dizer que os filhos que daremos à pátria serão tão bem proporcionados, terão braços e pernas, e o resto… sem contar uma famosa herança de coração e ânimo. Eis são nossas pretensões, mamãe Coralie. Não admitimos que pernas de pau nos impeçam de seguir adiante e que, na vida, não estejamos equilibrados em nossas muletas, como em pernas de carne e osso. Não consideramos que seja um sacrifício dedicar-se a nós, e que seja necessário falar de heroísmo porque uma moça tem a honra de se casar com um soldado cego!

– Mais uma vez, não somos pessoas diferentes das outras! Volto a repetir que não sofremos nenhuma desgraça, e se trata de uma verdade à qual todo o mundo se dobrará, em duas ou três gerações. Você compreende que, em um país como a França, em que os mutilados se encontram às centenas de milhares, a concepção do que significa um homem completo não será mais tão rígida, e que, afinal de contas, haverá, nessa nova humanidade que se prepara, homens com dois braços e homens com um só braço, assim como existem homens morenos e homens loiros, pessoas usando barba e outras não. Tudo isso parecerá muito natural. Cada um viverá a vida que quiser, sem precisar ter o corpo intacto. E como minha vida está em você, mamãe Coralie, e minha felicidade depende de você, não quis esperar mais para lhe fazer meu pequeno discurso. Ufa! Acabou! Eu ainda teria muitas coisas a dizer a respeito disso, mas não é, não é em um dia…

Ele se interrompeu, intimidado apesar de tudo pelo silêncio da jovem mulher.

Ela não se mexera desde as primeiras palavras de amor que ele havia pronunciado. Suas mãos deslizaram pelo rosto até a testa. Um leve tremor lhe sacudia os ombros.

Ele se debruçou e, com infinita ternura, abrindo os dedos frágeis, descobriu o lindo rosto.

– Por que está chorando, mamãe Coralie?

A intimidade do tom não a incomodou. Entre o homem e a mulher que se debruçara sobre suas feridas, estabelecera-se uma relação de natureza especial e, em particular, o capitão Belval tinha modos um tanto familiares, porém respeitosos, diante dos quais não cabia se ofender. Ele lhe perguntou:

– Eu que fiz brotar essas lágrimas?

– Não – disse ela em voz baixa –, é sua alegria, sua maneira não só de se rebelar contra o destino, mas de dominá-lo completamente. O mais humilde entre vocês se ergue sem esforço acima de sua natureza, e não conheço nada mais bonito e comovente do que essa despreocupação.

Ele voltou a se sentar ao lado dela.

– Então não se sente ofendida por eu ter-lhe dito… o que eu lhe disse?

– Sentir-me ofendida? – retrucou ela, fingindo se enganar sobre o sentido da pergunta. – Mas todas as mulheres concordam com você! Se a ternura tiver que fazer uma escolha entre aqueles que voltarão da guerra, tenho certeza de que será a favor dos que sofreram mais cruelmente.

Ele meneou a cabeça.

– É que peço mais que ternura, e também uma resposta mais precisa a algumas de minhas palavras. Devo recordá-las?

– Não.

– Então? A resposta…

– A resposta, meu amigo, é que nunca mais dirá essas palavras.

Ele tomou um ar solene.

– Está me proibindo?

– Estou.

– Nesse caso, juro me calar até a próxima vez que a vir…

Ela murmurou:

– Não me verá mais.

Essa afirmação divertiu muito o capitão Belval.

– Ah! Ah! Por que eu não a verei mais, mamãe Coralie?

– Porque não quero.

– E o motivo dessa decisão?

– O motivo?

Virou os olhos para ele e, lentamente, pronunciou:

– Sou casada.

Essa declaração não pareceu abalar o capitão, que afirmou com a maior tranquilidade do mundo:

– Pois bem, então se casará outra vez. Não há dúvida de que seu marido é velho e que você não gosta dele. Assim, ele vai entender muito bem que, sendo amada…

– Não brinque, meu amigo…

Ele pegou energicamente a mão da jovem mulher no momento em que ela se levantava, prestes a ir embora.

– Você tem razão, mamãe Coralie, e peço desculpas por não ter adotado um tom mais sério para lhe dizer coisas tão graves. Trata-se de minha vida e de sua vida. Tenho a profunda convicção de que estão indo uma em direção à outra, sem que sua vontade possa se opor, e é por isso que a sua resposta é inútil. Não lhe peço nada. Espero tudo do destino. Ele nos reunirá.

– Não – disse ela.

– Sim – afirmou ele –, as coisas vão ocorrer assim.

– As coisas não vão ocorrer assim. Não devem ocorrer assim. Você vai me dar sua palavra de honra de que não vai mais procurar ver-me, nem mesmo saber meu nome. Eu poderia ter dado mais espaço à sua amizade. A confissão que fez nos afasta um do outro. Não quero ninguém em minha vida… ninguém.

Ela usou de certa veemência em sua declaração e, ao mesmo tempo, tentava soltar seu braço do aperto que o mantinha preso.

Patrice Belval se opôs, dizendo:

– Está errada... não tem o direito de se expor dessa maneira... eu lhe peço, pense...

Ela o rechaçou. Foi então que, por acaso, se produziu um incidente estranho. No movimento que ela fez, bateu em uma pequena bolsa que pusera no parapeito da lareira, a qual caiu no tapete. Mal fechada, a bolsa abriu-se. Dois ou três objetos saíram de dentro, que ela recolheu, enquanto Patrice Belval se agachava rapidamente.

– Pegue – disse ele –, ainda sobrou isso.

Era um estojo, um pequeno estojo de palha trançada que o choque também abrira e do qual escapavam as contas de um rosário.

De pé, ambos ficaram calados. O capitão examinava o rosário. E ele murmurou:

– Curiosa coincidência... essas contas de ametista... esse antigo engaste em filigrana de ouro... É estranho encontrar o mesmo trabalho e a mesma matéria...

Ele estremeceu, e tão nitidamente que a jovem mulher perguntou:

– O que há?

Ele segurava entre os dedos uma das contas, maior que as outras e na qual se reuniam, de um lado, o cordão das dezenas e, de outro lado, o curto cordão de oração. Ora, essa conta estava quebrada no meio, quase rente às garras de ouro que a engastavam.

– Há que... – disse ele – há que a coincidência é tão inconcebível que mal ouso... Contudo, eu poderia verificar o fato imediatamente... Mas, antes, uma palavra: quem lhe deu esse rosário?...

– Ninguém me deu – disse ela. – Eu sempre o tive.

– Mas pertencia a alguém, antes de lhe pertencer?

– À minha mãe, provavelmente.

– Ah! Procede de sua mãe?

– Sim, suponho que venha dela, assim como as diferentes joias que ela me deixou.

– Você perdeu sua mãe?

– Sim, eu tinha 4 anos quando ela morreu. Eu mal guardo dela uma lembrança muito confusa. Mas por que me pergunta isso, a respeito de um rosário?

– É a respeito disso – ele disse –, a respeito dessa conta de ametista quebrada no meio…

Ele abriu seu dólmã e tirou o relógio do bolso do colete. Vários berloques estavam amarrados ao relógio por uma pequena corrente de couro e prata. Um desses berloques era constituído pela metade de uma conta de ametista igualmente quebrada em sua face externa, igualmente engastada em garras de filigrana. O tamanho das duas contas parecia idêntico. As ametistas eram de mesma cor, engastadas na mesma filigrana.

Olharam-se ansiosamente. A jovem mulher balbuciou:

– Só pode ser um acaso, nada mais que um acaso…

– Tudo bem – disse ele –, mas devemos admitir que essas duas metades de conta se encaixam exatamente uma na outra…

– Não é possível – disse ela, também assustada diante da ideia de fazer o pequeno e simples gesto que era preciso para ter a prova indiscutível.

Esse gesto, no entanto, o oficial decidiu fazê-lo. Sua mão direita que segurava a conta do rosário e a mão esquerda que segurava o berloque se aproximaram. O encontro ocorreu. As mãos hesitaram, tatearam, então não se moveram mais. O contato se produzira.

As desigualdades da divisão correspondiam exatamente umas às outras. Os relevos encontravam vãos equivalentes. As duas metades de ametista eram as duas metades da mesma ametista. Reunidas, formavam uma única peça.

Houve um longo silêncio carregado de emoção e mistério. O capitão Belval disse em voz baixa:

– Eu também não sei exatamente a origem desse berloque. Em minha infância, eu o vi, no meio de objetos sem grande valor que guardava em uma caixa, chaves, relógios, velhos anéis, antigos carimbos, entre os quais escolhi esses berloques há dois ou três anos. De onde vem este? Eu o ignoro. Mas o que sei…

Ele havia separado os dois fragmentos e, examinando-o atentamente, concluiu:

– O que sei, sem dúvida, é que a maior conta desse rosário um dia se desprendeu e se quebrou, e que as duas metades dessa conta foram recolhidas, que uma reencontrou seu lugar e a outra, com seu cordão, formou este berloque. Portanto, você e eu possuímos as duas metades de algo que alguém possuía inteiramente há cerca de vinte anos.

Aproximou-se dela e continuou, no mesmo tom, baixo e um pouco grave:

– Há pouco você protestava quando eu afirmava minha fé no destino e na certeza de que os acontecimentos nos levavam um para o outro. Ainda está negando? Porque, enfim, trata-se ou de um acaso tão extraordinário que não temos o direito de admiti-lo, ou então de um fato real que mostra que nossas duas existências já se encontraram no passado em algum ponto misterioso, e que voltarão a se encontrar no futuro, para não mais se separarem. E é por isso que, sem esperar esse futuro talvez distante, eu lhe ofereço, hoje que está sendo ameaçada, o apoio de minha amizade. Note que não estou falando mais de amor, mas somente de amizade. Aceita?

Ela permanecia atônita, e tão confusa por tudo o que havia de milagroso na união completa dos dois fragmentos de ametista que parecia não ouvir mais a voz do capitão.

– Aceita? – repetiu ele.

Após um instante, ela respondeu:

– Não.

– Então – disse ele com bom humor –, a prova que o destino lhe dá de sua vontade não lhe basta?

Ela declarou:

– Não devemos nos ver mais.

– Que seja. Confio nas circunstâncias. Não vai demorar. Enquanto isso, juro não fazer nada para procurar revê-la.

– E não fazer nada para saber meu nome?

– Nada. Eu lhe juro.

Ela lhe estendeu a mão.

– Adeus – disse ela.

Ele respondeu:

– Até logo.

Ela se afastou. Na soleira da porta, virou-se e pareceu hesitar. Ele permanecia imóvel perto da lareira. Ela voltou a lhe dizer:

– Adeus.

Pela segunda vez, ele retrucou:

– Até logo, mamãe Coralie.

Tudo havia sido dito entre eles por enquanto. Ele não tentou segurá-la. Ela foi embora.

Quando a porta da rua se fechou, e só então, o capitão Belval se dirigiu para uma das janelas. Avistou a jovem mulher que passava por entre as árvores, toda miúda na escuridão. Sentiu um aperto no coração.

Jamais voltaria a vê-la?

– Sim, vou vê-la de novo – exclamou. – E amanhã, talvez. Não sou mesmo favorecido pelos deuses?

E, pegando sua bengala, foi embora, como ele dizia, com o pé direito.

À noite, após ter jantado em um restaurante vizinho, o capitão Belval chegava a Neuilly. O anexo da enfermaria, uma linda casa situada no começo do boulevard Maillot, dava para o Bois de Boulogne. Nela a disciplina era bastante relaxada, o capitão podia chegar a qualquer hora da noite, e os homens conseguiam facilmente autorizações da supervisora.

– Ya-Bon está aqui? – ele lhe perguntou.

– Sim, capitão, está jogando baralho com seu flerte.

– É seu direito amar e ser amado – disse ele. – Tem cartas para mim?

– Não, capitão, apenas um pacote.

– Por parte de quem?

– Foi um entregador que o trouxe, sem dizer nada senão essas palavras: "Para o capitão Belval". Deixei-o em seu quarto.

O oficial foi até o quarto, que escolhera no último andar, e avistou o pacote na mesa, amarrado com barbante e embrulhado com papel.

Abriu-o. Era uma caixa. E essa caixa continha uma chave, uma grande chave enferrujada, e que era de forma e fabricação obviamente antigas.

Que diabo isso significava? A caixa não mencionava endereço ou qualquer carimbo. Ele supôs que devia ser algum engano que se explicaria por si, e pôs a chave no bolso.

– Chega de enigmas por hoje – disse a si mesmo –, vou me deitar.

Mas, quando ia fechar as cortinas da janela, ele avistou pela vidraça, acima das árvores do Bois de Boulogne, uma explosão de faíscas que se espalhavam a certa distância, na espessa sombra da noite.

E lembrou-se da conversa que surpreendera no restaurante e dessa chuva de faíscas sobre a qual aqueles que tramavam o sequestro de mamãe Coralie haviam falado...

A CHAVE ENFERRUJADA

Aos 8 anos, Patrice Belval, que até então morara em Paris com seu pai, foi enviado para uma escola francesa em Londres, de onde saiu somente dez anos depois.

Nos primeiros tempos, recebera semanalmente notícias de seu pai. E um dia, então, o diretor da escola o informou que era órfão, que os gastos com sua educação estavam cobertos e que, uma vez maior de idade, ele receberia, por meio de um *solicitor* inglês, a quantia de cerca de duzentos mil francos, valor da herança paternal.

Duzentos mil francos não podiam ser suficientes para um rapaz cujos gostos se revelaram dispendiosos e que, enviado à Argélia para cumprir seu serviço militar, deu um jeito, já que ainda não tinha dinheiro, de fazer vinte mil francos de dívidas.

Assim, começou dilapidando a herança para, então, pôr-se a trabalhar. De mente engenhosa, ativo, sem vocação especial, mas apto a tudo que exige iniciativa e resolução, cheio de ideias, sabendo querer e executar, ele inspirou confiança, encontrou financiamentos e criou negócios.

Negócios de eletricidade, compra de fontes e cascatas, organização de serviços de automóveis nas colônias, linhas marítimas, exploração mineira;

em poucos anos, improvisou uma dúzia de empresas que, todas, foram bem-sucedidas.

A guerra foi para ele uma maravilhosa aventura. Lançou-se nela destemidamente. Sargento de tropas coloniais, ganhou sua patente de tenente no Marne. Em 15 de setembro, atingido na panturrilha, foi amputado no mesmo dia. Dois meses depois, não se sabe em decorrência de que tramas, ele, o mutilado, subiu como observador no avião de um de nossos melhores pilotos. Em 10 de janeiro, um shrapnel[1] pôs fim às façanhas dos dois heróis. Dessa vez o capitão Belval, gravemente ferido na cabeça, foi transferido para a enfermaria da Avenida dos Champs-Élysées. Na mesma época, aquela que ele ia chamar de mamãe Coralie entrava igualmente nessa enfermaria como enfermeira.

A trepanação à qual foi submetido foi bem-sucedida. Mas houve complicações. Ele sofreu muito, mesmo sem nunca se queixar, e sempre animando com bom humor seus companheiros de miséria, que sentiam para com ele uma verdadeira afeição. Fazia-os rir. Consolava-os e animava-os com sua verve e seu jeito sempre feliz de encarar as piores situações.

Nenhum deles jamais esquecera a maneira como ele recebeu um fabricante que veio lhe oferecer uma perna articulada.

– Ah, ah! Uma perna articulada! E para fazer o quê, senhor? Certamente, para enganar o mundo e que não se perceba que fui amputado, não é? Consequentemente, o senhor considera que é um defeito ser amputado e que eu, oficial francês, devo esconder isso como algo vergonhoso?

– Em absoluto, capitão. Contudo...

– E quanto custa sua mecânica?

– Quinhentos francos.

– Quinhentos francos! E acha que sou capaz de gastar quinhentos francos em uma perna articulada, quando existem cem mil pobres rapazes amputados como eu e que serão obrigados a exibir suas pernas de pau?

---

[1] Do nome de seu inventor, o artilheiro britânico Henry Shrapnel, trata-se de um obus antipessoal, pois solta balas que, ao caírem, podem atingir alvos individuais. (N.T.)

Os homens que estavam lá riam com prazer. A própria mamãe Coralie ouvia sorrindo. E quanto Patrice Belval não teria dado por um sorriso de mamãe Coralie?

Como ele lhe dissera, desde os primeiros dias apaixonara-se por ela, por sua tocante beleza, sua graça ingênua, os olhos enternecidos, a alma doce que se debruçava sobre os doentes e que parecia tocá-los levemente como uma carícia benfeitora. Desde os primeiros dias o encanto se insinuava nele ao mesmo tempo que o envolvia. A voz dela o reanimava. Ela o fascinava com seu olhar e seu perfume. Contudo, embora se submetesse ao império desse amor, ele experimentava ao mesmo tempo uma imensa necessidade de se dedicar e colocar sua força a serviço dessa pessoa miúda e delicada que ele sentia cercada de perigos.

E eis que os acontecimentos lhe davam razão, que esses perigos se definiam, e que ele tivera o prazer de arrancar a jovem mulher das garras de seus inimigos. Primeira batalha cujo desfecho o alegrava, mas que ele não podia crer encerrada. Os ataques iam recomeçar. E ele já não tinha o direito de se perguntar se não havia uma estreita correlação entre o complô preparado de manhã contra a jovem e essa espécie de sinal que a chuva de faíscas revelava? Será que ambos os fatos anunciados pelos dois interlocutores não pertenciam à mesma tenebrosa maquinação?

As faíscas ainda cintilavam ao longe.

Pelo que Patrice Belval podia julgar, o sinal se elevava do lado do rio Sena, entre dois pontos extremos que podiam ser o Trocadero, à esquerda, e a estação ferroviária de Passy, à direita.

– Portanto – disse para si mesmo –, no máximo a dois ou três quilômetros em linha reta. Vamos ver do que se trata.

No segundo andar, um pouco de luz filtrava pela fechadura de uma porta. Ya-Bon morava ali, e o oficial sabia pela supervisora que Ya-Bon jogava cartas com seu flerte. Ele entrou.

Ya-Bon não jogava mais. Adormecera em uma poltrona diante do baralho espalhado e, na manga virada do avesso que pendia a partir no ombro esquerdo, estava encostada uma cabeça de mulher, uma cabeça da mais terrível vulgaridade, cujos lábios espessos como os de Ya-Bon deixavam ver dentes pretos, e cuja pele gordurosa e amarela era impregnada de óleo. Era Angèle, a moça da cozinha, o flerte de Ya-Bon. Ela roncava.

Patrice os contemplou com satisfação. Esse espetáculo confirmava a validade de suas teorias. Se Ya-Bon havia encontrado uma namorada, será que, por sua vez, os mais mutilados entre os heróis não podiam almejar todas as alegrias do amor?

Ele tocou o ombro do senegalês. Este despertou e sorriu, ou melhor, tendo adivinhado a presença de seu capitão, sorriu antes de acordar.

– Preciso de você, Ya-Bon.

Ya–Bon grunhiu de prazer e empurrou Angèle, que desmoronou na mesa e continuou roncando.

Fora, Patrice não viu mais as faíscas. A massa de árvores as escondia dele. Ele seguiu o boulevard e, para ganhar tempo, tomou o anel ferroviário até a Avenida Henri-Martin. De lá, entrou na Rua de la Tour, que o levou a Passy.

A caminho, não parou de compartilhar suas preocupações com Ya--Bon, embora soubesse que o negro não podia entender muita coisa. Mas era um costume de Patrice Belval. Ya-Bon, seu companheiro de guerra, e então seu ordenança, era-lhe fiel como um cão. Amputado no mesmo dia que seu chefe, atingido no mesmo dia que ele na cabeça, Ya-Bon se achava destinado a todas as mesmas provações, e se regozijava por ter sido ferido duas vezes, assim como teria se regozijado por morrer ao mesmo tempo que o capitão Belval. O capitão respondia a essa submissão de animal fiel com uma camaradagem afetuosa, um tanto brincalhona, com frequência até rude, que exaltava a afeição do negro. Ya-Bon tinha o papel de confidente passivo que se consulta sem o ouvir de volta, e em quem se descarrega o mau humor.

– O que acha de tudo isso, senhor Ya-Bon? – dizia, caminhando de braço dado com ele. – Acho que ainda é a mesma história. Concorda comigo, hein?

Ya-Bon emitia dois grunhidos, um significando sim, o outro não.

Ele grunhiu:

– Sim.

– Portanto, não há dúvida – afirmou o oficial –, e precisamos reconhecer que mamãe Coralie está correndo um novo perigo, não é?

– Sim – grunhiu Ya-Bon, que, por princípio, sempre aprovava.

– Pois bem. Só resta saber, agora, o que significa essa chuva de faíscas. Por um momento, como aqueles zepelins que nos fizeram uma primeira visita há uns oito dias, imaginei... Mas está me ouvindo?

– Sim.

– Imaginei que era um sinal de traição tendo por objetivo uma segunda visita de zepelins...

– Sim.

– Não, imbecil, não diga sim. Como quer que seja um sinal para zepelins já que, conforme a conversa que surpreendi, o sinal já aconteceu duas vezes antes da guerra? E, por falar nisso, trata-se realmente de um sinal?

– Não.

– Como não? Mas então o que seria, idiota ao quadrado? É melhor você se calar e me escutar, ainda mais que nem sabe do que se trata... Eu também não, de resto, e confesso que estou perdido. Deus! Como tudo isso é complicado e sou pouco qualificado para resolver esses problemas!

Patrice Belval ficou ainda mais confuso ao desembocar da Rua de la Tour. Vários caminhos se ofereciam a ele. Qual escolher? Ademais, embora estivesse no centro de Passy, nenhuma faísca reluzia no céu escuro.

– É provável que tenha acabado – ele disse –, e estamos a ver navios. A culpa é sua, Ya-Bon. Se não tivesse me feito perder preciosos minutos para arrancá-lo dos braços de sua namorada, teríamos chegado a tempo. Reconheço os encantos de Angèle, mas mesmo assim...

Orientou-se, cada vez mais indeciso. Decididamente, a expedição iniciada ao acaso, e sem informações suficientes, não trazia nenhum resultado, e ele pensava em abandoná-la quando, nesse momento, um automóvel surgiu da Rua Franklin, vindo do Trocadero, e alguém que estava dentro gritou pelo tubo acústico:

– Vire à esquerda... e em seguida siga reto, até que eu o avise.

Ora, pareceu ao capitão Belval que essa voz tinha as mesmas inflexões estrangeiras de uma das vozes que ouvira de manhã no restaurante.

– Será que é o indivíduo de chapéu cinza? – murmurou –, ou seja, um daqueles que tentaram sequestrar mamãe Coralie?

– Sim – grunhiu Ya-Bon.

– Não é? O sinal das faíscas explica sua presença nos arredores. Não podemos largar essa pista. Corra, Ya-Bon.

Mas era inútil que Ya-Bon corresse. O carro – uma imponente limusine – seguira pela Rua Raynouard, e o próprio capitão conseguiu chegar no momento em que parava a três ou quatro metros do cruzamento, diante de um portão, situado à esquerda.

Cinco homens desceram.

Um deles tocou a campainha.

Passaram-se trinta ou quarenta segundos. Então, pela segunda vez, Patrice percebeu a vibração da campainha. Os cincos homens agrupados na calçada estavam esperando. Finalmente, após tocarem uma terceira vez, uma pequena fresta em uma das duas folhas do portão foi entreaberta.

Houve uma pausa. Parlamentavam. A pessoa que havia aberto devia estar pedindo explicações. Mas, de repente, dois dos homens empurraram fortemente a folha do portão, que cedeu à pressão e abriu passagem a todo o bando.

Um ruído violento. A porta se fechou. Logo o capitão estudou o lugar.

A Rua Raynouard era um antigo caminho rural que antes serpentava entre as casas e os jardins da aldeia de Passy, nas encostas nas colinas banhadas pelo Rio Sena. Em certas partes, cada vez mais raras, infelizmente, mantivera um ar provinciano. É ladeada por propriedades antigas. Casas velhas se escondem no meio das árvores. Conserva-se a casa em que Balzac morou. Era lá que ficava o jardim misterioso em que Arsène Lupin descobriu, na fenda de um antigo relógio solar, os diamantes de um coletor de impostos[2].

A casa que os cinco indivíduos haviam invadido, e perto da qual o automóvel ainda estacionava, o que impedia que o capitão se aproximasse,

[2] Referência ao livro *As confissões de Arsène Lupin*, de Maurice Leblanc, coletânea composta de nove contos e publicada pela primeira vez em 1921. (N.T.)

ficava ao lado de um muro. Tinha a aparência dos velhos hotéis construídos durante o Primeiro Império. Janelas redondas, protegidas por grades no térreo, fechadas por persianas no primeiro andar, alinhavam-se ao longo da larga fachada. Mais adiante, como uma ala independente, agregava-se outro edifício.

– Nada que se possa fazer deste lado – disse o capitão. – Está trancado como uma fortaleza feudal. Vamos procurar por outro lado.

Da Rua Raynouard, ruelas estreitas, que separavam as antigas propriedades, correm em direção ao rio. Uma delas ladeava o muro que antecedia a casa. O capitão entrou nela com Ya-Bon. Era calçada com terríveis cascalhos pontiagudos, entrecortada por degraus, e fracamente iluminada pela claridade de um poste de luz.

– Dê-me uma ajuda, Ya-Bon. O muro é muito alto. Mas, talvez, com esse poste de luz…

Ajudado por Ya-Bon, ele se ergueu até a lanterna e já estendia uma das mãos quando se deu conta de que toda essa parte da cumeeira era provida de cacos de vidro que tornavam a passagem absolutamente impossível.

Desceu, furioso.

– Caramba, Ya-Bon, poderia ter me avisado. Mais um pouco e eu cortava as mãos. No que está pensando? Na verdade, pergunto-me por qual motivo você fez questão de me acompanhar.

Havia uma curva. Não sendo mais iluminada, a ruela ficou totalmente escura e o capitão só avançava tateando.

A mão do senegalês caiu sobre seu ombro.

– O que quer, Ya-Bon?

A mão o empurrou contra o muro. Naquele lugar havia a reentrância de uma porta.

– Obviamente – disse ele – é uma porta. Você imagina que eu não a havia visto? Não, só o senhor Ya-Bon é que tem olhos!

Ya-Bon lhe ofereceu uma caixa de fósforos. Ele acendeu vários, um atrás do outro, para examinar a porta.

– O que eu lhe disse? – resmungou. – Não há nada que possamos fazer. Madeira maciça, reforçada com barras e pregos… Veja, não há maçaneta deste lado... apenas o buraco de uma fechadura... Ah, precisaríamos de uma chave, e feita especialmente, sob medida!... Olhe, uma chave do tipo daquela que um entregador deixou de tarde para mim no anexo.

Calou-se. Uma ideia absurda passava por sua mente, e no entanto, por mais absurda que fosse, ele se sentia incapaz de resistir ao pequeno gesto que ela lhe sugeria.

Voltou sobre seus passos. Havia trazido essa chave consigo. Tirou-a do bolso.

A porta voltou a ser iluminada. O buraco da fechadura apareceu. Na primeira tentativa, o capitão introduziu a chave. Fez um esforço à esquerda: a chave girou; ele empurrou, a porta se abriu.

– Vamos entrar – disse.

O negro não se moveu. Patrice adivinhou seu estupor. No fundo, seu próprio estupor não era menor. Por que incrível prodígio essa chave era precisamente a chave dessa porta? Por qual prodígio a pessoa desconhecida que lhe mandara a chave havia adivinhado que ele saberia utilizá-la, sem maior informação?... Por qual prodígio?...

Mas Patrice havia resolvido agir sem procurar a resposta aos enigmas que um malicioso acaso parecia se deleitar em lhe apresentar.

– Vamos entrar – repetiu vitoriosamente.

Galhos de árvore chicotearam-lhe o rosto, e ele percebeu que andava na relva e que um jardim devia se estender à sua frente. A escuridão era tamanha que não se distinguiam as alamedas na massa preta dos gramados. Após ter andado por um ou dois minutos, ele se chocou contra rochas sobre as quais corria um lençol freático.

– Droga! – resmungou –, estou todo molhado. Maldito Ya-Bon!

Nem acabara de falar e um latido furioso se fez ouvir nas profundezas do jardim, e imediatamente o som do latido se aproximou com extrema rapidez. Patrice entendeu que um cão de guarda, avisado de sua presença, lançava-se na direção deles, e, por mais corajoso que fosse, estremeceu, de tão impressionante que parecia esse ataque no meio da noite. Como se defender? Um tiro os denunciaria, mas não tinha outra arma senão seu revólver.

O animal se precipitava, e devia ser muito forte, a julgar pelo estrondo de sua corrida, que evocava a de um javali no meio do matagal. Devia ter rompido sua corrente, porque um ruído de metal o acompanhava. Patrice se retesou. Mas, em meio às trevas, viu que Ya-Bon passava diante dele para protegê-lo, e quase em seguida o choque ocorreu.

– Coragem, Ya-Bon, por que não me deixou na frente? Coragem, rapaz… aqui estou.

Os dois adversários haviam rolado na relva. Patrice se debruçou, tentando socorrer o negro. Tocou os pelos de um animal e então a roupa de Ya-Bon. Mas tudo isso se engalfinhava no chão em um bloco tão unido e lutavam com tamanho frenesi que sua intervenção não podia servir para nada.

Aliás, a luta foi breve. Após alguns minutos, os adversários não se moviam mais. Um estertor confuso saía do grupo que formavam.

– E aí? E aí, Ya-Bon? – murmurou o capitão, ansioso.

O negro se levantou aos grunhidos. À luz de um fósforo, Patrice viu que ele segurava com o braço, seu único braço com o qual precisara se defender, um enorme cão que arquejava, a garganta apertada por cinco dedos implacáveis. Uma corrente rompida pendia de sua coleira.

– Obrigado, Ya-Bon, escapei por pouco. Agora, pode soltá-lo. Deve estar inofensivo.

Ya-Bon obedeceu. Mas devia certamente ter apertado demais. O cão se contorceu por um instante na relva, soltou alguns gemidos e permaneceu imóvel.

– Pobre animal – disse Patrice –, e contudo só cumprira seu dever ao se lançar contra os ladrões que somos. Vamos cumprir o nosso, Ya-Bon, que é bem menos claro.

Algo que brilhava como a vidraça de uma janela dirigia seus passos e o levou, por uma série de escadas talhadas na pedra e plataformas superpostas, ao plano no qual a casa era construída. Desse lado, também, todas as janelas, redondas e altas com as da rua, eram trancadas por persianas. Mas uma delas deixava filtrar a luz que ele avistara de baixo.

Tendo mandado Ya-Bon se esconder nos maciços de plantas, aproximou-se da fachada, escutou, percebeu o ruído confuso de palavras, constatou que a sólida tranca das persianas não lhe permitia ver ou ouvir, e assim alcançou, após a quarta janela, os degraus de uma escada.

No final dessa escada havia uma porta.

– Já que me mandaram a chave do jardim – disse a si mesmo –, não há motivo para que a porta da casa dando para o jardim não esteja aberta.

Estava aberta.

Dentro, o ruído das vozes era mais nítido, e o capitão observou que esse ruído chegava a ele pelo vão da escada, e essa escada, que parecia levar a uma parte inabitada da casa, estava vagamente iluminada acima dele.

Ele subiu.

De fato, no primeiro andar uma porta estava entreaberta. Ele passou a cabeça pela abertura e, curvando-se, entrou.

Encontrou-se então em uma estreita sacada que corria a meia altura de uma ampla sala. Essa galeria ladeava fileiras de livros que alcançavam o teto, e percorria três lados da sala. Duas escadas de ferro, em forma de caracol, desciam contra a parede em cada extremidade.

Pilhas de livros se amontoavam também contra as tábuas do parapeito que protegia a galeria, de modo que Patrice não podia ser visto pelas pessoas agrupadas embaixo, três ou quatro metros abaixo dele, no andar térreo.

Cuidadosamente, afastou duas pilhas. Então o ruído das vozes transformou-se de repente em um violento clamor e, de uma olhada, avistou cinco indivíduos que se lançavam sobre um homem e, antes que este tivesse tempo de se defender, o derrubavam com gritos de furor.

O primeiro movimento do capitão foi precipitar-se em socorro da vítima. Com a ajuda de Ya-Bon, que teria acorrido ao seu chamado, ele certamente teria dado conta dos homens. Só não o fez porque, afinal de contas, não usavam nenhuma arma e não pareciam ter intenções assassinas. Tendo imobilizado sua vítima, limitaram-se a segurá-la pela garganta, os ombros e os tornozelos. O que ia acontecer?

Rapidamente um dos cinco indivíduos se levantou e ordenou, em um tom de chefe:

– Amarrem-no... uma mordaça na boca... Aliás, ele pode gritar quanto quiser, não há ninguém para ouvi-lo.

Imediatamente Patrice reconheceu uma das duas vozes que já ouvira de manhã no restaurante. O indivíduo era baixo, magro, elegante, a tez verde-oliva, o rosto cruel.

– Finalmente – disse ele – pegamos esse malandro! E creio que dessa vez vai acabar por falar. Estão determinados a tudo, meus amigos?

Um dos quatro resmungou com ódio:

– A tudo! E sem demora, não importa o que acontecer!

Este tinha um espesso bigode preto, e Patrice reconheceu o outro interlocutor do restaurante, um dos dois agressores de mamãe Coralie, aquele que havia fugido. Deixara seu chapéu cinza em uma das cadeiras.

– A tudo, hein, Bournef, e não importa o que acontecer? – zombou o chefe. – Pois bem, vamos em frente! Ah, meu velho Essarès, você se recusa a entregar seu segredo! Então vamos nos divertir.

Todos os gestos deviam ter sido ensaiados entre eles e a tarefa parecia rigorosamente dividida, porque os atos que realizaram foram executados com método e prontidão incríveis.

Uma vez amarrado o homem, ergueram-no e jogaram-no em uma poltrona com encosto muito inclinado, no qual o ataram, com a ajuda de uma corda, pelo peito e o tronco.

As pernas, ainda amarradas, foram deitadas no assento de uma cadeira pesada da mesma altura que a poltrona, de modo que os dois pés ficassem acima dela. Então, tiraram dos pés as botas e as meias.

O chefe disse:

– Vamos!

Havia, entre duas das quatro janelas que davam para o jardim, uma grande lareira na qual se consumia um fogo de carvão todo vermelho, com umas manchas brancas, de tão incandescente que estava.

Os homens empurraram a poltrona e a cadeira que carregavam a vítima, aproximando-a, com os pés descalços na frente, até meio metro do braseiro.

Apesar da mordaça, subiu um grito de dor atroz, e apesar das amarras as pernas conseguiram se encolher sobre si mesmas.

– Vamos! Vamos! Mais perto! – proferiu o chefe exasperado.

Patrice Belval pegou seu revólver.

– Ah! Eu também vou – ele,murmurou –, não vou deixar esse coitado…

Mas nesse exato segundo, quando estava prestes a se levantar e agir, o acaso de um movimento o fez avistar o espetáculo mais extraordinário e imprevisto.

À sua frente, do outro lado da sala, na parte da sacada simétrica àquela que ele ocupava, ali estava uma cabeça de mulher, colada às barras do parapeito, lívida, assustada, cujos olhos arregalados pelo terror contemplavam desesperadamente a terrível cena que acontecia embaixo, diante do braseiro vermelho.

O capitão reconheceu mamãe Coralie.

DIANTE DAS CHAMAS

Mamãe Coralie! Era mamãe Coralie, escondida nessa casa que seus agressores haviam invadido, e onde ele mesmo se escondia graças a um conjunto de circunstâncias inexplicáveis!

Pensou imediatamente – e então pelo menos um dos enigmas se dissipava – que ela também devia ter entrado pela ruela, invadido a casa pela escada e, desse modo, ela lhe abrira a passagem. Mas, nesse caso, como encontrara os meios de levar a cabo tamanha tarefa? E, acima de tudo, o que estava fazendo ali?

Aliás, todas essas perguntas se formavam na mente do capitão Belval sem que ele tentasse achar respostas, de tão impressionado que estava com o rosto alucinado de Coralie. Ademais, um segundo grito, ainda mais selvagem que o primeiro, saiu de baixo, e ele viu os dois pés da vítima que se torciam diante do braseiro incandescente.

Mas dessa vez Patrice, imóvel pela presença de Coralie, não quis ir socorrer a vítima. Decidiu basear toda a sua conduta na da jovem mulher, não se mexer, e até mesmo não fazer nada para chamar a atenção dela.

– Descanso! – mandou o chefe. – Tragam-no para trás. Com certeza a amostra deve bastar.

E, aproximando-se:

– E agora, meu caro Essarès, o que me diz? Está gostando dessa história? Você sabe que só estamos no começo. Se não falar, iremos até o fim, como faziam os verdadeiros "aquecedores[3]" do tempo da Revolução, que eram mestres nessa arte. Então, está decidido a falar?

O chefe soltou um xingamento.

– Hein? O que quer dizer? Você se recusa? Mas, maldito teimoso, não entende a situação? Ou então é que ainda tem um pouco de esperança. Esperança! Está louco. Quem poderia socorrê-lo? Seus criados? O zelador, o lacaio e o mordomo trabalham para mim. Dei-lhes oito dias de licença. Nesta hora já foram embora. A camareira? A cozinheira? Moram na outra extremidade da casa, e você mesmo me disse que não se podia ouvir nada daquela extremidade. E quem mais? Sua mulher? Ela também dorme longe dessa sala e também não ouviu nada. Siméon, seu velho secretário? Nós o prendemos quando ele abriu a porta principal há pouco. Aliás, vamos dar um jeito nisso. Bournef!

O homem com bigode espesso, que naquele momento segurava a cadeira, ergueu-se e respondeu:

– O que há?

– Bournef, onde trancamos o secretário?

– Na portaria do zelador.

– Sabe onde fica o quarto da esposa?

– Com certeza, segundo as indicações que você me deu.

– Vocês quatro, vão até lá e tragam a esposa e o secretário.

Os quatro indivíduos saíram por uma porta que se encontrava abaixo de mamãe Coralie, e mal haviam sumido quando o chefe se debruçou rapidamente sobre sua vítima e pronunciou:

– Estamos sozinhos, Essarès. Foi o que eu quis. Vamos aproveitar.

Abaixou-se ainda mais e murmurou de tal modo que Patrice mal conseguia ouvi-lo:

---

[3] Referência aos "chauffeurs", como eram popularmente apelidados bandos de criminosos que, durante a Revolução Francesa, invadiam casas à noite e queimavam os pés dos moradores para que estes confessassem onde escondiam seu dinheiro. (N.T.)

– É um bando de imbecis que manipulo como quero e a quem revelo o mínimo possível sobre meus planos. Ao passo que nós, Essarès, somos feitos para nos entender. É o que você não quis admitir e veja aonde isso o levou. Vamos, Essarès, não seja teimoso e não queira bancar o esperto comigo. Caiu na armadilha, está impotente e submetido à minha vontade. Pois bem, antes que as torturas acabem com sua energia, aceite uma transação. Dividimos em dois, que tal? Vamos fazer as pazes e fechar nessa base de divisão igual. Você entra no meu jogo e eu entro no seu. Reunidos, seremos fatalmente vitoriosos. Inimigos, quem sabe se o vencedor conseguirá superar todos os obstáculos que ainda se oporão a ele? Por isso, repito: dividimos em duas partes. Responda: sim ou não?

Ele afrouxou a mordaça e prestou atenção. Dessa vez Patrice não conseguiu distinguir as poucas palavras ditas pela vítima. Mas, quase imediatamente o outro, o chefe, levantou-se em uma repentina explosão de fúria.

– Hein? O quê? O que está me propondo? Fala verdade, você tem coragem! Uma proposta desse tipo, a mim? Ofereça isso a Bournef ou aos seus camaradas. Eles vão entender. Mas eu? Eu? O coronel Fakhi! Ah, não, rapaz, eu sou mais guloso! Aceito dividir. Mas receber esmola, nunca!

Patrice escutava avidamente e, ao mesmo tempo, não perdia de vista mamãe Coralie, cujo rosto, ainda descomposto pela angústia, expressava a mesma atenção.

E ele olhava também a vítima, que o espelho posto acima da lareira refletia parcialmente. Vestido com jaqueta de veludo com sutache e uma calça de flanela marrom, era um homem de cerca de 50 anos, completamente calvo, o rosto espesso, o nariz pronunciado e adunco, os olhos bem fundos sob espessas sobrancelhas, as faces inchadas e cobertas por uma pesada barba cinza. De resto, Patrice podia examiná-lo de maneira mais detalhada ainda em um retrato dele que estava pendurado à esquerda da lareira, entre a segunda e a primeira janela, e que representava um rosto enérgico, imponente e, por assim dizer, de expressão violenta.

"Um rosto oriental", pensou Patrice. "No Egito e na Turquia, vi rostos semelhantes a este."

Os nomes de todos esses indivíduos, aliás, o coronel Fakhi, Mustapha, Bournef, Essarès, o sotaque, a maneira de ser, o aspecto, a silhueta, tudo remetia a impressões experimentadas lá, nos hotéis de Alexandria ou nas margens do Bósforo, nos bazares de Andrinopla ou nos barcos gregos que cruzam o Mar Egeu. Tipos de levantinos, mas de levantinos enraizados em Paris. Essarès bei era um nome de financista que Patrice conhecia, assim como o do coronel Fakhi, que suas entonações e sua linguagem denotavam ser um parisiense.

Mas um ruído de voz voltou a subir do lado da porta. Esta foi aberta brutalmente, e os quatro indivíduos surgiram arrastando um homem atado, que deixaram cair na entrada da sala.

– Aqui está o velho Siméon – exclamou Bournef.

– E a mulher? – perguntou energicamente o chefe. – Espero mesmo que a pegaram!

– Bem, não.

– Hein? Como! Ela fugiu?

– Pela janela.

– Mas precisam correr atrás dela! Só pode estar no jardim... Lembrem-se, há pouco o cão de guarda estava latindo...

– E se fugiu?

– Como?

– A porta da ruela?

– Impossível!

– Por quê?

– Há anos que essa porta não é mais usada. Nem mesmo tem chave.

– Pois bem – respondeu Bournef. – Mas não vamos organizar uma batida com lanternas e atrair o bairro todo, apenas para encontrar uma mulher...

– Sim, mas essa mulher...

O coronel Fakhi parecia exasperado. Voltou-se para o prisioneiro.

– Está com sorte, velho malandro. É a segunda vez hoje que ela escapa às minhas garras, a sua florzinha! Ela lhe contou o que aconteceu de tarde? Ah, se não estivesse lá um maldito capitão... que vou encontrar e que vai me pagar sua intervenção...

Patrice cerrou os punhos com raiva. Ele entendeu: mamãe Coralie se escondia em sua própria casa. Surpresa pela invasão dos cinco indivíduos, ela conseguira – com que esforço! – descer pela janela, seguir no terraço até a escada, alcançar a parte da casa oposta aos quartos habitados e se refugiar na galeria dessa biblioteca, de onde era possível assistir à terrível luta empreendida contra seu marido.

"Seu marido! Seu marido!", pensou Patrice, estremecendo.

E, se ainda houvesse alguma dúvida a respeito disso, os acontecimentos que se precipitaram a apagaram imediatamente, porque o chefe se pôs a caçoar:

– Sim, meu velho Essarès, posso lhe confessar, gosto infinitamente de sua mulher e, como a deixei escapar hoje à tarde, eu bem esperava, uma vez resolvidos meus negócios com você, resolver outros mais agradáveis com ela nesta noite. Sem contar que, uma vez em meu poder, a moça serviria de refém, que eu lhe teria devolvido, pode acreditar, somente após a execução integral de nosso acordo. E você teria andado na linha, Essarès! É que você é apaixonado por sua Coralie! E como eu o aprovo!

Dirigiu-se para a direita da lareira e, girando um interruptor, acendeu uma luz elétrica posta sob um refletor, entre a terceira e a quarta janela.

Havia lá um quadro que era simétrico ao retrato de Essarès. Estava coberto. O chefe puxou o pano. Coralie apareceu em plena luz.

– A rainha desse lugar! A encantadora! O ídolo! A pérola das pérolas! O diamante imperial de Essarès bei, banqueiro! Como é bonita! Admire a forma delicada de seu rosto, a pureza desse oval, e esse pescoço encantador, e esses ombros graciosos. Essarès, não há favorita, em nossos países distantes, que valha sua Coralie! Será minha logo! Porque vou conseguir achá-la. Ah! Coralie! Coralie!...

Patrice olhou para a jovem mulher e pareceu-lhe que um rubor de vergonha corava seu rosto.

Ele mesmo, a cada palavra de injúria, estremecia de indignação e cólera. Para ele, já era uma dor muito violenta que Coralie fosse esposa de outro homem, e a essa dor se acrescentava a raiva de vê-la assim exposta aos olhos desses homens e prometida como uma presa impotente a quem se mostraria mais forte.

Ao mesmo tempo, perguntava-se o motivo pelo qual Coralie permanecia na sala. Supondo que não pudesse sair do jardim, no entanto, estando livre para ir e vir nessa parte da casa, ela podia abrir alguma janela e pedir socorro. Quem a impedia de agir nesse sentido? Decerto, ela não amava seu marido. Se o tivesse amado, teria afrontado todos os perigos para defendê-lo. Mas como era possível deixar torturar esse homem e, mais ainda, assistir ao seu suplício, contemplar o mais terrível dos espetáculos e ouvir os gritos de seu sofrimento?

– Chega de besteiras! – exclamou o chefe pondo de volta o pano. – Coralie, você será minha recompensa suprema, mas é preciso merecê-la. Mãos à obra, camaradas, e vamos terminar com nosso amigo. Para começar, dez centímetros mais adiante. Nada mais. Está queimando, hein, Essarès? Mas, mesmo assim, ainda é suportável. Tenha paciência, meu bom amigo, tenha paciência.

Desamarrou o braço do cativo, instalou perto dele uma mesinha na qual pôs um lápis e uma folha de papel e continuou:

– Tudo que precisa para escrever. Já que sua mordaça o impede de falar, escreva. Não ignora do que se trata, certo? Algumas letras rabiscadas nessa folha e estará livre. Aceita? Não? Camaradas, dez centímetros a mais.

Afastou-se e, debruçando-se sobre o velho secretário, em quem Patrice, graças a uma luz mais viva, reconhecera de fato o homem que às vezes acompanhava Coralie até a enfermaria, disse-lhe:

– Quanto a você, Siméon, não lhe será feito mal nenhum. Sei que é dedicado ao seu patrão, mas que este não o deixa a par de nenhum dos seus negócios particulares. Ademais, tenho certeza de que manterá silêncio sobre tudo isso, já que uma única palavra de denúncia contra nós acarrearia a perda do seu patrão antes da nossa. Está entendido, não é? Bem, por que não responde? Será que lhe apertaram demais a garganta com as cordas? Espere, vou lhe dar um pouco de ar...

Enquanto isso, perto da lareira, a sinistra tarefa prosseguia. Pelos dois pés avermelhados pelo calor parecia ser possível ver, por transparência, o brilho fulgurante das chamas. A vítima usava todas as suas forças para tentar dobrar as pernas e recuar, e um gemido saía de sua mordaça, abafado e ininterrompido.

– Ah! Caramba – Patrice disse a si mesmo –, vamos deixá-lo assar desse jeito, como um frango no espeto?

Ele olhou para Coralie. Ela não se movia, o rosto convulsionado, irreconhecível, e os olhos fascinados pela aterrorizante visão.

– Cinco centímetros a mais – gritou do outro lado da sala o chefe, que afrouxava as amarras do velho Siméon.

A ordem foi executada. A vítima soltou tamanho grito que Patrice se sentiu abalado. Mas, ao mesmo tempo, deu-se conta de uma coisa que, até então, ele não notara, ou ao menos à qual não havia dado nenhum significado. A mão da vítima, por uma série de pequenos gestos que pareciam decorrer de crispações nervosas, havia agarrado a beira oposta da mesinha, ao passo que o braço se apoiava no mármore. E aos poucos essa mão, sem que os carrascos que se esforçavam para lhe manter as pernas imóveis percebessem, assim como o chefe, ainda ocupado com Siméon, essa mão fez girar uma gaveta pivotante, deslizou na gaveta, tirou dela um revólver e, bruscamente recolhida, escondeu a arma na poltrona.

O ato, ou melhor, o propósito que esse ato anunciava era extremamente ousado, porque, reduzido à impotência como o estava, o homem não podia esperar a vitória contra cinco adversários livres e armados. No entanto, no espelho em que o via, Patrice notou no rosto uma inabalável resolução.

– Cinco centímetros a mais – mandou o coronel Fakhi, voltando para a lareira.

Tendo examinado o estado das feridas, ele disse rindo:

– A pele está inchando em alguns lugares, as veias estão prestes a se romper. Essarès bei, não deve estar se divertindo muito, nem duvido de sua boa vontade. Será que começou a escrever? Não? E não quer? Prefere esperar um pouco mais? Do lado de sua mulher, talvez? Ora, dá para você ver que, mesmo que tenha conseguido escapar, ela não vai dizer nada. Então? Então, está zombando de mim?

Tomado por um repentino acesso de fúria, ele vociferou:

– Coloquem-lhe os pés no fogo! Quero sentir o cheiro de queimado, de uma vez por todas! Ah! Está zombando de mim? Pois bem, espere um pouco, meu rapaz, e eu mesmo vou começar a brincar e lhe arrancar uma orelha ou as duas... quem sabe? Como fazem em meu país.

Havia tirado de seu colete um punhal que brilhou na luz. Seu rosto era repugnante, de crueldade bestial. Com um grito selvagem, levantou o braço e se endireitou, implacável.

Mas, por mais rápido que seu gesto tenha sido, Essarès antecipou-se. O revólver apontado subitamente disparou com estrondo. A faca caiu da mão do coronel. Durante alguns segundos ele manteve sua atitude ameaçadora, o braço suspenso no ar, os olhos perdidos, como se não entendesse bem o que estava acontecendo. Então, de repente, desabou sobre sua vítima, imobilizando o braço com seu peso no exato momento em que Essarès mirava um dos outros cúmplices.

Ainda respirava. Balbuciou:

– Ah! O animal... o animal... ele me matou... mas será sua derrota, Essarès... eu havia previsto a possibilidade. Se eu não voltar nesta noite, o chefe da polícia vai receber uma carta... sua traição será conhecida, Essarès... toda a sua história... seus projetos... Ah! Miserável... Não é uma burrice?... poderíamos ter-nos entendido tão bem...

Balbuciou ainda umas palavras confusas e rolou sobre o tapete. Era o fim.

Talvez ainda mais que essa reviravolta, a revelação feita pelo chefe antes de morrer e o anúncio dessa carta, que certamente acusava tanto os agressores quanto sua vítima, provocaram um minuto de estupor. Bournef havia desarmado Essarès. Este, aproveitando que a cadeira não era mais segurada, pôde dobrar as pernas e ninguém se movia.

No entanto, a impressão de terror que emanava da cena toda parecia aumentar com o silêncio. No chão, o corpo deitado, cujo sangue escorria no tapete. Perto, o vulto inerte de Siméon. E então a vítima, ainda presa diante das chamas prestes a lhe devorar a carne. De pé ao lado dele, os quatro carrascos, hesitando talvez sobre a conduta a seguir, porém cuja fisionomia indicava a implacável resolução de dominar o inimigo por qualquer meio que fosse.

Bournef, que os demais consultavam com o olhar, parecia prestes a tudo. Era um homem bastante gordo e baixo, vigoroso, o lábio adornado daquele bigode que Patrice Belval havia notado. Aparentemente menos cruel que o chefe, de aspecto menos elegante e autoritário, ele mostrava mais calma e sangue-frio.

Quanto ao coronel, seus cúmplices não pareciam se preocupar com ele. A partida que jogavam os impedia de qualquer vã compaixão.

Finalmente, Bournef tomou as rédeas, como um homem cujo plano já está estabelecido. Foi pegar seu chapéu cinza deixado perto da porta, abriu o forro e retirou de dentro um pequeno rolo cujo aspecto fez Patrice estremecer. Era um fino cordão vermelho, idêntico àquele que encontrara no pescoço de Mustapha Rovalaïoff, o primeiro cúmplice detido por Ya-Bon.

Bournef desdobrou o cordão e, pegando-o pelas duas argolas, verificou sua solidez com o joelho e, voltando perto de Essarès, passou-o em volta do pescoço da vítima, após ter-lhe retirado a mordaça.

– Essarès – ele disse, com uma tranquilidade mais impressionante que os rompantes e as zombarias do coronel –, Essarès, não vou fazê-lo sofrer. A tortura é um procedimento que me dá nojo, e não quero recorrer a ele. Sabe o que tem que fazer, e eu sei o que devo fazer. Uma palavra de sua parte, um ato da minha, e tudo estará acabado. Essa palavra é o sim ou o não que você vai pronunciar. O ato que vou executar em resposta ao seu sim ou ao seu não será sua libertação, ou então…

Parou alguns segundos e arrematou:

– Ou então sua morte.

A curta frase foi articulada com muita simplicidade, mas com uma firmeza que lhe dava o significado de uma sentença irrevogável. Era claro que Essarès estava diante de um desfecho que não podia mais evitar senão com absoluta submissão. Em menos de um minuto, falaria ou estaria morto.

Mais uma vez Patrice observou mamãe Coralie, prestes a intervir se adivinhasse nela mais do que um terror passivo. Mas a atitude da jovem mulher não havia mudado. Assim, ela admitia os piores acontecimentos, mesmo aquele que ameaçava seu marido? Patrice se conteve.

– Estamos de acordo? – disse Bournef aos seus cúmplices.

– Totalmente de acordo – disse um deles.

– Vocês aceitam sua parte da responsabilidade?

– Aceitamos.

Bournef aproximou suas mãos uma da outra e as cruzou, amarrando o cordão em volta do pescoço de Essarès. Então, apertou levemente de maneira que a pressão se fizesse sentir, e perguntou em tom seco:

– Sim ou não?

– Sim.

Houve um murmúrio de alegria. Os cúmplices respiravam, e Bournef meneou a cabeça com ar de aprovação.

– Ah! Você aceita?... Já era hora... não creio que alguém possa estar mais perto da morte do que você esteve, Essarès.

No entanto, e sem soltar o cordão, prosseguiu:

– Pois bem. Você vai falar. Mas eu o conheço, e sua resposta me surpreende, porque eu tinha dito ao coronel que nem a própria certeza de morrer o faria confessar seu segredo. Estou enganado?

Essarès respondeu:

– Não, nem a morte, nem a tortura...

– Então você tem outra coisa a nos propor?

– Sim.

– Algo que vale a pena?

– Sim. Há pouco eu o propus ao coronel quando vocês saíram. Mas, embora aceitasse traí-los e tratar comigo do segredo como um todo, ele recusou essa outra coisa.

– Por que eu aceitaria?

– Porque é pegar ou largar, e você entende o que ele não entendeu.

– Portanto, uma transação, não é?

– Sim.

– Dinheiro.

– Sim.

Bournef deu de ombros.

– Certamente, algumas notas de mil francos? E você imagina que Bournef e seus amigos serão tão ingênuos? Olha, Essarès, por que quer que façamos concessões? Seu segredo, já o conhecemos quase inteiramente...

– Vocês sabem em que consiste, mas ignoram os meios de utilizá-lo. Vocês ignoram, por assim dizer, a "localização" do segredo. Aí está o problema.

– Nós a descobriremos.

– Nunca.

– Sim, sua morte vai facilitar nossas buscas.

– Minha morte? Em poucas horas, graças à denúncia do coronel, vocês serão perseguidos e provavelmente presos, e de qualquer modo ficarão incapazes de continuar suas buscas. Consequentemente, vocês também não têm escolha. Ou o dinheiro que proponho ou então... a prisão.

– E se aceitarmos – disse Bournef, abalado pelo argumento –, quando seremos pagos?

– Imediatamente.

– Então o dinheiro está aqui?

– Sim.

– Uma quantia miserável, suponho.

– Não, muito maior do que você espera, infinitamente maior.

– Quanto.

– Quatro milhões.

O MARIDO E A MULHER

Os cúmplices se sobressaltaram, como se tivessem recebido um choque elétrico. Bournef se precipitou.

– Hein? O que diz?

– Digo quatro milhões, o que representa um milhão para cada um de vocês.

– O quê? Vamos!… tem certeza?… quatro milhões?

– Quatro milhões.

A quantia era tão elevada, e a proposta tão inesperada, que os cúmplices sentiram o que Patrice Belval também experimentava de seu lado. Acreditaram que fosse uma armadilha, e Bournef não pôde deixar de dizer:

– De fato, a oferta ultrapassa nossas previsões… Portanto, eu me pergunto por que chegou a essa quantia.

– Você teria se conformado com menos?

– Sim – disse Bournef com franqueza.

– Infelizmente, não posso fazer menos. Para escapar da morte, tenho um único meio que é abrir meu cofre. Ora, no meu cofre estão quatro maços de mil notas cada.

Bournef não acreditava no que estava ouvindo e desconfiava cada vez mais de tudo.

– Quem lhe garante que após pegarmos os quatro milhões não vamos exigir mais?

– Exigir o quê? O segredo da localização?

– Sim.

– Não, já que sabem que prefiro morrer. Os quatro milhões são o máximo. Vão querer? Em troca, não peço nenhuma promessa, nenhum juramento, já que tenho certeza de que, uma vez com os bolsos cheios, vocês não terão outra ideia senão fugir, sem se complicar com o assassinato que poderia perdê-los.

O argumento era tão peremptório que Bournef não discutiu mais.

– O cofre está nesta sala?

– Sim, entre a primeira e segunda janela, atrás do meu retrato.

Bournef tirou o quadro da parede e disse:

– Não vejo nada.

– Sim. O cofre é delimitado pelas próprias molduras do pequeno painel central. No meio, há uma rosácea, não de madeira, mas de metal, e existem quatro outras nos quatro cantos do painel. Essas quatro devem ser giradas à direita, ponto por ponto e seguindo uma palavra que é a senha da fechadura, a palavra "Cora".

– As quatro primeiras letras de Coralie? – disse Bournef, que executava as indicações de Essarès.

– Não – respondeu ele –, mas as quatro primeiras letras da palavra Coran[4]. Chegou lá?

Após um instante, Bournef respondeu.

– Cheguei. E a chave?

– Não há chave. A quinta letra da palavra, o *n,* é a letra da rosácea central.

Bournef girou a quinta rosácea e imediatamente um clique se produziu.

– Só lhe resta puxar – mandou Essarès. – Bem. O cofre não é profundo. Foi cavado em uma das pedras da fachada. Põe a mão. Vai encontrar quatro carteiras.

[4] Alcorão, em francês. (N.T.)

Na verdade, naquele momento Patrice Belval esperava que um acontecimento insólito interrompesse as buscas de Bournef e o lançasse em algum precipício subitamente aberto pelos malefícios de Essarès. E os três cúmplices deviam ter essa desagradável apreensão, já que estavam lívidos, e o próprio Bournef parecia agir com cautela e desconfiança.

Finalmente, virou-se e voltou a se sentar ao lado de Essarès. Segurava nas mãos um pacote com quatro carteiras amarradas juntas por uma tira de pano e que eram pequenas, porém extremamente espessas. Abriu uma delas após ter desatado o nó da tira.

Seus joelhos, sobre os quais pusera o precioso pacote, tremiam e, após ter apanhado, dentro de um dos bolsos, um enorme maço de notas de dinheiro, suas mãos pareciam ser as de um velhinho tremendo de frio. Ele murmurou:

– Notas de mil... dez maços de notas de mil.

Brutalmente, como pessoas prestes a brigar, cada um dos cúmplices apanhou uma das carteiras, fuçou dentro e resmungou:

– Dez maços... a conta está certa... dez maços de notas de mil.

E imediatamente um deles exclamou, com a voz estrangulada:

– Vamos embora... Vamos embora...

Um medo repentino os enlouquecia. Não podiam imaginar que Essarès lhes tivesse entregado tamanha fortuna sem ter um plano que lhe permitisse reavê-la antes que saíssem da sala. Era uma certeza. O teto ia cair sobre eles. As paredes iam se aproximar para asfixiá-los, ainda que poupassem seu incompreensível adversário.

Patrice Belval, por sua vez, não tinha mais dúvida. O cataclismo era iminente, a vingança imediata de Essarès era inevitável. Um homem como ele, um lutador tão forte quanto ele parecia ser, não abandona tão facilmente uma quantia de quatro milhões, se não tiver alguma carta escondida. Patrice parecia oprimido, ofegante. Desde o começo das cenas trágicas às quais ele assistia, ainda não tremera por causa de uma emoção tão violenta, e constatou que o rosto de mamãe Coralie expressava a mesma ansiedade.

Bournef, contudo, recuperou um pouco de seu sangue-frio e, segurando seus companheiros, disse-lhes:

– Não façam besteiras! Ele e o velho Siméon seriam capazes de se soltar e correr atrás de nós.

Todos os quatro, servindo-se de uma única mão, já que com a outra agarravam as carteiras, fixaram na poltrona o braço de Essarès, enquanto ele reclamava:

– Imbecis! Vocês vieram com a intenção de roubar meu segredo, do qual conhecem a extraordinária importância, e perdem a cabeça por uns miseráveis quatro milhões. Sem dúvida, o coronel tinha mais garra que vocês.

Voltaram a amordaçá-lo e Bournef lhe deu um violento soco na cabeça que o estonteou.

– Assim, nossa retirada está garantida – disse Bournef.

Um de seus companheiros perguntou:

– E o coronel, vamos deixá-lo?

– Por que não?

Mas não lhe pareceu ser uma boa solução, já que prosseguiu:

– Afinal, não, não nos interessa comprometer mais Essarès. Nosso interesse, de todos, é desaparecer o mais rápido possível, tanto Essarès quanto nós, antes que essa maldita carta do coronel chegue à polícia, ou seja, antes do meio-dia, suponho.

– E então?

– Então vamos carregá-lo no carro e o deixaremos em qualquer lugar. A polícia terá que se virar.

– E seus documentos?

– Vamos revistá-lo a caminho. Ajudem-me.

Enfaixaram a ferida para que o sangue parasse de escorrer e então levantaram o corpo, cada um segurando por um membro, e saíram sem que nenhum deles tivesse soltado sua carteira um segundo sequer.

Patrice ouviu que atravessavam às pressas outra sala e que, em seguida, pisavam nas sonoras lajotas do vestíbulo.

– É agora – murmurou. – Essarès ou Siméon vão apertar um botão, e os malandros estarão presos.

Essarès não se mexeu.

Siméon não se mexeu.

O capitão ouviu todos os ruídos da partida, o portão batendo, o motor do carro sendo ligado e finalmente o ronco que se afastava.

E foi só isso. Nada acontecera. Os cúmplices fugiram com os quatro milhões.

Seguiu-se um longo silêncio durante o qual a angústia de Patrice persistiu. Ele não pensava que o drama tivesse chegado à sua última fase, e tinha tanto medo das coisas imprevisíveis que ainda podiam ocorrer que quis sinalizar sua presença para Coralie.

Uma nova circunstância o impediu. Coralie havia se levantado.

O rosto da jovem mulher não oferecia mais a mesma expressão de espanto e horror, mas talvez Patrice estivesse mais assustado ao vê-la de repente animada por uma energia maligna que dava aos seus olhos um brilho incomum e lhe crispava as sobrancelhas e os lábios. Ele entendeu que mamãe Coralie estava disposta a agir.

Em que sentido? Seria isso o desfecho do drama?

Ela se dirigiu para o canto onde se encontrava uma das duas escadas em caracol e desceu lentamente, mas sem tentar abafar o ruído de seus passos.

Inevitavelmente, o marido a ouviu. No espelho, aliás, Patrice viu que ele levantava a cabeça e a seguia com os olhos. Chegando embaixo, ela parou.

Não havia indecisão em sua atitude. Seu plano devia ser muito nítido, e ela só pensava na melhor maneira de executá-lo.

– Ah! – disse Patrice estremecendo –, o que você está fazendo, mamãe Coralie?

Ele se sobressaltou. A direção que o olhar da jovem mulher tomou e a estranha rigidez da expressão dela lhe revelaram seu pensamento secreto. Coralie havia avistado o punhal, que escapara das mãos do coronel e estava no chão.

Patrice não duvidou nem um segundo sequer que ela quisesse pegar o punhal com outra intenção senão a de esfaquear o marido. A vontade de matar estava escrita em seu rosto lívido, de tal modo que, antes mesmo que ela fizesse um único gesto, Essarès estremeceu de terror e procurou, por um esforço de todos os músculos, romper as amarras que o aprisionavam.

Ela avançou, parou de novo e, em um movimento brusco, pegou o punhal.

Quase imediatamente, deu ainda mais dois passos. Nesse momento, estava na altura e à direita da poltrona em que Essarès estava deitado. Bastou-lhe virar levemente a cabeça para vê-la. Passou-se um minuto terrível. O marido e a mulher se olhavam.

A efervescência de ideias, medos, ódios, paixões desordenadas e contrárias que agitava a mente desses dois seres, um dos quais ia matar e outro ia morrer, repercutia na mente de Patrice Belval e na profundeza de sua consciência. O que devia fazer? Que participação devia ter no drama que se desenrolava diante dele? Devia intervir, impedi-la de cometer o ato irreparável, ou então devia cometê-lo por si mesmo e estourar a cabeça do homem com uma bala de revólver?

Mas, para dizer a verdade, desde o começo havia em Patrice Belval um sentimento que se misturava aos outros, que o dominava aos poucos e tornava ilusória qualquer luta interna, um sentimento de curiosidade levado à exasperação. Não a curiosidade banal de conhecer os bastidores de um negócio tenebroso, mas a mais altiva, de conhecer a alma misteriosa de uma mulher que ele amava, que era levada pelo turbilhão dos acontecimentos e que, de repente, voltando a ser dona de si, tomava em total liberdade e com impressionante calma a mais espantosa das resoluções. E, então, outras perguntas se impunham a ele. Por que ela tomava essa resolução? Era vingança, castigo, a satisfação de um ódio?

Patrice Belval permaneceu imóvel.

Coralie levantou o braço. Diante dela, seu marido nem tentava mais os movimentos de desespero que indicam o esforço supremo, em seus olhos não havia nem preces, nem ameaças. Estava resignado e esperava.

Não longe deles, o velho Siméon, ainda amarrado, erguera-se um pouco nos cotovelos e os contemplava desesperado. Coralie levantou ainda mais o braço. Todo o seu ser se erguia e crescia em um impulso invisível no qual todas as suas forças estavam a serviço de sua vontade. Estava prestes a dar o golpe. Seu olhar escolhia o lugar onde golpearia.

Contudo, esse olhar estava se tornando menos duro e menos sombrio. Patrice teve até a impressão de que nele flutuava certa hesitação e que Coralie voltava a ter, não sua costumeira doçura, mas um pouco de sua graça feminina.

– Ah, mamãe Coralie – disse Patrice para si mesmo –, agora voltou a si. Eu a reconheço. Fosse qual fosse o direito que achava ter de matar esse homem, você não o fará… e prefiro assim.

Lentamente o braço da jovem mulher voltou a cair ao longo do corpo. Sua expressão relaxou. Patrice adivinhou o imenso alívio que ela sentia ao escapar das garras da ideia fixa que a levaria a matar. Ela examinou o punhal com estupefação, como se saísse de um terrível pesadelo. Então, debruçando-se sobre o marido, pôs-se a cortar suas amarras.

Ela o fez com visível repugnância, evitando, por assim dizer, tocá-lo e fugindo do olhar do marido. Uma por uma, as cordas foram cortadas. Essarès estava livre.

O que ocorreu então foi a cena mais desconcertante. Sem uma palavra de agradecimento a sua mulher, e sem mesmo uma palavra de cólera contra ela, o homem, que acabara de sofrer um suplício cruel e que ainda sentia esse sofrimento, esse homem se precipitou, titubeante e descalço, para um telefone instalado na mesa e que era ligado por fios a um posto fixado na parede.

Parecia um homem faminto que, ao avistar um pedaço de pão, o apanha com avidez. Era a salvação, o retorno à vida. Ofegante, Essarès tirou o receptor do gancho e gritou:

– Central, 40-39.

Então, virou-se imediatamente para a mulher:

– Vá embora!

Ela pareceu não ouvir. Estava debruçada sobre o velho Siméon para soltá-lo também.

Ao telefone, Essarès se impacientava:

– Alô… telefonista… a ligação não é para amanhã, mas para hoje e imediatamente… o 40-39… imediatamente…

E, dirigindo-se para Coralie, repetiu em tom imperioso:

– Vá embora!

Ela fez um sinal para dizer que não iria embora e que, ao contrário, queria ouvir. Ele lhe mostrou o punho e voltou a dizer:

– Vá embora! Vá embora! Ordeno que vá embora. Você também, Siméon, vá embora.

O velho Siméon se levantou e avançou na direção de Essarès. Parecia querer falar e, certamente, protestar. Mas seu gesto permanecia hesitante e, após um movimento de reflexão, dirigiu-se para a porta, sem ter pronunciado uma única palavra, e saiu.

– Vá embora! Vá embora! – continuou Essarès, ameaçando sua mulher com toda a veemência.

Mas Coralie se aproximou dele e cruzou os braços com uma obstinação que manifestava certo desafio.

No mesmo instante o telefonema se completou e Essarès perguntou:

– O 40-39? Ah! bem…

Hesitou. Obviamente, a presença de Coralie lhe era extremamente desagradável e ele ia dizer coisas que ela não deveria saber. Mas, decerto, faltava-lhe tempo. Bruscamente, decidiu-se e pronunciou, em inglês, os dois receptores colados no ouvido:

– É você, Grégoire?… Sou eu, Essarès… Alô… sim, estou ligando da Rua Raynouard… não vamos perder tempo… Ouça…

Sentou-se e continuou:

– É o seguinte. Mustapha morreu. O coronel também… Mas caramba! Não me interrompa, do contrário estamos perdidos…

– Eh! Sim, perdidos, e você também… Ouça, eles vieram, o coronel, Bournef, o bando todo, e me roubaram usando a força e ameaças… Dei cabo do coronel. Mas acontece que ele escreveu à polícia denunciando nós todos. Então, você entende, Bournef e seus três bandidos vão se pôr a salvo. O tempo de passar em casa e de pegar alguns papéis… Calculo que estarão em sua casa daqui a uma hora, duas no máximo. É o refúgio certo. Foram eles que te prepararam sem saber que nós nos conhecíamos, você e eu. Portanto, não há erro possível. Eles vão vir…

Essarès se calou. Após ter refletido, prosseguiu:

– Você ainda tem uma cópia de cada uma das chaves dos cômodos que lhes servirão de quarto? Sim?... Bem. E tem também uma cópia das chaves que abrem os armários desses cômodos? Sim? Perfeito. Bem, assim que estiverem dormindo, ou melhor, quando você tiver certeza de que dormem profundamente, entre nos quartos deles e vasculhe os armários. É inevitável que cada um deles esconda dentro sua parte do roubo. Vai encontrá-las facilmente. São as quatro carteiras que você conhece. Ponha-as em sua mala de viagem, saia o mais rápido possível e me encontre.

Nova pausa. Dessa vez era Essarès quem escutava. Ele retrucou:

– O que disse? Rua Raynouard? Aqui? Encontrar-me aqui? Mas está louco! Você pensa que eu posso ficar aqui após a denúncia do coronel? Não, vá esperar por mim no hotel, perto da estação. Estarei lá por volta do meio-dia ou de uma hora, talvez mais tarde. Não se preocupe. Almoce tranquilamente e avisaremos. Alô, entendeu? Em todo caso, respondo por tudo. Até mais.

A ligação estava terminada e tudo parecia indicar que, uma vez tomadas essas medidas para reaver os quatro milhões, Essarès não tinha mais motivo de preocupação. Pôs os receptores nos ganchos, foi até a poltrona onde fora torturado, virou o encosto do lado da lareira, sentou-se, cobriu os pés com a parte inferior da calça, pôs as meias e calçou os chinelos, tudo isso penosamente, não sem algumas caretas de dor, porém calmamente, e como um homem que não precisa se apressar.

Coralie não desgrudava os olhos dele.

"Eu deveria ir embora", pensou o capitão Belval, um pouco incomodado pela ideia de surpreender as palavras que o marido e a mulher iam trocar.

Permaneceu, no entanto. Temia por mamãe Coralie.

Foi Essarès que iniciou o ataque.

– E então – ele disse –, por que está me olhando assim?

Ela murmurou, contendo sua revolta:

– Então é verdade? Não tenho o direito de duvidar?

Ele ironizou:

– Por que eu estaria mentindo? Eu não teria ligado diante de você se não tivesse certeza de que você já estava aqui antes, desde o começo.

– Eu estava lá em cima.

– Então, ouviu tudo?

– Sim.

– E viu tudo?

– Sim.

– E, vendo o suplício que eu sofria, e ouvindo meus gritos, não fez nada para me defender, para me defender contra a tortura, contra a morte!

– Nada, já que eu sabia a verdade.

– Que verdade?

– Aquela que eu suspeitava sem me atrever a admitir.

– Que verdade? – repetiu ele, em tom mais forte.

– A verdade sobre sua traição.

– Você enlouqueceu. Não estou traindo.

– Ah! Não brinque com as palavras. De fato, desconheço parte dessa verdade, não entendi tudo o que esses homens disseram, nem o que queriam de você. Mas esse segredo que queriam lhe arrancar é um segredo de traição.

Ele deu de ombros.

– Não estou traindo meu país, não sou francês.

– Você era francês – exclamou ela. – Pediu para sê-lo e o obteve. Casou comigo, uma francesa, e é na França que mora e que conseguiu sua fortuna. Portanto, está traindo a França.

– Ora! E em proveito de quem?

– Ah! Isso também é o que não entendo. Há meses, há anos até, o coronel, Bournef, todos os seus antigos cúmplices e você, executaram uma obra enorme, sim, enorme, foram eles que o disseram, e agora parece que estão brigando pelos lucros dessa empreitada comum, e os outros o acusam de embolsar sozinho esses lucros e guardar um segredo que não lhe pertence. De modo que entrevejo algo mais sujo talvez e mais abominável que a traição… não sei qual trabalho de ladrão e bandido.

– Chega!

O homem batia com o punho sobre o braço da poltrona.

Coralie não pareceu se assustar. Ela pronunciou:

– Chega, você tem razão. Chega de palavras entre nós. Aliás, há um fato que está acima de tudo, é sua fuga. É a confissão. Você tem medo da polícia.

Mais uma vez ele deu de ombros.

– Não temo nada.

– Pode ser, mas está indo embora.

– Sim.

– Então vamos acabar com isso. A que horas vai embora?

– Logo, por volta do meio-dia.

– E se for preso?

– Não vão me prender.

– Mas se o prenderem, mesmo assim?

– Vão me soltar.

– Ao menos haverá uma investigação, um processo?

– Não, o caso será abafado.

– E o que espera…

– Tenho certeza.

– Que Deus o ouça! E vai deixar a França, provavelmente?

– Assim que eu puder.

– O que significa?

– Daqui a duas ou três semanas.

– Avise-me nesse dia, para que eu possa finalmente respirar.

– Eu a avisarei, Coralie, mas por outro motivo.

– Qual?

– Para que possa se juntar a mim.

– Juntar-me a você!

Ele sorriu com ar maligno:

– É minha mulher. A mulher deve seguir o marido, e você até sabe que, em minha religião, o marido tem todos os direitos sobre sua mulher, até o direito de morte. Ora, você é minha mulher.

Coralie meneou a cabeça e, com um desprezo indizível, retrucou:

– Não sou sua mulher. Não tenho para com você nada senão ódio e horror. Não quero mais vê-lo e, não importa o que ocorrer, quais forem suas ameaças, não o verei mais.

Ele se levantou e, andando na direção dela, curvado em dois, com as pernas tremendo, articulou, os punhos cerrados:

– O que diz? O que se atreve a dizer? Eu, eu, seu dono, ordeno que me encontre assim que eu a chamar.

– Não o encontrarei. Juro por Deus. Juro pela minha salvação eterna.

Ele batia com os pés de raiva. Seu rosto ficou com expressão atroz e ele vociferou:

– Então você quer ficar! Sim, tem motivos que ignoro, mas que são fáceis de adivinhar... motivos que têm a ver com o coração, não é?... Há algo em sua vida, certamente? Cale-se! Cale-se! Não é que sempre me odiou?... Seu ódio não data de hoje. Data do primeiro minuto, antes mesmo de nos casarmos... sempre vivemos como inimigos mortais. Eu a amava... eu a adorava... Uma palavra sua e eu me jogava aos seus pés. O simples ruído dos seus passos mexe com meu coração... Mas você, o que sente por mim é horror. E imagina que vai refazer sua vida sem mim? Mas eu preferiria matá-la, minha menina.

Seus dedos se cerraram e as mãos abertas tremiam à direita e à esquerda de Coralie, bem perto da cabeça dela, como em volta de uma presa que pareciam prestes a esmagar. Um tremor nervoso agitava sua mandíbula. O suor brilhava ao longo da testa.

Diante dele, Coralie, frágil e miúda, permanecia impassível. Patrice Belval, oprimido de angústia, e se preparando para agir, não conseguia ler nada em seu rosto calmo, senão desdém e aversão.

No final, Essarès, conseguindo se controlar, anunciou:

– Você vai ao meu encontro, Coralie. Queira ou não, sou seu marido. Foi o que sentiu mesmo há pouco, quando a vontade de me matar a armou contra mim e você não teve a coragem de cumprir seu desígnio. E será sempre assim. Sua revolta vai se acalmar e você irá ao encontro daquele que é seu dono.

Ela respondeu:

– Ficarei aqui para lutar contra você, na mesma casa. A obra de traição que executou, eu a destruirei. Farei isso sem ódio, porque não tenho mais ódio, mas eu o farei sem trégua, para consertar o mal.

Ele disse em voz baixa:

– Eu tenho ódio. Tome cuidado, Coralie. No exato momento em que acreditar que não tem mais nada a temer, eu talvez venha lhe pedir um acerto de contas. Tome cuidado.

Apertou o botão de uma campainha elétrica. O velho Siméon não demorou a entrar. Ele lhe disse:

– Então, os criados escapuliram?

E, sem esperar a resposta, prosseguiu:

– Que façam uma boa viagem. A camareira e a cozinheira poderão cuidar do serviço sozinhas. Elas não ouviram nada, certo? Seus quartos ficam muito longe. Não importa, Siméon, você as vigiará depois que eu for embora.

Observou a mulher, surpreso que ela não saísse, e ordenou ao secretário:

– Preciso levantar às seis para preparar tudo, e estou exausto. Leve-me até meu quarto. Depois, volte aqui para fechar.

Saiu com a ajuda de Siméon.

Imediatamente Patrice Belval entendeu que Coralie não quisera se mostrar frágil diante de seu marido, mas que ela estava sem energia e incapaz de andar. Desfalecendo, caiu de joelhos, persignando-se.

Quando pôde se levantar, alguns minutos depois, avistou no tapete, entre ela e a porta, uma folha de papel de carta em que seu nome estava escrito. Pegou-a e leu:

Mamãe Coralie, a luta é acima de suas forças. Por que não recorrer à minha amizade? Um gesto e estou ao seu lado.

Cambaleou, estonteada pela inexplicável descoberta dessa carta e confusa pela audácia de Patrice. Mas, juntando em um esforço supremo o que lhe restava de vontade, saiu por sua vez, sem ter feito o gesto que Patrice lhe implorava.

SETE HORAS E DEZENOVE

Naquela noite, no quarto do anexo, Patrice não conseguia dormir. Em estado de vigília, continuava a se sentir oprimido e acossado, como se sofresse a aflição de um pesadelo monstruoso. Tinha a impressão de que os terríveis acontecimentos, em que tinha ao mesmo tempo o papel de testemunha desconcertada e de ator impotente, não paravam enquanto tentava descansar, mas que, ao contrário, se desencadeavam com maior intensidade e violência. A despedida do marido e da mulher não punha fim, mesmo que momentaneamente, aos perigos que ameaçavam Coralie. Por todos os lados surgiam perigos, e Patrice Belval se reconhecia incapaz de prevê-los e, até mais, de esconjurá-los.

Após duas horas de insônia, ele acendeu a luz e pôs-se a escrever em um pequeno caderno, em páginas breves, a história das últimas doze horas que acabara de viver. Esperava, assim, desemaranhar um pouco o inextricável novelo.

Às seis horas, foi acordar Ya-Bon e o trouxe ao seu quarto. Então, plantado diante do negro atônito, os braços cruzados, o capitão o advertiu:

– Então, pensa que cumpriu sua tarefa! Enquanto processo informações em plena noite, o senhor dorme e está tudo bem! Meu caro, você tem uma consciência realmente elástica.

A palavra elástica divertiu muito o senegalês, cuja boca se alargou e grunhiu de prazer.

– Chega de discursos – ordenou o capitão. – Só se ouve sua voz. Sente--se, leia este relato e dê-me sua opinião fundamentada. O quê? Não sabe ler? Bem, na verdade, de que valeu a pena gastar a pele do seu traseiro nos bancos dos colégios e das escolas do Senegal? Que educação mais singular!

Suspirou e arrancou-lhe o relatório das mãos:

– Escute, reflita, raciocine, deduza e conclua. Portanto, eis onde estamos. Vou resumir. Primeiro: há um senhor Essarès bei, riquíssimo banqueiro, que é o pior dos bandidos e, ao mesmo tempo, trai a França, o Egito, a Inglaterra, a Turquia, a Bulgária e a Grécia... a ponto de seus cúmplices quase lhe ferverem os pés. Em seguida, ele mata um e acaba com quatro com a ajuda de outros tantos milhões, milhões que menos de cinco minutos depois ele encarrega outro cúmplice de lhe recuperar. E todos eles vão se esconder debaixo da terra às onze horas, porque, ao meio-dia, a polícia entra em cena. Pois bem.

Patrice Belval retomou o fôlego e prosseguiu:

– Segundo: mamãe Coralie. Eu me pergunto por que, por exemplo, ela se casou com esse bandido chamado bey. Ela o detesta e quer matá-lo. Ele a ama e quer matá-la. Há também um coronel que a ama e morre por causa disso, e um tal de Mustapha que a sequestra a mando do coronel, e que morre também, estrangulado por um senegalês. E, finalmente, um capitão francês, meio sem perna, que a ama igualmente, e de quem ela foge porque é casada com um homem que ela execra, capitão com o qual, em uma existência anterior, ela dividiu em dois uma conta de ametista. Acrescente a isso como acessórios uma chave enferrujada, um cordão de seda vermelho, um cão asfixiado e uma grelha de carvões vermelhos. E se você se atrever a compreender uma única palavra de minhas explicações, eu lhe darei um chute em certo lugar com minha perna de pau, porque não estou entendendo nada, e eu sou seu capitão.

Ya-bon ria com toda a boca e toda a ferida que lhe cortava uma das faces. Seguindo a ordem do capitão, aliás, ele não entendia absolutamente nada do caso, e pouca coisa do discurso de Patrice, mas quando este se dirigia a ele com esse tom rude ele tremia de alegria.

– Chega – mandou o capitão. – É minha vez de raciocinar, deduzir e concluir.

Apoiado contra a lareira, os dois cotovelos no mármore, Patrice segurou a cabeça entre as mãos. Sua alegria, que se devia a uma natureza habitualmente despreocupada, dessa vez era somente superficial. No fundo, não parava de pensar em Coralie com dolorosa apreensão. O que fazer para protegê-la?

Vários projetos se desenhavam nele: qual escolher? Devia procurar, graças ao número de telefone, o esconderijo do homem chamado Grégoire, onde Bournef e seus companheiros haviam se refugiado? Devia alertar a polícia? Devia voltar à Rua Raynouard? Ele não sabia. Agir, sim, ele era capaz disso, quando agir consistia em se jogar na batalha com todo o seu ardor e fúria. Mas preparar a ação, adivinhar os obstáculos, rasgar as trevas e, como ele dizia, perceber o invisível e apreender o intangível, não estava dentro de suas capacidades.

Virou-se bruscamente para Ya-Bon, cujo silêncio o desolava.

– O que tem com seu ar lúgubre? Você é quem está me anuviando. Sempre vê o lado negro das coisas… como um negro. Saia daí.

Ya-Bon ia embora desconcertado, mas alguém bateu na porta e gritou de fora:

– Capitão, telefone para o senhor.

Patrice saiu precipitadamente. Quem podia lhe telefonar tão cedo?

– Quem é? – perguntou à enfermeira que o chamara.

– Bem, não sei, capitão… Uma voz de homem… que parecia ter pressa de falar com o senhor. O telefone tocou bastante tempo. Eu estava embaixo na cozinha…

Involuntariamente, Patrice pensou no telefone da Rua Raynouard, na grande sala da casa de Essarès. Ambos os fatos tinham alguma relação entre si?

Desceu um andar e seguiu pelo corredor. O telefone ficava além de uma antecâmara, em um cômodo que então servia de rouparia, e onde ele se trancou.

– Alô!… sou eu, o capitão Belval. Do que se trata?

Uma voz, de fato uma voz de homem, e que ele não conhecia, respondeu-lhe, mas tão ofegante, tão enfraquecida!

– Capitão Belval!... Ah! muito bem... aqui está... mas temo que seja tarde demais... não sei se terei tempo... Você recebeu a chave e a carta?

– Quem é você?

– Você recebeu a chave e a carta? – insistiu a voz.

– A chave, sim, mas a carta, não – respondeu Patrice.

– A carta, não! Mas que horror. Então, você não sabe?...

Um grito rouco feriu o ouvido de Patrice e do outro lado da linha ele ouviu sons incoerentes, o ruído de uma discussão. Então a voz pareceu grudar no aparelho e ele a ouviu gaguejar nitidamente:

– Tarde demais... Patrice... é você?... Escute, o medalhão de ametista... sim, está comigo... o medalhão... Ah! Tarde demais... eu queria tanto! Patrice... Coralie... Patrice... Patrice...

Depois, outro grande grito, um grito lancinante, e clamores mais distantes em que Patrice acreditou discernir: "Socorro... socorro... Ah! Assassino, miserável...", clamores que aos poucos definharam. Então, o silêncio. E, de repente, um pequeno estalo. O assassino havia posto o receptor no gancho.

O diálogo não havia durado vinte segundos. Quando Patrice quis desligar por sua vez, teve de fazer muito esforço para soltar o telefone, de tão crispados que estavam seus dedos em volta do aparelho.

Ele ficou atônito. Seus olhos se fixaram em um grande relógio que se via, pela janela, em outro prédio do pátio, e que marcava sete horas e dezenove minutos, e ele repetia maquinalmente esses números, atribuindo-lhes valor de documentação. Então, de tão irreal que a cena parecia, perguntou-se se tudo isso era verdade, e se o crime não havia se perpetrado nele mesmo, nas profundezas de sua mente dolorida.

Mas o eco dos clamores ainda vibrava em seu ouvido, e de repente ele pegou o telefone como alguém que se agarra desesperadamente a uma esperança confusa.

– Alô... telefonista... foi a senhora que me chamou ao telefone? Ouviu os gritos?... Alô, Alô!...

Ninguém respondia, ele se enfureceu, xingou a telefonista, saiu da rouparia, encontrou Ya-Bon e o empurrou.

– Saia daqui! A culpa é sua... Obviamente! Deveria ter ficado lá para cuidar de Coralie. Então você vai lá para ficar à disposição dela. E eu vou avisar a polícia... Se não tivesse me impedido, teria sido feito há muito tempo e não estaríamos na situação atual. Vá, corra!

Ele o reteve.

– Não, não se mexa. Teu plano é absurdo. Fique aqui. Ah! Não aqui, perto de mim, ora! Está lhe faltando sangue-frio, rapaz.

Empurrou-o para fora e entrou na rouparia, que percorreu em todos os sentidos com uma agitação que se traduzia em gestos irritados e palavras de cólera. No entanto, no meio de seu desespero, uma ideia se formava aos poucos: era que, afinal, ele não tinha nenhuma prova daquilo que ocorrera na casa da Rua Raynouard. A lembrança que guardava não devia obcecá-lo a ponto de levá-lo sempre à mesma visão, ao mesmo ambiente trágico. Decerto, o drama continuava, como ele o pressentia, mas talvez em outro lugar e longe de Coralie.

E essa primeira ideia trouxe outra: por que não verificar agora mesmo?

– Sim, por que não? – perguntou-se. – Antes de chamar a polícia, de encontrar o número do indivíduo que perguntou por mim e de retornar até o ponto de partida, procedimentos que utilizaremos mais tarde, nada impede que eu ligue imediatamente para a Rua Raynouard, sob qualquer pretexto da parte de qualquer um. Assim terei a oportunidade de saber com o que estou lidando...

Bem que Patrice sentia que sua ideia não valia muito. Se ninguém respondesse, isso provaria que o crime havia ocorrido lá? Ou então, simplesmente, que ninguém ainda havia se levantado?

Mas a necessidade de agir o fez decidir. Procurou na lista telefônica o número de Essarès bei, e, sem hesitar, ligou.

A espera lhe causou uma emoção insuportável. Então recebeu um choque que o fez estremecer da cabeça aos pés. A comunicação havia sido estabelecida. Alguém, do outro lado, respondia à sua chamada.

– Alô – disse ele.

– Alô – respondeu uma voz. – Quem fala?

Era a voz de Essarès bei.

Embora isso fosse muito natural, já que, nessa hora, Essarès devia organizar seus papéis e preparar sua fuga, Patrice ficou tão espantado que não sabia o que dizer, e pronunciou as primeiras palavras que lhe vieram à mente.

– Senhor Essarès bei?

– Sim. A quem tenho a honra de falar?

– É da parte de uns dos feridos da enfermaria que está sendo tratado no anexo…

– O capitão Belval, talvez?

Patrice ficou totalmente desconcertado. Então o marido de Coralie o conhecia? Ele balbuciou:

– Sim… de fato, o capitão Belval.

– Ah, que sorte, capitão! – exclamou Esarès bey em tom encantado. Precisamente, liguei para o anexo há pouco para perguntar…

– Ah! Era o senhor… – interrompeu Patrice, cujo espanto não tinha limites.

– Sim, eu queria saber a que horas eu poderia falar com o capitão Belval, para lhe expressar meus agradecimentos.

– Era o senhor… era o senhor… – repetiu Patrice, atônito e cada vez mais confuso…

A entonação de Essarès mostrou sua surpresa.

– Sim – disse ele –, a coincidência não é mesmo curiosa? Infelizmente, a ligação caiu, ou melhor, outra comunicação se superpôs à minha.

– Então o senhor ouviu?

– O quê, capitão?

– Gritos…

– Gritos?

– Ao menos foi o que me pareceu, a comunicação era tão pouco clara!

– Quanto a mim, simplesmente ouvi alguém que perguntava pelo senhor e estava com muita pressa. Como não era eu, desliguei e deixei para mais tarde o prazer de lhe agradecer.

– De me agradecer?

– Sim, sei sobre a agressão que minha mulher sofreu ontem à noite e como o senhor a salvou. Assim, faço questão de vê-lo e de lhe expressar meu reconhecimento. Quer marcar um horário? Na enfermaria, por exemplo? Hoje, por volta das três horas…

Patrice não respondia. A audácia desse homem correndo o risco de ser detido e que estava prestes a fugir o desconcertava. Ao mesmo tempo, perguntava-se a qual motivo real Essarès bei obedecera ao telefonar, sem que nada o obrigasse a fazê-lo. Mas seu silêncio não perturbou o banqueiro, que continuou com suas cortesias e encerrou sua inexplicável ligação com um monólogo em que respondia com a maior facilidade às perguntas que ele mesmo fazia.

Os dois homens se despediram. A conversa tinha acabado.

Apesar de tudo, Patrice se sentia mais tranquilo. Voltou para seu quarto, jogou-se na cama e dormiu duas horas. Então mandou chamar Ya-Bon.

– Da próxima vez – disse –, procure controlar seus nervos e não perder a cabeça como há pouco. Você foi ridículo. Mas esqueça. Já almoçou? Não. Eu também não. Já passou a visita? Não. Eu também não. E, justamente, o major prometeu que ia retirar essa sinistra faixa em volta de minha cabeça. Pode imaginar quanto isso me deixa alegre! Uma perna de pau, tudo bem, mas a cabeça enfaixada por pano, para alguém apaixonado! Vá, depressa. E quando estivermos prontos, vamos até a enfermaria. Mamãe Coralie não pode impedir que eu a encontre lá!

Patrice estava bem feliz. Como dizia a Ya-Bon, uma hora depois, a caminho da Porte Maillot, as trevas começavam a se dissipar.

– Sim, sim, Ya-Bon, estão se dissipando. E eis o ponto em que estamos. Primeiramente, Coralie não corre perigo. Como eu esperava, a briga se passa longe dela, certamente entre os cúmplices e a respeito de seus milhões. Quanto ao coitado que me ligou e de quem ouvi os gritos de agonia, era evidentemente um amigo desconhecido, já que me chamava de Patrice e usava "você". Decerto foi ele quem mandou a chave do jardim. Infelizmente, a carta que acompanhava o envio da chave se perdeu. Enfim, apressado pelos eventos, ele ia me confessar tudo quando o ataque se produziu. Quem o atacou, você pergunta? Provavelmente um dos cúmplices que essas revelações assustavam. É isso, Ya-Bon. Tudo isso é extremamente claro. Aliás, é possível que a verdade seja exatamente o contrário daquilo que sugiro. Mas pouco me importa. O essencial é apoiarmo-nos em uma hipótese, verdadeira ou falsa. Aliás, se a minha for falsa, reservo-me o direito de jogar a responsabilidade sobre você. A bom entendedor...

Após a Porte Maillot, pegaram um carro, e Patrice teve a ideia de desviar o caminho para a Rua Raynouard. Quando desembocavam no cruzamento da Passy, avistaram mamãe Coralie saindo da Rua Raynouard, acompanhada pelo velho Siméon.

Ela parara um carro. Siméon se acomodou no assento.

Seguidos por Patrice e Ya-bon, os dois foram até o prédio da enfermaria dos Champs-Élysées.

Eram onze horas.

– Tudo está correndo bem – disse Patrice. – Enquanto seu marido escapa, ela não quer mudar nada em sua vida cotidiana.

Almoçaram nos arredores, passearam ao longo da avenida, enquanto vigiavam a enfermaria, e finalmente foram até lá à uma e meia.

Imediatamente Patrice avistou, no fundo de um pátio envidraçado em que os soldados se reuniam, o velho Siméon, que, com metade da cabeça envolvida em seu costumeiro cachecol e os espessos óculos amarelos diante dos olhos, fumava um cachimbo na cadeira que sempre ocupava.

Quanto à mamãe Coralie, estava no terceiro andar, em uma das salas da sua área, sentada ao lado da cama de um doente de quem segurava as mãos. O homem dormia.

Patrice achou mamãe Coralie muito cansada. As olheiras e o rosto ainda mais pálidos do que habitualmente atestavam seu cansaço.

"Minha pobre mamãe", pensou ele, "todos esses bandidos vão acabar por matá-la."

Agora, ao se lembrar das cenas da noite anterior, ele entendia por que Coralie escondia sua existência dessa maneira e se esforçava, ao menos para o pequeno mundo da enfermaria, em não ser ninguém senão a caridosa freira que é chamada pelo prenome. Suspeitando das infâmias pelas quais era cercada, renegava o nome do marido e escondia onde morava. E os obstáculos que sua vontade e seu pudor acumulavam a defendiam tão bem que Patrice não ousava se aproximar dela.

– Mas – ele disse para si mesmo, parado na soleira da porta e olhando a jovem mulher de longe, sem ser visto por ela – não vou mandar entregar-lhe meu cartão de visita!

Estava decidindo entrar quando uma mulher, que subira a escada falando bastante alto, exclamou perto dele:

– Onde está a senhora?. Ela precisa vir imediatamente, Siméon…

O velho Siméon, que também havia subido, mostrou Coralie no fundo da sala e a mulher se precipitou.

Disse poucas palavras a Coralie, que pareceu abalada e correu para a porta, passou diante de Patrice e desceu rapidamente a escada, seguida por Siméon e a mulher.

– Estou de carro, senhora – balbuciava a mulher, ofegante. – Tive a sorte de encontrar um carro ao sair da casa e pedi que esperasse. Vamos depressa, senhora… O delegado me mandou…

Patrice, que também descia, não ouviu mais nada, mas essas últimas palavras o decidiram. Chamou Ya-Bon pelo caminho e ambos entraram em um carro cujo motorista recebeu ordens de seguir o carro de Coralie.

– Tem novidade, Ya-Bon, tem novidade – contou o capitão. – Os fatos estão se precipitando. Essa mulher é evidentemente uma criada da casa de Essarès e veio buscar sua patroa por ordem do delegado. Portanto, a denúncia do coronel está surtindo efeito. Visita no domicílio, inquérito, todos os problemas para mamãe Coralie. E você tem a ousadia de me aconselhar discrição? Você imagina que vou deixá-la sozinha durante essa crise? Como você é ruim, meu pobre Ya-Bon!

Uma ideia perpassou-lhe a mente e ele exclamou:

– Caramba! Tomara que esse bandido do Essarès não se tenha deixado pegar! Seria uma catástrofe! Mas também, confia demais em si mesmo. Deve ter-se demorado…

Durante todo o trajeto, esse medo excitou o capitão Belval, tirando-lhe qualquer escrúpulo. No final, sua certeza era absoluta. Apenas a detenção de Essarès podia ter provocado a chegada assustada da criada e a partida precipitada de Coralie. Nessas condições, como ele poderia hesitar em intervir em um caso no qual suas revelações eram suscetíveis de ajudar a Justiça? Ainda mais que, ao acentuar ou atenuar as revelações conforme as circunstâncias, ele poderia fazer com que elas só servissem aos interesses de Coralie...

Os dois carros pararam quase ao mesmo tempo diante da casa de Essarès, onde já estacionava um terceiro automóvel. Coralie desceu e desapareceu pelo pórtico da entrada.

A camareira e Siméon também entraram na casa.

– Venha – disse Patrice ao senegalês.

A porta estava entreaberta e Patrice entrou.

No grande vestíbulo, havia dois policiais de guarda.

Patrice os cumprimentou com um gesto apressado e passou como se fosse alguém da casa, cuja importância era tão considerável que nada de útil poderia ser feito sem sua presença.

O som de seus passos nas lajotas lhe lembrou a fuga de Bournef e seus cúmplices. Ele estava na direção certa. Aliás, um salão se abria à esquerda, aquele pelo qual os cúmplices haviam levado o cadáver do coronel e que se comunicava com a biblioteca.

Ruídos de vozes vinham desse lado. Ele atravessou o salão.

Nesse momento, ouviu Coralie exclamando em tom aterrorizado:

– Ah, meu Deus! Ah, meu Deus! Como é possível?

Outros dois policiais lhe bloquearam a entrada. Ele lhes disse:

– Sou parente da senhora Essarès... O único parente...

– Temos ordens, capitão.

– Sei muito bem, diabo! Não deixem entrar ninguém! Ya-Bon, fique aqui, exijo!

Ele passou.

Mas, na ampla sala, um grupo de seis ou sete homens, provavelmente delegados e magistrados, o impediam de ir adiante, debruçados que estavam sobre algo que ele não podia ver. Desse grupo saiu de repente Coralie, que se dirigiu em sua direção titubeando e chacoalhando as mãos. Sua camareira, segurando-a pela cintura, levou-a até uma poltrona.

– O que está acontecendo? – perguntou Patrice.

– A senhora não está se sentindo bem – respondeu a camareira, ainda assustada. – Ah! estou totalmente confusa.

– Mas, afinal, por quê?... Por que motivo?

– É, senhor! Imagine! Esse espetáculo... eu também fiquei transtornada.

– Que espetáculo?

Um dos senhores deixou o grupo e se aproximou.

– A senhora Essarès está passando mal?

– Não é nada – disse a camareira... – Uma síncope... A senhora costuma sentir cansaço.

– Leve-a assim que puder andar. A presença dela é inútil.

E, dirigindo-se para Patrice Belval com ar interrogativo:

– Capitão?...

Patrice fingiu não entender.

– Sim, senhor – disse ele –, vamos levar a senhora Essarès. Na verdade, sua presença é inútil. Porém, antes sou obrigado...

Patrice fez um movimento lateral para evitar seu interlocutor e, aproveitando que o grupo dos magistrados estava menos compacto, aproximou-se.

O que viu então lhe explicou o desmaio de Coralie e a agitação da camareira. Ele também sentiu a pele de sua cabeça se arrepiar diante de um espetáculo infinitamente mais horrível que o da véspera.

No chão, perto da lareira, portanto quase no lugar em que fora torturado, Essarès bei jazia de costas. Usava as mesmas roupas da véspera, calça de flanela marrom e paletó de veludo com sutache. Os ombros e a cabeça haviam sido cobertos com uma toalha. Mas um dos assistentes, provavelmente um médico legista, mantinha a toalha erguida com uma das mãos, e, com a outra, mostrava o rosto do morto, enquanto comentava em voz baixa.

E esse rosto... mas será que se poderia chamar de rosto um inominável amálgama de carne, do qual uma parte parecia carbonizada e a outra não formava mais que uma mescla sangrenta em que se misturavam pedaços de ossos e fragmentos de pele, cabelos, pelos de barba e o glóbulo esmagado de um olho?...

Ah! – balbuciou Patrice –, que ignomínia! Mataram-no e ele caiu com a cabeça no meio das chamas. Foi assim que o encontraram, não é?

Aquele que já o interpelara, e que parecia ser o mais importante do grupo, aproximou-se de novo.

– Quem é o senhor mesmo?

– Capitão Belval, senhor, sou amigo da senhora Essarès, um dos feridos que ela salvou graças aos seus cuidados...

– Pois bem, senhor – respondeu o personagem importante. – Mas não pode ficar aqui. Ninguém, aliás, deve ficar aqui. Delegado, por favor, queira fazer sair todo mundo da sala, exceto o médico, e colocar um guarda na porta. Não deixe ninguém entrar, sob pretexto algum...

– Senhor – insistiu Patrice –, preciso lhe comunicar revelações de importância excepcional.

– Vou ouvi-las de bom grado, capitão, porém mais tarde. Com licença.

MEIO-DIA E VINTE E TRÊS

O grande vestíbulo que leva da Rua Raynouard ao terraço superior do jardim, e que em sua metade é ocupado por uma larga escada, divide a casa de Essarès em duas partes que se comunicam somente por esse vestíbulo. À esquerda ficam o salão e a biblioteca, à qual se segue uma construção independente, com escada privada. À direita, a sala de bilhar e a sala de jantar, cômodos de teto mais baixo e acima dos quais ficam os quartos que ocupavam Essarès bei, do lado da rua, e Coralie, do lado do jardim.

Mais além, a ala dos criados, na qual dormia também o velho Siméon.

Levaram Patrice à sala de bilhar, convidando-o a esperar junto com o senegalês. Estava lá havia quinze minutos, quando Siméon foi introduzido junto da camareira.

O velho secretário parecia devastado pela morte de seu patrão, e resmungava em voz baixa, com ar estranho. Patrice o questionou. O homem lhe disse ao ouvido:

– Não acabou… Há coisas para temer… coisas! Ainda hoje… esta tarde…

– Esta tarde? – disse Patrice.

– Sim, sim… – afirmou o velho homem, tremendo…

Não disse mais nada.

Quanto à camareira, questionada por Patrice, ela contou:

– Antes de mais nada, senhor, nesta manhã, primeira surpresa: nada de mordomo, lacaio, zelador. Os três foram embora. E então, às seis horas e meia, o senhor Siméon veio nos dizer, por parte do patrão, que o patrão ia se trancar na biblioteca e que não devia ser incomodado, até para o almoço. A patroa estava um pouco doente. Seu chocolate lhe foi servido às nove horas... Às dez ela saiu com o senhor Siméon. Então, uma vez os quartos arrumados, não saímos mais da cozinha. Onze horas, meio-dia... e então, por volta de uma hora, toca a campainha. Olho pela janela. Um carro, com quatro senhores. Abro imediatamente. É o delegado que se apresenta e quer ver o patrão. Levo-os até ele. Batem na porta. Sacodem-na, já que estava trancada. Sem resposta. Finalmente, um deles, que tinha uma ferramenta, força a fechadura. Então, então... dá para ver daqui... ou melhor, não... era bem pior, já que o pobre patrão, naquele momento, tinha a cabeça quase sob a grade do carvão. Hein! Como *tem* pessoas miseráveis!... porque foi morto, não é? Um desses senhores logo disse que havia morrido de apoplexia e tinha caído para trás... só que, a meu ver...

O velho Siméon ouvira sem dizer nada, ainda agasalhado, a barba cinzenta desgrenhada, os olhos escondidos por trás dos óculos amarelos. Nesse momento da história, deu uma risadinha, aproximou-se de Patrice e lhe disse ao ouvido:

– Há coisas para temer!... Coisas!... A senhora Coralie... ela precisa ir embora... imediatamente... do contrário, ai dela...

O capitão queria questioná-lo, mas não conseguiu mais nada. Além disso, o velho homem não ficou na sala. Um policial veio buscá-lo e o levou à biblioteca.

Seu depoimento demorou bastante. Foi seguido pelo depoimento da cozinheira e da camareira. Então os policiais foram interrogar Coralie.

Às quatro horas, outro carro chegou. Patrice viu passar no vestíbulo dois senhores que todo mundo cumprimentava respeitosamente. Reconheceu o ministro da Justiça e o ministro dos Assuntos Internos.

Fizeram uma reunião na biblioteca durante pouco mais de meia hora e foram embora. Finalmente, por volta das cinco horas, um policial veio buscar Patrice e levou-o até o primeiro andar. O policial bateu na porta e se afastou. Patrice foi introduzido em um toucador de dimensões estreitas, iluminado por uma lareira, no qual duas pessoas estavam sentadas: Coralie, diante de quem ele se inclinou, e, na frente dela, o senhor o que havia interpelado quando chegara e que parecia dirigir o inquérito.

Era um homem de cerca de 50 anos, corpulento, de rosto espesso e gestos pesados, mas cujos olhos vivos brilhavam de inteligência.

– O senhor é o juiz de instrução, certamente? – perguntou Patrice.

– Não – disse ele. – Sou o senhor Desmalions, ex-juiz, especialmente delegado para esclarecer esse caso… não para instruí-lo, como o senhor disse, porque não me parece que haja motivo para instrução.

– Como? – exclamou Patrice, muito surpreso. – Não há motivo para instrução?

Ele observou Coralie. Ela mantinha os olhos fixados nele com ar atento. Então, dirigiu-os para o senhor Desmalions, que prosseguiu:

– Uma vez que tivermos nos explicado, capitão, não duvido que estejamos de acordo sobre todos os pontos… assim como acabamos concordando, a senhora e eu.

– Não duvido – disse Patrice. – No entanto, mesmo assim, temo que muitos desses pontos permaneçam obscuros.

– Certamente, mas, juntos, conseguiremos esclarecê-los. Quer me contar o que sabe?

Patrice refletiu e então disse:

– Não vou lhe esconder minha surpresa, senhor. A narração que vou lhe fazer não é desprovida de importância, no entanto, não há ninguém aqui para registrá-la. Portanto, não terá valor de depoimento, de declaração feita sob juramento e que eu deveria corroborar com minha assinatura?

– Capitão, é o senhor mesmo que determinará o valor de suas palavras e as consequências que desejará dar-lhes. Por enquanto, trata-se de uma conversa prévia, de uma troca de pontos de vista relativamente a fatos... sobre os quais, aliás, a senhora Essarès me deu, creio, as informações que o senhor pode me dar.

Patrice adiou sua resposta. Tinha a impressão confusa de que havia um acordo entre a jovem mulher e o magistrado, e que, diante desse acordo, seja por sua presença ou seu zelo, ele fazia o papel de um importuno que procuravam dispensar. Assim, decidiu manter a reserva até que seu interlocutor baixasse a guarda.

– De fato – disse ele –, a senhora pôde informá-lo. Portanto, o senhor sabe a respeito da conversa que surpreendi ontem no restaurante?

– Sim.

– E da tentativa de sequestro de que a senhora Essarès foi vítima?

– Sim.

– E o assassinato?

– Sim.

– A senhora Essarès lhe contou a cena de chantagem que ocorreu esta noite contra o senhor Essarès, os detalhes do suplício, a morte do coronel, a entrega dos quatro milhões, depois a conversa telefônica entre o senhor Essarès e o homem chamado Grégoire, e finalmente as ameaças lançadas contra a senhora Essarès por seu marido?

– Sim, capitão, sei tudo isso, isto é, tudo o que o senhor sabe, e, ademais, sei tudo o que meu inquérito pessoal me revelou.

– De fato, de fato... – repetiu Patrice –, vejo que minha explicação se torna inútil e que o senhor já tem todos os elementos necessários para concluir.

E acrescentou, ainda interrogando e se substituindo às perguntas:

– Posso lhe perguntar, então, em que sentido concluiu?

– Meu Deus, capitão, minhas conclusões não são definitivas. Contudo, até que se prove o contrário, atenho-me aos termos de uma carta que o senhor Essarès escrevia à sua mulher hoje por volta do meio-dia, e que encontramos inacabada em seu escritório. A senhora Essarès pediu que eu a lesse e, se preciso, que eu lhe comunicasse. Eis o texto:

Hoje, 4 de abril, meio-dia

Coralie,

Ontem você se equivocou ao atribuir minha partida a motivos inconfessáveis, e talvez eu tenha me equivocado ao não me defender suficientemente contra sua acusação. O único motivo de minha partida são os ódios que me cercam, e cuja implacável ferocidade você pôde ver. Diante de tamanhos inimigos, que procuram me despojar de todas as maneiras possíveis, não há outra salvação senão a fuga. Assim, vou embora, porém lembrando-lhe minha vontade absoluta, Coralie. Você deve se juntar a mim ao meu primeiro sinal. Se não deixar Paris, nada poderá protegê-la contra uma cólera legítima, nada, nem mesmo minha morte. De fato, tomei minhas disposições para que, no caso...

– A carta para aí – disse o senhor Desmalions, devolvendo-a a Coralie –, e sabemos por um indício irrefutável que as últimas linhas precederam por pouco a morte do senhor Essarès, já que, em sua queda, ele deixou cair o pequeno relógio que estava em sua mesa de trabalho, e esse relógio marca meio-dia e vinte e três. Penso que passou mal, quis se levantar e, vítima de vertigem, desmoronou no chão. Infelizmente, a lareira ficava perto, um forte fogo queimava nela, a cabeça bateu contra a grade e o ferimento era tão profundo, como o médico constatou, que ele desmaiou. Então o fogo, bem próximo, fez seu trabalho... o senhor pôde ver de que maneira...

Patrice ouvia com estupor essa explicação imprevista. Ele murmurou:

– Assim, a seu ver, o senhor Essarès morreu vítima de acidente? Não foi assassinado?

– Assassinado? Diabo, não, nenhum indício apurado nos permite tamanha hipótese.

– No entanto...

– Capitão, o senhor é vítima de uma associação de ideias, aliás totalmente justificáveis. Desde ontem, vem assistindo a uma série de acontecimentos trágicos e sua imaginação é naturalmente levada a dar-lhes a mais trágica solução que seja, o assassinato. Porém... reflita... por que esse assassinato, e quem o teria cometido? Bournef e seus amigos? Com que finalidade? Já estavam repletos de notas de dinheiro e, mesmo admitindo que o desconhecido chamado Grégoire tenha reavido esses milhões, não é assassinando Essarès que eles os teriam recuperado. Ademais, por onde teriam entrado? E depois, por onde saíram? Não, desculpe, capitão, o senhor Essarès morreu por acidente. Os fatos são indiscutíveis, e é a opinião do médico legista, que vai redigir seu relatório nesse sentido.

Patrice Belval se virou para Coralie.

– E é a opinião da senhora também?

Ela corou levemente e respondeu:

– Sim.

– E é a opinião do velho Siméon?

– Ah! O velho Siméon – prosseguiu o magistrado –, ele está delirando. Se lhe dermos crédito, parece que tudo está prestes a recomeçar, que um perigo ameaça a senhora Essarès e que ela deveria fugir agora mesmo. Foi tudo que consegui tirar dele. Contudo, ele me levou até uma antiga porta que dá do jardim para uma ruela perpendicular à Rua Raynouard, e lá me mostrou, primeiramente, o cadáver do cão de guarda, e depois, entre essa porta e a escada vizinha da biblioteca, algumas pegadas. Mas o senhor conhece essas pegadas, não é, capitão? São suas e as de seu senegalês. Quanto ao estrangulamento do cão de guarda, devo atribuí-lo ao seu senegalês? Sim, não é?

Patrice começava a entender. As reticências do magistrado, suas explicações, seu acordo com a jovem mulher, aos poucos tudo isso tomava sua verdadeira significação.

Ele arrematou nitidamente:

– Portanto, nada de crime?

– Não.

– E não vai haver inquérito?

– Não.

– Então, não se vai falar mais do caso? Silêncio, esquecimento?

– Justamente.

O capitão Belval se pôs a andar de um lado para outro, conforme seu hábito. Lembrava-se agora da predição de Essarès:

– Não vão me prender… Se me prenderem, vão me soltar… O caso será abafado.

Essarès tinha razão. A Justiça se calava. E como não teria encontrado em Coralie uma cúmplice do seu silêncio?

Essa maneira de agir irritava profundamente o capitão. Pelo pacto inegável concluído entre Coralie e o senhor Desmalions, ele suspeitava que o ex-juiz estava iludindo a jovem mulher e levando-a a sacrificar os próprios interesses em prol de considerações que não lhe diziam respeito. Para tanto, era preciso antes de mais nada que se livrasse de Patrice.

– Ah! Ah! – Patrice disse a si mesmo. – Esse senhor, com sua calma e ironia, está começando a me irritar. Parece zombar de mim descaradamente.

Mas ele se conteve e, fingindo uma intenção de conciliação, voltou a se sentar ao lado do magistrado.

– Desculpe, senhor – disse –, uma insistência que deve lhe parecer bastante indiscreta. Mas minha conduta não se explica senão pela simpatia ou pelo sentimento que nutro pela senhora Essarès, em um momento da vida em que está mais isolada do que nunca… simpatia e sentimento que ela parece rechaçar ainda mais do que antes… minha conduta se explica por certos vínculos que nos unem um ao outro, e que remetem a uma época em que nossos olhos não conseguiram penetrar. Será que a senhora Essarès o informou desses detalhes que, a meu ver, têm considerável importância, e que não posso deixar de vincular aos acontecimentos que nos preocupam?

O senhor Desmalions observou Coralie, que fez um sinal com a cabeça. Ele respondeu:

– Sim, a senhora Essarès me informou, e até…

Hesitou de novo, e mais uma vez consultou a jovem mulher, que corou e perdeu a compostura.

No entanto, o senhor Desmalions esperava uma resposta que lhe permitisse seguir adiante. Ela acabou por conceder em voz baixa:

– O capitão Belval precisa conhecer o que descobrimos a respeito disso. Essa verdade pertenceu a ele como a mim, e não tenho o direito de escondê-la dele. Diga, senhor.

O senhor Desmalions pronunciou:

– É mesmo necessário falar? Creio que seja suficiente apresentar ao capitão este álbum de fotografias que encontrei. Veja, capitão.

Entregou a Patrice um álbum bem fino, encadernado com tecido cinza e fechado por um elástico.

Patrice o pegou com certa ansiedade. Mas o que ele viu após abri-lo era tão inesperado que exclamou:

– É incrível!

Na primeira página estavam, presas nos quatro cantos, duas fotografias, uma à direita representando um menino em roupa de aluno inglês, a outra à esquerda, mostrando uma garotinha. Havia duas legendas abaixo. À direita: "Patrice aos dez anos". À esquerda: "Coralie com três meses".

Comovido além do que podia expressar, Patrice virou a folha.

A segunda página ainda os mostrava, ele aos 15 anos, Coralie aos 8.

E ele voltou a se ver com19, 23 e 28 anos, e Coralie sempre o acompanhava, menina, moça, e finalmente mulher.

– É incrível! – murmurava ele. – Como é possível? São retratos meus que eu desconhecia, fotos de amador obviamente, e que me seguem ao longo da vida. Aqui estou eu, soldado durante meu serviço militar... aqui a cavalo... quem mandou que essas fotografias fossem tiradas? E quem as reuniu assim, junto com as suas?

Mantinha os olhos fixados em Coralie. A jovem mulher se esquivava do seu interrogatório e baixava a cabeça como se a intimidade de suas existências, atestada por essas páginas, a perturbasse no mais profundo de seu ser.

Ele repetiu:

– Quem pode tê-las reunido? Você sabe? E de onde vem esse álbum?

O senhor Desmalions respondeu:

– Foi o médico que o encontrou ao despir o senhor Essarès. Por baixo da camisa o senhor Essarès usava uma camiseta, e em um bolso interno dessa camiseta, em uma bolsa costurada, havia esse pequeno álbum que o médico sentiu por causa da encadernação.

Dessa vez os olhos de Patrice e de Coralie se encontraram. A ideia de que o senhor Essarès colecionava as fotografias deles havia vinte e cinco anos, que as conservava junto ao peito, vivia com elas e morrera com elas, tamanha ideia o abalava tanto que ele nem tentava examinar o estranho significado disso.

– Tem certeza do que está dizendo, senhor? – perguntou Patrice.

– Eu estava lá – disse o senhor Desmalions. – Assisti à descoberta. Aliás, eu mesmo fiz outra que confirma esta e a completa de maneira realmente surpreendente. É a descoberta de um medalhão, talhado em um bloco de ametista e cingido por um círculo de filigrana.

– O que está dizendo? O que está dizendo? – exclamou o capitão Belval. – Um medalhão? Um medalhão de ametista?

– Veja por si mesmo, senhor – ofereceu o magistrado, após ter, mais uma vez, consultado a senhora Essarès.

E Desmalions apresentou ao capitão uma bola de ametista, maior do que a conta formada pela reunião das duas metades que Coralie e ele, Patrice, possuíam, ela em seu rosário e ele no berloque, e essa nova bola era cingida por uma filigrana de ouro que lembrava exatamente o trabalho do rosário e o trabalho do berloque.

O engaste fazia as vezes de fecho.

– Devo abrir? – perguntou ele.

Com um gesto, Coralie o convidou.

Ele abriu.

A parte interna estava dividida por uma peça móvel de cristal que separava duas fotografias muito reduzidas, a de Coralie com roupa de enfermeira, a outra representando Patrice mutilado e com uniforme de oficial.

Patrice refletia, muito pálido. Após um momento, ele disse:

– E esse medalhão, de onde vem? Foi o senhor que o encontrou?

– Sim, capitão.

– Onde?

O magistrado pareceu hesitar. Pela reação de Coralie, Patrice teve a impressão de que ela desconhecia esse detalhe.

Finalmente, o senhor Desmailons respondeu:

– Eu o encontrei na mão do morto.

– Na mão do morto? Na mão do senhor Essarès?

Patrice se sobressaltara como se tivesse recebido o mais imprevisto dos choques, e debruçava-se sobre o magistrado, ansioso por uma resposta que queria ouvir uma segunda vez antes de admiti-la como certa.

– Sim, em sua mão. Tive que desapertar os dedos crispados para poder arrancá-lo.

O capitão se levantou e, batendo com o punho na mesa, exclamou:

– Pois bem, senhor, vou lhe dizer algo que eu reservava como último argumento, para lhe provar que minha colaboração não é inútil, e essa coisa toma uma importância considerável após o que acabamos de aprender. Senhor, hoje de manhã alguém pediu para falar comigo pelo telefone, e a comunicação mal havia sido estabelecida e essa pessoa, que parecia muito agitada, sofreu uma agressão criminosa, cujo barulho pude ouvir. E, no meio do tumulto da luta e dos gritos de agonia, ouvi essas palavras que o coitado se esforçava por me transmitir como últimas informações: "Patrice... Coralie... O medalhão de ametista... Sim, está comigo... o medalhão... Ah! tarde demais... eu queria tanto! Patrice... Coralie...".

E ele continuou:

– Foi o que ouvi, senhor, e ambos os fatos se impõem a nós. Esta manhã, às sete e dezenove, um homem que carregava consigo um medalhão de ametista foi assassinado. Primeiro fato indiscutível. Algumas horas depois, ao meio-dia e vinte e três, descobre-se na mão de outro homem o mesmo medalhão de ametista. Segundo fato indiscutível. Aproxime os dois fatos, e será obrigado a concluir que o primeiro crime, aquele de que ouvi o eco distante, foi cometido aqui, nesta casa, nesta mesma biblioteca, em que vêm ocorrendo, desde ontem à noite, todas as cenas do drama a que assistimos.

Essa revelação, que na realidade levava a uma nova acusação contra Essarès bei, pareceu ter um grande efeito sobre o magistrado. Patrice a lançara no debate com apaixonada veemência, e uma lógica de argumentação à qual não era possível se subtrair sem evidente má-fé.

Coralie havia se virado levemente e Patrice, embora não conseguisse vê-la, adivinhava seu desespero diante de tamanha desonra e vergonha.

O senhor Desmalions objetou:

– O senhor fala de dois fatos indiscutíveis, capitão? Sobre o primeiro ponto, eu lhe farei notar que não encontramos o corpo desse homem que teria sido assassinado às sete e dezenove.

– Vai ser achado.

– Que seja. Segundo ponto: no que diz respeito ao medalhão de ametista encontrado na mão de Essarès bei, quem nos diz que Essarès bei o pegou desse homem assassinado e não em outro lugar? Porque, afinal, nem sabemos se estava em casa naquele horário e menos ainda se estava na biblioteca.

– Eu sei.

– E como?

– Liguei para ele alguns minutos depois e ele me atendeu. Ademais, e para excluir qualquer outra eventualidade, disse-me que acabara de me ligar, mas que a ligação havia sido cortada.

O senhor Desmalions refletiu e então perguntou:

– Ele saiu hoje de manhã?

– A senhora Essarès pode nos informar.

Sem se virar, com o evidente desejo de não encontrar os olhos de Patrice, Coralie declarou:

– Não creio que ele tenha saído. As roupas que usava quando morreu eram roupas para ficar em casa.

– A senhora o viu desde ontem à noite?

– Três vezes nesta manhã, veio bater à minha porta, entre sete e nove horas. Não abri. Por volta das onze horas, saí sozinha; eu o ouvi chamando o velho Siméon e lhe ordenando para me acompanhar. Siméon me alcançou imediatamente na rua. Isso é tudo o que eu sei.

Houve um silêncio muito longo. Cada um refletia do seu lado sobre essa estranha sequência de aventuras.

No final, o senhor Desmalions, que acabava por compreender que não era fácil se livrar de um homem com o caráter do capitão Belval, continuou, com o tom de alguém que, antes de agir, quer conhecer exatamente a última palavra de seu adversário:

– Direto ao ponto, capitão, está elaborando uma hipótese que me parece muito confusa. Qual é mesmo? E se eu não concordar, qual será a sua conduta? Duas perguntas bem claras. Quer responder?

– Com a mesma clareza com que o senhor as fez.

Aproximou-se do magistrado e disse:

– Eis, senhor, o terreno de combate e de ataque, sim, de ataque, se necessário, que escolho. Um homem que me conheceu antes, que conheceu a senhora Essarès ainda criança, e se interessa por nós, um homem que colecionava nossos retratos a cada idade, que tinha motivos secretos para nos amar, que me mandou a chave desse jardim e se dispunha a nos aproximar um do outro por motivos que nos teria revelado, esse homem foi assassinado no momento em que ia executar seus planos. Ora, tudo prova que foi assassinado pelo senhor Essarès. Assim, estou decidido a dar queixa, não importa quais sejam as consequências do meu ato. E pode acreditar, senhor, que minha queixa não será abafada. Sempre há um meio de se fazer ouvir... mesmo que gritando a verdade do alto dos telhados.

O senhor Desmalions se pôs a rir.

– Diabo, capitão, quanto ímpeto!

– O ímpeto é igual à minha consciência, senhor, e tenho certeza de que a senhora Essarès vai me perdoar. Estou agindo pelo bem dela, e ela sabe. Sabe que está perdida se esse caso for abafado e se a Justiça não lhe prestar apoio. Sabe que os inimigos que a ameaçam são implacáveis. Não vão recuar diante de nada para alcançar sua meta e para suprimi-la, já que é um obstáculo para eles. E o que há de mais terrível é que essa meta parece invisível aos olhos mais perspicazes. Jogamos contra esses inimigos a mais formidável das partidas e nem sabemos o que estamos apostando. Somente a Justiça pode descobrir essa aposta.

O senhor Desmalions deixou passar alguns segundos e então, pondo a mão no ombro de Patrice, disse calmamente:

– E se a Justiça conhecer essa aposta?

Patrice o olhou com surpresa:

– O quê, o senhor conheceria?...

– Talvez.

– E pode me dizer?

– Diabo! Já que está me obrigando...

– E do que se trata?

– Ah! nada muito importante! Uma ninharia...

– Mas o quê?

– Um bilhão.

– Um bilhão?

– Simplesmente. Um bilhão, do qual dois terços, infelizmente, senão três quartos, já saíram da França antes da guerra. Mas, mesmo assim, os duzentos e cinquenta ou trezentos milhões restantes valem mais que um bilhão, e isso por um bom motivo...

– Qual?

– São de ouro.

A OBRA DE ESSARÈS BEI

Dessa vez o capitão Belval pareceu se abrandar um pouco. Entrevia vagamente as considerações que obrigavam a Justiça a conduzir a batalha com prudência.

– Tem certeza? – disse ele.

– Sim, capitão. Há dois anos fui encarregado de estudar esse caso e meu inquérito me provou que havia, na França, exportações de ouro realmente inexplicáveis. Mas confesso que é somente desde minha conversa com a senhora Essarès que vejo de onde procediam essas fugas e quem construíra, por toda a França e até nos menores vilarejos, a formidável organização pela qual saía aos poucos o indispensável metal.

– Então a senhora Essarès sabia?...

– Não, mas suspeitava de muitas coisas e nesta noite, antes de sua chegada, ouviu outras que foram ditas entre Essarès e seus agressores e que ela me repetiu, dando-me assim a chave do enigma. Eu queria solucionar completamente esse enigma sem o senhor. Era, aliás, a ordem do ministro dos Assuntos Internos, e a senhora Essarès manifestava o mesmo desejo, mas seu entusiasmo acaba com minhas hesitações, e já que não há meio de afastá-lo, capitão, resolvi abrir completamente o jogo... ainda mais que não há como desdenhar um colaborador de sua têmpera.

– Assim, então... – atalhou Patrice, ansioso para saber mais.

– Assim, o cabeça do complô estava aqui. Essarès bei, diretor do Banco Franco-Oriental, situado na Rua La Fayette, Essarès bei, egípcio em aparência, turco na realidade, gozava de grande influência no mundo financeiro de Paris. Naturalizado inglês, mas tendo mantido relações secretas com antigos proprietários de terras do Egito, Essarès bei era encarregado, em nome de uma potência estrangeira, que ainda não posso nomear exatamente, de sangrar, não há outra palavra, de sangrar a França de todo o ouro que fosse possível fazer chegar aos seus cofres.

Desmalions avançou:

– Segundo certos documentos, desse jeito ele conseguiu enviar setecentos milhões em dois anos. Preparava uma última remessa quando a guerra foi declarada. O senhor deve entender que, a partir desse momento, quantias tão importantes não podiam desaparecer tão facilmente quanto em tempo de paz. Nas fronteiras, os trens são inspecionados. Nos portos, os navios de saída são vistoriados. Em suma, a remessa não ocorreu. Os duzentos e cinquenta a trezentos milhões de ouro permaneceram na França. Dez meses se passaram. E o que aconteceu, e que era inevitável, foi que Essarès bei, dispondo desse fabuloso tesouro, aos poucos o considerou como seu e, por fim, decidiu se apropriar dele. Só que tinha cúmplices.

– Aqueles que vi nesta noite?

– Sim, meia dúzia de levantinos estranhos, falsos naturalizados, búlgaros mais ou menos disfarçados, agentes pessoais das pequenas cortes alemãs de lá. Todos, antigamente, cabiam em sucursais provincianas do banco de Essarès. Todos subornavam, por causa de Essarès, centenas de subagentes que reviravam as aldeias, frequentavam feiras, bebiam com os camponeses, ofereciam notas e títulos em troca de ouro francês, e esvaziavam as poupanças. Com o início da guerra, todos encerraram os negócios e vieram se juntar a Essarès bei, que, por sua vez, também fechara seu escritório da Rua La Fayette.

– E então?

– Então ocorreram incidentes que ignoramos. Decerto os cúmplices souberam por seus governos que a última remessa de ouro não havia sido realizada, e também adivinharam que Essarès bei tentava guardar para si os trezentos milhões recolhidos pelo bando. Seja como for, uma luta começou entre os antigos sócios, luta acirrada, implacável, uns querendo sua parte do tesouro, o outro decidido a não abrir mão de nada e defendendo que os milhões tinham ido embora. Ontem essa luta chegou ao paroxismo de intensidade. De tarde, os cúmplices tentaram sequestrar a senhora Essarès para ter um refém com quem contavam utilizar contra o marido. À noite... à noite o senhor viu o apogeu...

– Mas por que precisamente ontem à noite?

– Pelo motivo de que os cúmplices tinham razões para acreditar que os milhões iam desaparecer ontem à noite. Sem conhecer os procedimentos empregados por Essarès bei nas últimas remessas, pensavam que cada uma dessas remessas, ou melhor, que a retirada dos sacos era precedida por um sinal.

– Sim, uma chuva de faíscas, não é?

– Justamente. No canto do jardim existem antigas estufas encimadas por uma chaminé que as aquecia. Essa chaminé entupida, cheia de fuligem e sujeira, ao ser acesa solta fagulhas e faíscas que se veem de longe e serviam de alerta. O próprio Essarès bei a acendeu ontem à noite. Logo, assustados e determinados, os cúmplices vieram.

– E o plano de Essarès bei fracassou?

– Sim. Aliás, o dos cúmplices também. O coronel morreu. Os outros só conseguiram levar alguns maços de dinheiro que já devem ter perdido novamente. Mas a luta não havia acabado, e hoje de manhã os mais trágicos sobressaltos acompanharam seu desfecho. Segundo o senhor afirmou, um homem que o conhecia e procurava entrar em contato com o senhor foi assassinado às sete e dezenove, possivelmente por Essarès bei, que temia sua intervenção. E poucas horas depois, ao meio-dia e vinte e três, o próprio Essarès bei foi morto, provavelmente por um de seus cúmplices. Eis o caso todo, capitão. Agora que sabe tanto quanto eu, o senhor não acha que a instrução desse caso deve permanecer secreta e seguir um pouco fora das regras habituais?

Após um instante de reflexão, Patrice respondeu:

– Sim, creio.

– Ah, sim! – exclamou o senhor Desmalions. – Além de ser inútil divulgar essa história de ouro desaparecido e de ouro não achado que assustaria as imaginações, o senhor pode imaginar que uma operação que consistiu em escoar durante dois anos tamanha massa de ouro não pôde se realizar sem compromissos muito lamentáveis. Tenho certeza de que meu inquérito pessoal vai me revelar, do lado de certos bancos mais ou menos importantes e de certas instituições financeiras, uma série de falhas e negociatas sobre as quais não quero insistir, mas cuja divulgação seria desastrosa. Portanto, silêncio.

– Mas é possível manter o silêncio?

– Por que não?

– Diabo! Há alguns cadáveres, o do coronel Fakhi, por exemplo.

– Suicídio.

– O desse Mustapha que o senhor vai encontrar, ou já encontrou, no jardim do museu Galliera.

– Acontecimento fortuito.

– O do senhor Essarès.

– Acidente.

– De modo que todas essas manifestações da mesma força criminosa permanecerão isoladas umas das outras?

– Nada mostra o vínculo que liga umas às outras.

– O público talvez pense o contrário.

– O público vai pensar o que julgarmos bom que pense. Estamos em tempo de guerra.

– A imprensa vai falar.

– A imprensa não vai falar. Temos a censura.

– Mas se um fato qualquer, um novo crime?...

– Um novo crime? Por quê? O caso está encerrado, ao menos em sua parte ativa e dramática. Os atores principais morreram. A cortina se fechou com o assassinato de Essarès bei. Quanto aos comparsas, Bournef e os demais, antes de oito dias estarão trancados em um campo de concentração. Estamos diante de alguns milhões sem dono, que ninguém vai ousar reclamar, e nos quais a França tem o direito de pôr a mão. Vou trabalhar para isso ativamente.

Patrice Belval meneou a cabeça.

– Há também a senhora Essarès, senhor. Não devemos descartar as ameaças tão claras de seu marido.

– Ele está morto.

– Não importa, a ameaça permanece. O velho Siméon lhe contou de maneira arrepiante.

– É meio louco.

– Exatamente, seu cérebro mantém a impressão do perigo mais urgente. Não, senhor, a luta não acabou. Talvez até só esteja começando.

– Pois bem, capitão, e não estamos aqui? Proteja e defenda a senhora Essarès com todos os meios que estão em seu poder e com todos aqueles que coloco à sua disposição. Nossa colaboração será constante, já que minha tarefa está aqui, e que, se houver a batalha que o senhor espera e da qual duvido, ela acontecerá dentro desta casa e deste jardim.

– O que o faz supor?...

– Certas palavras ouvidas ontem à noite pela senhora Essarès. O coronel Fakhi repetiu várias vezes: "O ouro está aqui, Essarès". E ele acrescentava: "Há anos, toda semana, seu automóvel trazia aqui o que havia no seu banco da Rua La Fayette. Siméon, o motorista e você, faziam deslizar os sacos pelo último respiradouro à esquerda. E de lá, como o expedia? Não sei. Mas o que estava aqui no momento da guerra, os setecentos ou oitocentos sacos que esperavam lá fora, nada saiu da casa. Eu suspeitava do golpe, e noite e dia nós temos vigiado. O ouro está aqui".

– E não tem nenhum indício? – perguntou Patrice.

– Nenhum. Isso, no máximo, embora eu lhe atribua apenas um valor relativo.

Desmalions tirou do bolso um papel bastante amassado, que desdobrou, e continuou calmamente:

– Junto ao medalhão havia na mão de Essarès esse papel sujo de tinta em que se podem ver ainda algumas palavras meio garatujadas, escritas às pressas, e das quais as únicas mais ou menos legíveis são "Triângulo de ouro". O que significa esse triângulo de ouro? O que tem a ver com o nosso caso? Por enquanto, não sei. No máximo, imagino que o pedaço de papel, assim como o medalhão, tenha sido arrancado por Essarès bei ao homem que morreu nesta manhã às sete e dezenove, e que, quando ele próprio foi morto, ao meio-dia e vinte e três, estava examinando-o.

– Sim, as coisas devem ter ocorrido dessa maneira. E veja, senhor – concluiu Patrice –, como todos esses detalhes se ligam uns aos outros. Pode ter certeza que se trata de um único e mesmo caso.

– Que seja – assentiu Desmalions, levantando-se. – Um único caso em duas partes. Investigue a segunda, capitão. Confesso que não há nada mais estranho do que essa descoberta das fotografias que os retratavam, a senhora Essarès e o senhor, em um mesmo álbum e um mesmo medalhão. Isso constitui um problema, cuja solução certamente nos levará bem perto da verdade. Até logo, capitão. E, mais uma vez, recorra a mim e aos meus homens.

Ele apertou a mão de Patrice…

Patrice o segurou.

– Irei recorrer ao senhor. Mas não é desde já que precisamos tomar as devidas precauções?

– Já foram tomadas, capitão. A casa não está ocupada por nós?

– Sim… sim… sei disso… mas, mesmo assim… tenho um pressentimento de que o dia não vai acabar… lembre-se das estranhas palavras do velho Siméon…

O senhor Desmalions se pôs a rir.

– Ora, capitão, não precisa exagerar. Por enquanto, mesmo que ainda tenhamos inimigos a combater, com certeza eles precisam se esconder. Falaremos sobre tudo isso amanhã, certo, capitão?

Apertou a mão de Patrice, inclinou-se diante da senhora Essarès e saiu.

Por discrição, o capitão Belval fizera um movimento para sair com ele. Parou perto da porta e voltou sobre seus passos. A senhora Essarès, que dava a impressão de não ouvi-lo, permanecia imóvel, recurvada e com a cabeça voltada para outra direção.

Ele lhe disse:

– Coralie…

Ela não respondeu, e ele lhe disse uma segunda vez: "Coralie", com a esperança de que ela também não respondesse, já que o silêncio da jovem mulher de repente lhe parecia a mais desejável das coisas. Não havia mais constrangimento ou revolta. Coralie aceitava que ele estivesse ali, junto dela, como um amigo prestando socorro. E Patrice não pensava mais em todos os problemas que o atormentavam, nem nessa série de crimes que se acumulara ao redor deles, nem nos perigos que podiam rodeá-los. Só pensava no abandono e na dor da mulher.

– Não responda, Coralie, não diga uma única palavra. É minha vez de falar. Eu preciso que você saiba questões que ignora, isto é, os motivos pelos quais queria me afastar desta casa… desta casa e da tua própria existência…

Pôs a mão no encosto da poltrona onde ela estava sentada, e a mão roçou o cabelo da mulher.

– Coralie, você imagina que é a vergonha do seu casamento que a afasta de mim. Cora por ter sido a mulher desse homem, e isso a deixa confusa e inquieta, como se você mesma fosse culpada. Mas por quê? A falta é sua? Será que não pensa que adivinho, entre vocês dois, um passado inteiro de miséria e ódio, e que você foi obrigada a se casar por não sei qual maquinação? Não, Coralie, há algo mais, que vou lhe contar. Há algo mais…

Debruçara-se ainda mais sobre ela. Discernia seu perfil encantador que a chama da lenha iluminava, e exclamou com crescente ardor, usando esse tom familiar que, nele, ainda guardava um respeito afetuoso

– Devo lhe dizer, mamãe Coralie? Não, não é mesmo? Já entendeu e vê claramente em si mesma. Ah! Sinto que está tremendo dos pés à cabeça. Mas, sim, desde o primeiro dia você amou teu grande demônio ferido, por mais ferido e mutilado que estivesse. Cale-se, não proteste. Sim, dou-me conta… Você fica um pouco desconcertada por ouvir essas palavras hoje. Eu talvez devesse ter esperado… Por quê? Não lhe peço nada. Eu sei e isso me basta. Não voltarei a falar sobre isso antes de muito tempo, antes da hora inevitável em que você mesma será obrigada a dizê-lo. Até lá, ficarei silencioso. Mas nosso amor sempre estará entre nós e isso é delicioso, mamãe Coralie. É delicioso saber que me ama, Coralie… Bem! Agora está chorando! E ainda gostaria de negar? Mas quando você chora, mamãe, eu a conheço, isso significa que seu adorável coração transborda de ternura e amor. Está chorando? Ah, mamãe, eu não acreditava que você me amasse a esse ponto!

Patrice também estava com lágrimas nos olhos. As de Coralie corriam em suas faces pálidas, e ele teria querido beijar esse rosto molhado. Mas o mínimo gesto de afeto lhe parecia uma ofensa naquele minuto. Limitava-se a olhá-la perdidamente.

E, enquanto a olhava, ele teve a impressão de que o pensamento da jovem mulher se destacava do seu, que seus olhos eram atraídos por um espetáculo imprevisto, e que ela escutava, no grande silêncio do amor deles, algo que ele não ouvira.

Então, de repente, ele também ouviu essa coisa, embora fosse, por assim dizer, imperceptível. Mais que um ruído, era a sensação de uma presença que se mesclava aos rumores distantes da cidade.

O que estava ocorrendo?

O dia terminara sem que Patrice percebesse. Sem que também o notasse, como o toucador era pequeno e o calor da lareira estava ficando muito forte, a senhora Essarès entreabrira a janela, cujas folhas, no entanto, quase se juntavam. Era esse detalhe que ela considerava atentamente, e era de lá que vinha o perigo.

Patrice esteve prestes a correr para a janela. Não o fez. O perigo se precipitava. Fora, na escuridão do crepúsculo, ele distinguia, através dos vidros oblíquos, uma forma humana. Então, avistou entre as duas folhas um objeto que brilhava com intensidade à luz da lareira e que lhe pareceu ser o cano de um revólver.

"Se suspeitarem por um instante que estou de sobreaviso", pensou ele, "Coralie está perdida."

De fato, a jovem mulher se encontrava em frente à janela, portanto nenhum obstáculo se interpunha diante dela. Mas ele pronunciou em voz alta e tom despreocupado:

– Coralie, você deve estar um pouco cansada. Vamos nos despedir.

Ao mesmo tempo, contornava a poltrona para protegê-la.

Ele, no entanto, não teve tempo para executar seu movimento. Com certeza, ela também vira reluzir o cano do revólver. Recuou bruscamente e balbuciou:

– Ah! Patrice... Patrice...

Duas detonações ecoaram, seguidas por um gemido.

– Você foi ferida! – exclamou Patrice, precipitando-se para ela.

–Não, não – disse ela –, mas o medo...

– Ah! Se ele a acertou, o miserável!...

– Não, não...

– Tem certeza?

Perdeu uns trinta segundos acendendo a luz, examinando a mulher, esperando com angústia que ela retomasse toda a sua consciência.

Somente então Patrice lançou-se em direção à janela, que abriu inteiramente, e passou por cima do parapeito da sacada. O cômodo era localizado no primeiro andar. Havia treliças ao longo do muro. Mas, por causa de sua perna, teve dificuldade para descer.

Embaixo, tropeçou nas tábuas de uma escada caída no chão do terraço. Então, esbarrou em policiais que surgiam do térreo, e um deles vociferou:

– Vi uma silhueta que fugia por ali.

– Por onde? – perguntou Patrice.

O homem corria em direção à pequena ruela. Patrice o seguiu. Mas nesse momento, do lado da porta do jardim, elevaram-se clamores agudos e o ganido de uma voz gemendo:

– Socorro! Socorro!

Quando Patrice chegou, o policial já varria o chão com o feixe de sua lanterna, e ambos avistaram uma forma humana que se contorcia no canteiro.

– A porta está aberta – gritou Patrice –, o agressor escapou... Corra.

O policial desapareceu na ruela e, como Ya-Bon apareceu, Patrice lhe ordenou:

– Depressa, Ya-Bon... Se o policial for por um lado da ruela, vá pelo outro. Depressa, e eu vou cuidar da vítima.

Enquanto isso, Patrice se debruçava, projetando o feixe da lanterna do policial sobre o homem que se debatia no chão. Reconheceu o velho Siméon meio estrangulado, um cordão de seda vermelha em volta do pescoço.

– Tudo bem? – perguntou ele. – Está me ouvindo?

Afrouxou o cordão e repetiu a pergunta. Siméon gaguejou uma sequência de sílabas incoerentes e, de repente, pôs-se a cantar e a rir, com um riso convulsivo, bem baixo, entremeado de soluços. Tinha enlouquecido.

– O senhor – disse Patrice a Desmalions, quando este se juntou a ele e ouviu suas explicações – acredita mesmo que o caso esteja encerrado?

– Tinha razão – confessou o senhor Desmalions –, e vamos tomar todas as precauções necessárias para a segurança da senhora Essarès. A casa será vigiada a noite toda.

Alguns minutos depois, o policial e Ya-Bon voltaram após uma procura inútil. Na ruela, encontraram uma chave que servira para abrir a porta. Era exatamente semelhante àquela que Patrice possuía, igualmente velha e enferrujada. O agressor se livrara dela durante a fuga.

Eram sete da noite quando Patrice, na companhia de Ya-Bon, deixou a casa da Rua Raynouard e voltou a tomar o caminho de Neuilly. Conforme seu hábito, Patrice segurou o braço do senegalês e, apoiando-se nele para andar, disse:

– Adivinho sua ideia, Ya-Bon.

Ya-Bon grunhiu.

– É isso mesmo – aprovou o capitão Belval. – Estamos totalmente de acordo em todos os pontos. O que mais o surpreende é a incapacidade total da polícia nessa ocorrência, não é? Um monte de nulidades, você diria? Falando desse jeito, Ya-Bon, o senhor diz uma besteira e manifesta uma insolência que não me surpreendem de sua parte, e que poderiam lhe trazer de minha parte uma correção que merece. Mas vamos esquecer isso. Portanto, não importa o que diga, a polícia faz o que pode, sem contar que em tempo de guerra tem outras coisas para fazer do que cuidar das misteriosas relações que existem entre a senhora Essarès e o capitão Belval. Assim, sou eu que vou ter de agir, e só posso contar comigo. Pois bem, pergunto-me se tenho cacife para lutar contra tamanhos adversários.

Quando penso que um deles teve a ousadia de voltar à casa que a polícia vigiava, de erguer uma escada, de certamente escutar minha conversa com o senhor Desmalions e então as palavras que eu disse à mamãe Coralie, e, no final das contas, disparar duas balas de revólver! O que acha disso, hein? Sou suficientemente forte? E será que toda a polícia francesa, já sobrecarregada, vai me oferecer a ajuda indispensável? Não, o que precisaria para resolver esse caso é de um tipo excepcional e que reunisse todas as qualidades. Enfim, um homem como não se encontra.

Patrice se apoiou ainda mais no braço do companheiro.

– Você, que tem relações tão importantes, será que não tem isso no bolso? Um gênio, um semideus!

Ya-Bon voltou a grunhir, com a expressão alegre, e soltou o braço. Sempre carregava consigo uma pequena lanterna. Acendeu-a e pôs o cabo entre os dentes. Então, tirou de seu dólmã um pedaço de giz.

Ao longo da rua havia um muro revestido de gesso, sujo e escurecido pelo tempo. Ya-Bon se postou diante do muro e, projetando o feixe de luz, pôs-se a escrever com mão desajeitada, como se cada uma das letras lhe custasse um grande esforço, e como se a junção delas fosse a única que jamais pudesse compor e reter. E, desse jeito, escreveu duas palavras que Patrice conseguiu ler de repente:

Arsène Lupin.

– Arsène Lupin – disse Patrice a meia voz.

E, contemplando-o com estupor:

– Está ficando louco? Arsène Lupin, o que isso quer dizer? O quê? Está me sugerindo Arsène Lupin?

Ya-Bon fez um sinal afirmativo.

– Arsène Lupin? Então você o conhece?

– Sim – declarou Ya-Bon.

Patrice se lembrou então de que o senegalês passava seus dias no hospital a pedir a seus camaradas de boa vontade que lhe lessem todas as aventuras de Arsène Lupin, e ele deu uma risadinha:

– Sim, você o conhece como conhecemos alguém de quem lemos a história.

– Não – protestou Ya-Bon.

– Você o conhece pessoalmente?

– Sim.

– Seu tolo! Arsène Lupin está morto. Jogou-se no mar do alto de uma rocha, e você acha que o conhece?

– Sim.

– Já teve a ocasião de encontrá-lo desde que morreu?

– Sim.

– Diabo! E o poder do senhor Ya-Bon sobre Arsène Lupin é suficiente para que Arsène Lupin ressuscite e venha correndo ao primeiro sinal do senhor Ya-Bon?

– Sim.

– Caramba! Eu já tinha muita consideração por você, mas agora só resta inclinar-me. Amigo do falecido Arsène Lupin, como você é chique! E quanto tempo você precisa para pôr essa sombra à nossa disposição? Seis meses? Três meses? Um mês? Quinze dias?

Ya-Bon fez um gesto.

– Cerca de quinze dias – traduziu o capitão Belval. – Pois bem, evoque o espírito de seu amigo, estarei encantado por conhecê-lo. Só que, na verdade, você deve ter uma ideia bem medíocre de mim para imaginar que preciso de colaborador. Então, acha que sou um imbecil, um incapaz?

PATRICE E CORALIE

Tudo ocorreu como o senhor Desmalions previra. A imprensa não falou nada. O público não se comoveu. Acidentes e pequenas ocorrências foram recebidos com indiferença. O enterro do riquíssimo banqueiro Essarès bei passou despercebido.

Mas, no dia seguinte ao enterro, após algumas diligências realizadas pelo capitão Belval junto às autoridades militares, com o apoio da polícia, uma nova ordem das coisas foi estabelecida na casa da Rua Raynouard. Reconhecida como anexo número dois da enfermaria dos Champs-Élysées, a casa se tornou, sob a vigilância da senhora Essarès, residência exclusiva do capitão Belval e de seus sete mutilados.

Assim, Coralie permaneceu lá sozinha. Sem camareira ou cozinheira. Os sete mutilados se encarregaram de todas as tarefas. Um era zelador, outro cozinheiro, outro, mordomo. Ya-Bon, nomeado camareiro, encarregou--se do serviço pessoal de mamãe Coralie. De noite, deitava-se no corredor, diante da porta. De dia, ficava de vigia diante de sua janela.

– Não deixe ninguém se aproximar dessa porta, nem dessa janela! – disse-lhe Patrice. – Ninguém pode entrar! Se deixar um único mosquito se aproximar dela, você vai se ver comigo.

Apesar de tudo, Patrice não estava tranquilo. Tivera provas demais do que o inimigo se atrevia a fazer para acreditar que, quaisquer que fossem, as medidas poderiam garantir uma proteção absolutamente eficaz. O perigo se insinua sempre por onde não é esperado, e é ainda mais difícil proteger-se contra ele quando não se sabe de onde vem a ameaça. Essarès bei morto, quem perseguia sua obra? E quem retomaria contra mamãe Coralie o plano de vingança que ele anunciou em sua última carta?

O senhor Desmalions havia começado imediatamente suas investigações, mas o aspecto dramático do caso parecia deixá-lo indiferente. Como não havia encontrado o corpo do homem de quem Patrice ouvira os gritos de agonia, nem encontrara qualquer indício sobre o misterioso agressor que atirara em Patrice e Coralie, no fim do dia, sem ter podido estabelecer de onde vinha a escada que o agressor havia usado, ele não se preocupava mais com essas questões, limitando seus esforços à procura dos mil e oitocentos sacos. Era a única questão com que se importava.

– Temos todos os motivos para acreditar que os sacos então aqui – dizia – entre os quatro lados do quadrilátero formado pelo jardim e os prédios de moradia. Obviamente, um saco de cinquenta quilos de ouro não tem, nem de longe, o volume de um saco de carvão de mesmo peso. Mas, mesmo assim, mil e oitocentos sacos devem representar um volume de sete a oito metros cúbicos, e não é fácil esconder tamanho volume.

Depois de dois dias, Desmalions adquirira a certeza que o esconderijo não se encontrava nem na casa, nem debaixo dela. Quando, certas noites, o motorista de Essarès bei trazia à Rua Raynouard o conteúdo dos cofres do Banco Franco-Oriental, Essarès bei, o próprio motorista e o homem chamado Grégoire faziam passar pelo respiradouro que os cúmplices do coronel haviam mencionado um largo arame que acabou sendo encontrado. Ao longo desse arame deslizavam ganchos, também encontrados, nos quais os homens suspendiam os sacos que então se empilhavam em um grande porão situado exatamente sob a biblioteca.

É inútil mencionar a engenhosidade, a minúcia e a paciência que o senhor Desmalions e seus agentes manifestaram para vasculhar cada canto desse porão. Ao menos, seus esforços permitiram que soubessem – sem qualquer dúvida – que o lugar não oferecia segredos, exceto o de uma escada que descia da biblioteca e cuja saída superior era trancada por um alçapão coberto por um tapete. Além do respiradouro da Rua Raynouard, havia outro que dava para o jardim, no nível do primeiro terraço. Ambas as aberturas eram fechadas de dentro mediante persianas de ferro muito pesadas, de modo que milhares e milhares de sacos de ouro podiam ter sido empilhados no porão até serem despachados.

– Mas como ocorria essa remessa? – perguntava-se o senhor Desmalions.

– Mistério. E por que essa parada no subsolo da Rua Raynouard? Outro mistério. E eis então que Fakhi, Bournef e seus cúmplices afirmam que da última vez não houve remessa, que o ouro está aqui e que basta procurar para achá-lo. Só resta o jardim. Vamos procurar desse lado.

É um admirável jardim antigo que outrora fizera parte da vasta propriedade em que, até o fim do século XVIII, funcionava a estação termal de Passy. Da Rua Raynouard até o cais, em uma largura de duzentos metros, o jardim desce, por quatro terraços superpostos, em direção a harmoniosos gramados delineados por maciços de arbustos verdejantes dominados por grupos de grandes árvores.

Mas a beleza do jardim se deve antes de tudo aos seus quatro terraços e à vista que oferecem para o rio, as planícies da margem esquerda e as colinas ao longe. Vinte escadas comunicam esses terraços entre si e vinte trilhas levam de um a outro, cavadas entre os muros de contenção e às vezes imersas sob ondas de hera que se alastram de cima para baixo.

Em um ponto ou outro emergem uma estátua, uma coluna truncada e destroços de uma marquise. A sacada de pedra que orla o terraço superior é enfeitada com antigos vasos de barro. Nesse terraço, veem-se também as ruínas de dois pequenos templos redondos que outrora serviam de bebedouros. Diante das janelas da biblioteca, um tanque circular, no centro do qual uma criança lança um fino fio d'água pela abertura de uma concha.

Era a água de escoamento desse tanque, recolhida de um riacho, que deslizava sobre as rochas contra as quais Patrice se chocara naquela primeira noite.

– Em suma, três a quatro mil hectares para vasculhar – disse o senhor Desmalions.

Para essa tarefa, o ex-juiz recrutou, além dos mutilados de Patrice, uma dúzia de policiais. Tarefa bastante fácil no fundo, e que certamente devia trazer resultados. Como Desmalions não cessava de repetir, mil e oitocentos sacos não podem permanecer invisíveis. Qualquer escavação deixa rastros. É preciso ter como entrar e sair. Ora, a grama dos canteiros e a areia das alamedas não revelavam qualquer vestígio de terra remexida recentemente. A hera? Os muros de contenção? Os terraços? Tudo foi visitado. Inutilmente. Acharam-se, em alguns lugares, nas trincheiras cavadas, antigas canalizações que se dirigiam para o Sena, e segmentos de aqueduto que antes serviam para escoar as águas de Passy. Mas o que não encontraram foi algo que se parecesse com um abrigo, uma casamata, um alpendre de alvenaria, ou que tivesse a aparência de esconderijo.

Patrice e Coralie acompanhavam essas buscas. No entanto, embora entendessem o interesse disso, e embora, por outro lado, ainda sentissem a ansiedade das dramáticas horas que haviam vivido, no fundo só eram fascinados pelo inexplicável problema de seu destino comum, e quase todas as palavras deles se dirigiam para as trevas do passado.

A mãe de Coralie, filha de um cônsul da França em Salônica, casara-se lá com homem de certa idade, muito rico, o conde Odolavitz, membro de uma antiga família sérvia, que morreu um ano após o nascimento de Coralie. Na época, a viúva e sua filha estavam na França, precisamente nessa casa da Rua Raynouard, que o conde Odolavitz havia comprado por meio de um jovem egípcio, Essarès, que lhe servia de secretário e de factótum.

Assim, Coralie vivera três anos de sua infância nessa casa. Então, subitamente, perdeu sua mãe. Sozinha no mundo, foi levada por Essarès a Salônica, onde seu avô, o cônsul, havia deixado uma irmã bem mais jovem que ele e que se encarregou da menina. Infelizmente, essa mulher caiu sob o domínio de Essarès, assinou documentos, mandou sua sobrinha-neta assinar outros, de modo que toda a fortuna da criança, administrada pelo egípcio, aos poucos desapareceu.

Finalmente, com cerca de 17 anos, Coralie foi vítima de uma aventura que lhe deixou a mais terrível das lembranças e que teve uma influência fatal sobre sua vida. Raptada certa manhã nos arredores de Salônica por um bando de turcos, passou duas semanas trancada em um palácio, sendo objeto dos desejos do governador da província. Essarès a libertou. Mas essa libertação aconteceu de maneira tão estranha que, com frequência desde então, Coralie chegava a se perguntar se o turco e o egípcio não haviam estado em conluio.

Seja como for, doente, deprimida, temendo nova agressão e obrigada por sua tia, casou-se um mês depois com esse Essarès que já a cortejava e que, agora e definitivamente, aparecia aos seus olhos como um salvador. União lamentável, cujo horror se lhe tornou evidente no mesmo dia em que foi consumada. Coralie era a mulher de um homem que ela detestava, homem cujo amor se exasperou diante de todo o ódio e todo o desprezo que ela lhe devotou.

No mesmo ano do casamento, instalaram-se na casa da Rua Raynouard. Essarès, que, havia muito tempo, fundara e dirigia em Salônica a filial do Banco Franco-Oriental, abarcou quase todas as ações desse banco e comprou como sede da instituição o prédio da Rua La Fayette, tornando-se um dos maiores financistas de Paris e recebendo no Egito o título de bei[5].

Era essa a história que um dia, no belo jardim de Passy, Coralie contou, e, nesse melancólico passado que questionaram juntos, confrontando-o com o passado de Patrice, nem ele nem Coralie conseguiram descobrir um único ponto que lhes fosse comum. Ambos haviam vivido em lugares diferentes. Nenhum nome despertava neles uma mesma lembrança. Nenhum detalhe podia levá-los a entender por que cada um possuía pedaços da mesma conta de ametista, por que suas fotos se encontravam reunidas no mesmo medalhão ou coladas nas páginas do mesmo álbum.

– No limite – disse Patrice –, podemos explicar que o medalhão achado na mão de Essarès havia sido arrancado por ele a esse homem desconhecido

[5] Título honorífico antigamente dado a altos funcionários e oficiais superiores do Exército otomano. (N.T.).

que nos vigiava e que ele assassinou. Mas e o álbum, esse álbum que ele carregava em uma bolsa costurada na roupa de baixo?...

Permaneceram calados. Então Patrice perguntou:

– E Siméon?

– Siméon sempre morou aqui.

– Até mesmo na época de sua mãe?

– Não. Foi um ano ou dois após a morte de minha mãe e após minha partida para Salônica, que ele foi encarregado por Essarès de guardar esta propriedade e cuidar de sua manutenção.

– Era secretário de Essarès?

– Nunca soube seu papel exato. Secretário? Não. Confidente? Também não. Nunca conversavam juntos. Três ou quatro vezes, foi ver-nos em Salônica. Lembro-me de uma de suas visitas. Eu ainda era criança e ouvi que falava com Essarès de maneira muito violenta e que parecia ameaçá-lo.

– De quê?

– Não sei. Ignoro tudo de Siméon. Vivia aqui, porém muito distante dos outros, quase sempre no jardim, fumando seu cachimbo, devaneando, cuidando das árvores e das flores com a ajuda de dois ou três jardineiros que ele chamava de vez em quando.

– Que conduta ele mantinha diante de você?

– De novo, não posso dizer nada com exatidão. Nunca falávamos, e suas ocupações não o aproximavam de mim. No entanto, às vezes tive a impressão de que, por seus óculos amarelos, seu olhar me procurava com certa insistência, talvez até com interesse. Além disso, nos últimos tempos gostava de me acompanhar até a enfermaria, e mostrava-se então, seja lá, seja a caminho, mais atento, mais solícito... de tal maneira que faz um ou dois dias me pergunto...

Após um instante de indecisão, ela seguiu:

– Ah! é uma ideia bem vaga... mas, mesmo assim... Olhe, há algo que não pensei em lhe dizer... por que entrei na enfermaria dos Champs-Élysées, nessa enfermaria em que você já se encontrava ferido, doente? Por quê? Porque Siméon me levou até lá. Sabia que eu queria trabalhar como enfermeira e me indicou essa enfermaria... na qual não duvidava que as circunstâncias nos colocariam um diante do outro...

– E então, reflita... Mais tarde, a fotografia do medalhão, a que nos representa juntos, você de uniforme e eu em traje de enfermeira, só pode ter sido tirada na enfermaria... ora, entre as pessoas dessa casa Siméon era o único que havia ido lá. Quero lembrá-lo também de que ele fora a Salônica, que me vira lá ainda criança, depois moça, e, também lá, pôde tirar as fotos do álbum. De modo que, se admitirmos que ele tenha tido algum correspondente que, por seu lado, seguia você ao longo da vida, não seria impossível acreditar que o amigo desconhecido de quem você supôs a intervenção entre nós tenha lhe mandado a chave do jardim...

– Que esse amigo tenha sido o velho Siméon? – interrompeu vivamente Patrice. – A hipótese é inadmissível.

– Por quê?

– Porque esse amigo morreu. Aquele que procurava, como você diz, intervir entre nós, aquele que me mandou a chave do jardim, aquele que me chamou pelo telefone para me contar a verdade, esse homem foi assassinado... não há dúvida a respeito disso. Ouvi os gritos de um homem sendo degolado... gritos de agonia... daqueles que alguém solta ao morrer.

– E quem lhe garante que foi assim que ocorreu?...

– Tenho certeza. Minha certeza é inabalável. Aquele que chamo de nosso amigo desconhecido morreu antes de terminar sua obra, morreu assassinado. Ora, Siméon está vivo.

E Patrice acrescentou:

– Aliás, sua voz era diferente da de Siméon, uma voz que eu nunca havia ouvido e que nunca mais ouvirei.

Convencida por Patrice, Coralie não insistiu mais.

Estavam sentados em um dos bancos do jardim, aproveitando um belo sol de abril. Os brotos dos castanheiros brilhavam na ponta dos galhos. Subia dos canteiros o inebriante perfume dos goivos, cujas flores amarelas ou douradas, como vestidos de vespas ou abelhas apertadas umas nas outras, ondulavam ao ritmo de uma leve brisa.

De repente, Patrice estremeceu. Coralie pusera a mão na sua, em um gesto de encantador abandono, e, observando-a, ele logo viu que estava emocionada a ponto de chorar.

– O que está acontecendo, mamãe Coralie?

A cabeça da jovem se inclinou, e sua face tocou o ombro do oficial. Patrice não ousou se mover, para não dar a esse movimento fraternal um valor de ternura que pudesse ferir Coralie.

Ele repetiu:

– O que há? O que você tem, minha amiga?

– Ah – murmurou ela –, como é estranho! Olhe, Patrice, olhe essas flores.

Encontravam-se no terceiro terraço, e portanto dominavam o quarto terraço. Este último, mais baixo, em vez de maciços de goivos abrigava canteiros onde se misturavam todas as flores da primavera, tulipas, ibéris e arabetas. No meio havia um grande círculo plantado de amores-perfeitos.

– Ali, ali – disse ela, apontando esse círculo com o braço estendido – ali, olhe bem… está vendo?… letras…

De fato, aos poucos Patrice se dava conta de que os tufos de amores-perfeitos estavam dispostos de maneira a escrever no solo algumas letras que se destacavam entre outros tufos de flores. Não era visível a um primeiro olhar. Precisava-se de certo tempo para ver, mas, uma vez percebidas, as letras se juntavam por si só e formavam na mesma linha três palavras: *Patrice e Coralie.*

– Ah – disse ele, em voz baixa –, estou entendendo!

Era tão estranho, de fato, e tão comovente ler os dois nomes, semeados, por assim dizer, por uma mão amiga, os dois nomes reunidos em forma de amores-perfeitos! Era tão estranho e tão comovente estarem sempre juntos, reunidos por vontades misteriosas, ligados agora pelo laborioso esforço de florezinhas que surgem, despertam para a vida e desabrocham segundo uma ordem determinada!

Coralie se levantou e disse:

– É o velho Siméon que cuida do jardim.

– Obviamente – disse ele, um pouco abalado – isso não muda minha ideia. Nosso amigo desconhecido morreu, mas Siméon pode tê-lo conhecido. Siméon talvez tenha estado em conluio com ele em certos pontos, e deve saber muita coisa. Ah, se pudesse falar e nos pôr na direção certa.

Uma hora depois, quando o sol se punha no horizonte, subiram aos terraços.

Ao chegarem ao terraço de cima, avistaram o senhor Desmalions, que fez um sinal para que se aproximassem e disse:

– Quero avisá-los de algo bastante curioso, uma descoberta de interesse especial para a senhora... e para o senhor, capitão.

Levou-os até o final do terraço, diante da parte inabitada que seguia a biblioteca. Havia lá dois policiais, segurando picaretas. Durante as buscas, o senhor Desmalions explicou, haviam primeiramente afastado a hera que cobria o pequeno muro enfeitado com vasos de barro. Ora, um detalhe chamara a atenção dele: ao longo de alguns metros o muro estava coberto por uma camada de gesso que parecia ser mais recente que a pedra.

– Por quê? – disse Desmalions. – Parecia um indício que eu não podia deixar de considerar. Mandei demolir essa camada de gesso e, embaixo, encontrei outra menos espessa, misturada às asperezas da pedra. Vejam, aproximem-se... ou não, afastem-se um pouco... assim se vê melhor.

De fato, a camada inferior só servia para conter uma série de pedrinhas brancas que criavam um tipo de mosaico emoldurado por pedras pretas, e que formavam grandes letras largas, as quais compunham três palavras. Essas palavras eram, mais uma vez, *Patrice e Coralie.*

– O que acham disso? – interrogou o senhor Desmalions. – Vejam que a inscrição data de alguns anos... dez anos pelo menos, dada a disposição da hera no muro...

– Dez anos pelo menos... repetiu Patrice, quando ficou sozinho com Coralie. – Dez anos, isto é, uma época em que você não estava casada, ainda morava em Salônica, e quando ninguém vinha a este jardim... ninguém, salvo Siméon e aqueles que ele deixava entrar.

E Patrice concluiu:

– Entre eles, Coralie, estava nosso amigo desconhecido que morreu. E Siméon conhece a verdade.

Nesse final de tarde, ambos viram, como o viam desde o drama, o velho Siméon andar a esmo no jardim ou nos corredores da casa, com atitude inquieta e desamparada, seu cachecol enrolado em volta da cabeça, os óculos pressionando as têmporas. Gaguejava palavras incompreensíveis. À noite, seu vizinho, um dos mutilados, ouviu-o cantarolar várias vezes.

Em duas ocasiões Patrice tentou fazê-lo falar. Siméon meneava a cabeça e não respondia, ou então ria com um ar inocente.

Assim, o problema se complicava, e nada deixava prever que pudesse ser revolvido. Quem, desde sua infância, os havia prometido, um ao outro, como noivos por uma lei inflexível disposta com antecedência? Quem, no último outono, quando ainda não se conheciam, havia preparado o canteiro de amores-perfeitos, e quem, dez anos antes, inscrevera seus nomes com pedras brancas na espessura do muro?

Questões perturbadoras para duas pessoas nas quais o amor despertara espontaneamente e que, de repente, percebiam que tinham um longo passado em comum. Cada passo que faziam juntos no jardim parecia uma peregrinação entre lembranças esquecidas, e a cada curva de alameda esperavam descobrir uma nova prova da ligação que os unira sem que o soubessem.

E, de fato, nesses poucos dias eles viram suas iniciais entrelaçadas, duas vezes no tronco de uma árvore, uma vez no respaldo de um banco. E outras duas vezes os dois nomes apareceram inscritos em velhas paredes e escondidos por uma camada de gesso coberta por hera.

Nessas duas últimas ocasiões, seus nomes eram acompanhados de duas datas: "*Patrice e Coralie*, 1904"... "*Patrice e Coralie*, 1907".

– Há onze anos e há oito anos – disse o capitão. – Sempre nossos nomes... Patrice e Coralie.

Seguravam-se pelas mãos com mais força. O grande mistério de seu passado aproximava-os, tanto quanto o profundo amor que sentiam e sobre o qual evitavam falar.

Apesar de si mesmos, no entanto, ambos procuravam a solidão, e foi assim que um dia, duas semanas após o assassinato de Essarès bei, enquanto passavam diante da pequena porta da ruela, decidiram sair e descer até a margem do Sena. Ninguém os viu, já que as proximidades dessa porta e o caminho que leva até lá estavam escondidos por grandes bosques, e o senhor Desmalions então explorava com seus homens as antigas estufas situadas do outro lado do jardim, e a velha chaminé que servira para mandar os sinais.

Mas, uma vez fora, Patrice se imobilizou. Havia, quase em frente deles, no muro oposto, uma porta exatamente semelhante. Comentou o fato e Coralie lhe disse:

– Não é surpreendente. Esse muro delimita um jardim que antes dependia daquele que acabamos de deixar.

– Quem mora aí?

– Ninguém. A pequena casa que o domina e fica antes da minha na Rua Raynouard está sempre fechada.

Patrice murmurou:

– Mesma porta... mesma chave, talvez?

Introduziu na fechadura a chave enferrujada que lhe havia sido enviada.

A fechadura girou.

– Vamos entrar – disse ele –, a série de milagres continua. Será que este nos será favorável?

Era uma faixa de terreno estreita e entregue a todos os caprichos da vegetação. Contudo, no meio da relva exuberante, uma trilha de terra batida, que devia ser usada com frequência, saía da porta e subia obliquamente em direção ao único terraço, no qual estava construída a casa térrea com as persianas fechadas, deteriorada, coroada por um pequeno belvedere em forma de lanterna.

A casa tinha uma entrada particular na Rua Raynouard, da qual era separada por um pátio e um muro bem alto. Essa entrada era obstruída por tábuas e vigas pregadas umas nas outras.

Deram a volta na casa e foram surpresos pelo espetáculo que esperava por eles do lado direito. Era uma espécie de claustro de vegetação, retangular, cuidadosamente mantido, com arcos regulares, recortados nas sebes de buxos e teixos. Um jardim miniatura era desenhado nesse espaço em que pareciam se juntar o silêncio e a paz. Lá também havia flores variadas, amores-perfeitos e margaridas. E quatro sendas que vinham dos quatro cantos do claustro terminavam em uma rotunda central, em que se erguiam as cinco colunas de um pequeno templo aberto, grosseiramente construído com seixos e pedras de alvenaria em equilíbrio.

Sob a cúpula desse pequeno templo via-se uma lápide.

Diante dessa lápide, um velho genuflexório de madeira, nos barrotes do qual estavam pendurados, à esquerda um cristo de marfim, à direita um rosário composto por contas de ametista e de filigrana de ouro.

– Coralie, Coralie – murmurou Patrice, a voz tremendo de emoção… – Quem está enterrado aqui?

Aproximaram-se.

Coroas de pérolas estavam alinhadas na lápide. Contaram dezenove delas, nas quais estavam gravadas as dezenove colheitas dos dezenove últimos anos. Tendo-as separado, leram esta inscrição em letras de ouro gastas e sujas pela chuva.

Aqui descansam
Patrice e Coralie
ambos assassinados
em 14 de abril de 1895
Serão vingados

O CORDÃO VERMELHO

Coralie havia sentido suas pernas enfraquecerem e se deixara cair no genuflexório, onde, ardente e desesperadamente, agora rezava. Por quem? Pelo descanso de que almas desconhecidas? Ela não sabia. Mas todo o seu ser era tomado por febre e exaltação, e só as palavras da prece podiam acalmá-la.

Patrice lhe disse ao ouvido:

– Como se chamava sua mãe, Coralie?

– Louise – respondeu ela.

– E meu pai se chamava Armand. Portanto, não se trata dela ou dele, e no entanto…

Patrice também estava extremamente agitado. Agachou-se e examinou as dezenove coroas, depois a lápide, e prosseguiu:

– No entanto, Coralie, a coincidência é realmente anormal demais. Meu pai morreu nesse ano de 1895.

– Minha mãe também morreu no mesmo ano – disse ela –, sem que eu possa precisar a data.

– Vamos descobrir, Coralie – afirmou ele. – Tudo isso pode ser verificado. Mas uma verdade está surgindo: aquele que entrelaçava os nomes Patrice e Coralie não pensava só em nós e não olhava só para o futuro.

Talvez pensasse ainda mais no passado, nessa Coralie e nesse Patrice cujas mortes violentas ele soubera e a quem havia prometido vingança. Venha, Coralie, ninguém deve suspeitar que estivemos aqui.

Desceram pela senda e atravessaram as duas portas da ruela. Ninguém os viu entrar. Logo Patrice levou Coralie aos seus aposentos e recomendou a Ya-Bon e seus camaradas que redobrassem a vigilância. Então, saiu.

Só voltou à noite, para sair de novo na manhã seguinte. Um dia depois, por volta das três horas, pediu a Coralie que o recebesse.

Imediatamente ela lhe perguntou:

– Soube de algo?...

– Sei de muitas coisas, Coralie, que não dissipam as trevas do presente, e eu estaria quase tentado a dizer ao contrário, mas que trazem luzes bem vivas sobre o passado.

– E que explicam o que vimos anteontem? – perguntou ela ansiosamente.

– Escute-me, Coralie.

Sentou-se na frente dela e disse:

– Não vou lhe contar todas as diligências que empreendi. Vou resumir simplesmente aquelas que deram resultado. Antes de mais nada, fui à prefeitura de Passy e à legação da Sérvia.

– Então – disse ela – você segue supondo que se trata de minha mãe?

– Sim, peguei uma cópia do atestado de óbito, Coralie. Sua mãe morreu em 14 de abril de 1895.

– Ah – disse ela –, é a data inscrita no túmulo.

– A mesma data.

– Mas e esse nome, Coralie?... Minha mãe se chamava Louise.

– Sua mãe se chamava Louise-Coralie, condessa Odolavitch.

Ela repetiu entre os dentes:

– Ah! minha mãe... minha mãe querida... assim, ela é que foi assassinada... portanto, foi por ela que rezei naquele jardim.

– Foi por ela, Coralie, e por meu pai. Meu pai se chamava Armand-Patrice Belval. Encontrei seu nome exato na prefeitura da Rua Drouot. Morreu em 14 de abril de 1895.

Patrice tivera razão ao dizer que luzes singulares agora iluminavam o passado. Estava definido, da maneira mais incontestável, que a inscrição no túmulo dizia respeito ao seu pai e à mãe de Coralie, ambos assassinados no mesmo dia. Por quem? Por quais motivos? Em decorrência de que dramas? Foi o que a jovem mulher perguntou a Patrice.

– Ainda não posso responder às suas perguntas – disse ele. Mas há outra que eu me fiz, mais fácil de resolver e que também traz certeza sobre um ponto essencial. A quem pertence a casa? Do lado de fora, na Rua Raynouard, nenhuma indicação. Você mesmo pôde ver o muro do pátio e a porta desse pátio: nada especial. Mas o número da propriedade era suficiente. Fui até o escritório da Receita Fiscal do bairro e soube que os impostos eram pagos por um tabelião situado na Avenida de L'Opéra. Fui visitá-lo e soube de alguns fatos.

Fez uma pequena pausa e declarou:

– A casa foi comprada, há vinte e um anos, por meu pai. Dois anos depois, meu pai morreu, e essa casa, que portanto fazia parte de seu legado, foi posta à venda pelo antecessor do tabelião atual e comprada por um senhor Siméon Diodokis, cidadão grego.

– É ele! – exclamou Coralie. – Diodokis é o sobrenome de Siméon.

– Ora – continuou Patrice –, Siméon Diodokis era amigo de meu pai, já que meu pai, em seu testamento, que encontrei, o havia designado como legatário universal, e foi Siméon que, por meio do tabelião anterior e de um *solicitor* de Londres, pagava minhas despesas de internato e mandou me entregar, na minha maioridade, a quantia de duzentos mil francos, o saldo da herança paternal.

Ficaram em silêncio por um bom tempo. Vislumbravam muitas questões, porém ainda indistintas, esmaecidas, como esses espetáculos que entrevemos na bruma da noite.

Uma dessas questões sobrepujava todas as outras. Patrice murmurou:

– Sua mãe e meu pai se amaram, Coralie.

Essa ideia os unia ainda mais, deixando-os profundamente confusos. Seu amor se duplicava de outro, igualmente ferido pelas provações, mais trágico ainda, e que acabara no sangue e na morte.

– Tua mãe e meu pai se amaram – continuou ele. – Foram certamente desses amantes um pouco exaltados cujo amor às vezes se manifesta por infantilidades encantadoras, porque quiseram se chamar entre si de uma maneira que ninguém usara antes para chamá-los, e escolheram seus segundos nomes, que também *eram o teu e o meu*. Um dia tua mãe deixou cair seu rosário de contas de ametista. A maior quebrou em duas partes. Meu pai mandou fazer um berloque com um dos pedaços que prendeu à corrente de seu relógio.

– Tua mãe e meu pai eram viúvos. Você tinha 2 anos, e eu, 8. Para se dedicar inteiramente à mulher que amava, meu pai me mandou para a Inglaterra e comprou a casa de onde tua mãe, que morava ao lado, atravessava a ruela e usava essa mesma chave para encontrá-lo. Foi nessa casa ou no jardim que dela que foram certamente assassinados. Aliás, é o que iremos descobrir, já que devem permanecer provas visíveis desse assassinato, provas que Siméon Diodokis encontrou, já que não temeu afirmá-lo na inscrição da lápide.

– E quem foi o assassino? – murmurou a jovem mulher?

– Assim como eu, Coralie, você suspeita de quem se trata. O nome odiado lhe vem à mente, embora nenhum indício nos permita ter certeza.

– Essarès! – disse Coralie com um grito de angústia.

– Muito provavelmente.

Ela escondeu o rosto nas mãos.

– Não, não… não pode ser… não posso ter sido a mulher daquele que matou minha mãe.

– Você carregou o nome de Essarès, mas nunca foi mulher dele. Foi o que você até lhe disse na noite antes de ele morrer, na minha presença. Não vamos afirmar nada além daquilo que podemos, mas, mesmo assim, devemos lembrar que ele foi seu gênio mau, e que Siméon, o amigo e legatário universal de meu pai, o homem que comprou a casa dos dois amantes, o homem que jurou no túmulo que ia vingá-los, devemos lembrar que Siméon, poucos meses após a morte de sua mãe, foi contratado por Essarès como zelador de sua propriedade, tornou-se seu secretário e, aos poucos, entrava em sua vida. Com que finalidade? Senão a de pôr em execução seus projetos de vingança.

– Não houve vingança.

– O que sabemos a respeito disso? Sabemos como morreu Essarès bei? Decerto não foi Siméon quem o matou, já que Siméon estava na enfermaria. Mas talvez o tenha mandado matar? Ademais, a vingança tem mil maneiras de se interpretar. Por fim, Siméon obedecia certamente ordens de meu pai. Ele provavelmente queria alcançar uma meta que meu pai e sua mãe se haviam fixado: a união de nossos destinos, Coralie. E essa meta dominou sua vida. Foi ele, obviamente, que colocou entre meus pequenos objetos de criança essa metade de ametista cuja outra metade formava uma conta do teu rosário. Foi ele que colecionou nossas fotografias. Foi ele, finalmente, nosso amigo desconhecido, que me mandou a chave, acompanhada por uma carta… que não recebi, infelizmente!

– Então, Patrice, você não acredita mais que esse amigo desconhecido tenha morrido, e que você ouviu seus gritos de agonia?

– Não sei. Será que Siméon agiu sozinho? Ou tinha um confidente, um assistente na obra que havia empreendido? E que foi este homem que caiu às sete e dezenove? Não sei. Tudo o que ocorreu naquela sinistra manhã permanece em uma escuridão que nada atenua. A única convicção que podemos ter é que, nos últimos vinte anos, Simeón Diodokis perseguiu, em nosso favor e contra o assassino de nossos pais, uma tarefa obscura e paciente, e que Siméon Diodokis está vivo.

E Patrice acrescentou:

– Vivo, porém louco! De modo que não podemos nem lhe agradecer, nem nada lhe perguntar a respeito da sombria história que ele conhece ou dos perigos que a ameaçam. E, no entanto, só ele…

Mais uma vez Patrice quis tentar a prova, embora estivesse certo de que ia fracassar de novo. Siméon ocupava, na ala antes reservada à acomodação dos criados, um quarto contíguo ao de dois mutilados. Patrice foi até ali, onde encontrou Siméon.

Meio adormecido em uma poltrona virada para o jardim, ele segurava um cachimbo apagado na boca. O quarto era pequeno, com poucos móveis, mas limpo e claro. Toda a vida secreta desse velho homem se passara nele. Várias vezes, em sua ausência, o senhor Desmalions o visitara. Patrice também, cada um com um objetivo diferente.

A única descoberta que merecera ser notada consistia em um desenho simples, feito a lápis, atrás de uma cômoda: três linhas que se cruzavam formando um amplo triângulo regular. No meio dessa figura geométrica, um rabisco grosseiro, feito com ouro adesivo. O triângulo de ouro! Além disso, que não ajudava em nada as buscas do senhor Desmalions, nenhum indício.

Patrice foi diretamente até o velho homem e tocou-o no ombro.

– Siméon – disse ele.

Siméon levantou seus óculos amarelos para encará-lo, e Patrice sentiu uma vontade repentina de lhe arrancar esse obstáculo de vidro que escondia os olhos do homem e impedia de penetrar no fundo de sua alma e de suas distantes lembranças.

Siméon se pôs a rir tolamente.

"Ah", pensou Patrice. "Este é meu amigo e o amigo de meu pai. Amou meu pai, respeitou sua vontade, foi fiel à sua memória, consagrou-lhe um túmulo no qual rezava, jurou vingá-lo. E agora perdeu a razão."

Patrice sentiu a inutilidade de qualquer palavra. Mas, se o som da voz não despertava qualquer eco nessa mente perdida, talvez os olhos mantivessem alguma memória. Ele escreveu em uma folha de papel branca as palavras que Siméon devia ter contemplado tantas vezes:

Patrice e Coralie. – 14 de abril de 1895.

O velho olhou, meneou a cabeça, e voltou a soltar sua risadinha dolorosa e estúpida. O oficial continuou:

Armand Belval.

Siméon permaneceu no mesmo torpor. Patrice quis tentar mais uma vez. Escreveu os nomes de Essarès e do coronel Fakhi, desenhou um triângulo. O velho não entendia e seguia com sua risada.

Mas, de repente, seu riso teve algo de menos infantil. Patrice escrevera o nome do cúmplice Bournef, e pareceu que, dessa vez, uma lembrança agitava o velho secretário. Tentou se levantar, voltou a cair na poltrona, então ergueu-se de novo e pegou seu chapéu, que estava pendurado na parede.

Deixou o quarto e, seguido por Patrice, saiu da casa e virou à esquerda do lado de Auteuil.

Parecia avançar como essas pessoas adormecidas que a sugestão obriga a andar sem que saibam aonde vão. Tomou a Rua de Boulainvilliers, atravessou o Sena, e, sem nenhuma hesitação, entrou no bairro de Grenelle.

Então, no boulevard, parou e, com o braço estendido, fez um sinal para que Patrice também parasse.

Estavam escondidos por um quiosque. Siméon passou a cabeça para olhar adiante. Patrice o imitou.

Em frente, na esquina desse boulevard com outro, havia um café, com o terraço delimitado por vasos de evônimos.

Atrás desses vasos, quatro consumidores estavam sentados, três de costas para eles. Patrice viu o único que estava de frente e reconheceu Bournef.

Nesse momento o velho Siméon já ia embora, como um homem que acabou sua parte e deixa aos outros o cuidado de terminar a missão. Patrice procurou com os olhos, encontrou uma agência de correios e entrou nela rapidamente. Sabia que o senhor Desmalions estava na Rua Raynouard. Por telefone, avisou-o da presença de Bournef. Desmalions respondeu que chegaria o mais rápido possível.

Desde o assassinato de Essarès bei, as investigações do senhor Desmalions não haviam progredido no que dizia respeito aos quatro cúmplices do coronel Fakhi. Haviam encontrado o retiro do senhor Grégoire e os quartos com os armários, mas a casa estava vazia. Os cúmplices haviam sumido.

"O velho Siméon", pensou Patrice, "conhecia os hábitos deles. Devia saber que, tal dia da semana, em tal horário, reuniam-se nesse café, e lembrou-se disso de repente quando escrevi o nome de Bournef."

Alguns minutos depois o senhor Desmalions saía de um carro com seus policiais. Tudo ocorreu rapidamente. O terraço foi cercado. Os cúmplices não opuseram resistência. Desmalions mandou três deles, sob a devida custódia, à delegacia e empurrou Bournef até uma sala privada.

– Venha – disse a Patrice. – Vamos interrogá-lo.

Patrice objetou:

– A senhora Essarès está sozinha em casa.

– Sozinha, não. Todos os seus homens estão lá.

– Sim, mas prefiro estar lá também. É a primeira vez que a deixo sozinha, e podemos temer o pior.

– Vai demorar poucos minutos – insistiu Desmalions. – Sempre devemos aproveitar o desespero causado pela detenção.

Patrice o seguiu, mas logo perceberam que Bournef não era desses homens que se abalam facilmente. Diante das ameaças, respondeu dando de ombros.

– É inútil tentar me assustar, senhor. Não corro nenhum risco. Fuzilado? Bobagem! Na França não se fuzila por ninharias, e nós quatro somos cidadãos de um país neutro. Um processo? Uma condenação? A prisão? Em absoluto. O senhor bem que entende que, se abafou o caso até agora e encobriu o assassinato de Mustapha, de Fakhi e de Essarès, não é para ressuscitar o mesmo caso sem motivo válido. Não, senhor, estou tranquilo. O campo de concentração é tudo que posso esperar.

– Então – disse o senhor Desmalions – o senhor se recusa a responder?

– De jeito nenhum! O campo de concentração, tudo bem. Mas existem vinte tratamentos diferentes nesses campos, e faço questão de merecer seus favores e viver confortavelmente até o fim da guerra. Mas, primeiramente, o que o senhor sabe?

– Quase tudo.

– Que pena, meu valor diminui. Sabe como foi a última noite de Essarès?

– Sim, e o pagamento dos quatro milhões. O que aconteceu com eles?

Bournef fez um gesto de raiva.

– Foram retomados! Roubados! Era uma armadilha!

– Quem os retomou?

– Um homem chamado Grégoire.

– Quem era?

– Seu fiel escudeiro, como o soubemos desde então. Descobrimos que esse Grégoire não é outro senão um indivíduo que lhe servia de motorista de vez em quando.

– Que lhe servia, consequentemente, para transportar os sacos de ouro do banco até sua casa?

– Sim, e acreditamos até saber... olhe, melhor dizer que é uma certeza... Pois bem... Grégoire é uma mulher.

– Uma mulher!

– Perfeitamente. Sua amante. Temos várias provas disso. Mas uma mulher sólida, firme, forte como um homem, e que não recua diante de nada.

– Sabe seu endereço?

– Não.

– E quanto ao ouro, não tem nenhum indício, nenhuma suspeita?

– Não. O ouro está no jardim ou na casa da Rua Raynouard. Durante uma semana toda, vimos esse ouro entrar. Desde então, não saiu mais. Ficamos de vigia todas as noites. Afirmo que os sacos estão lá.

– Nenhum indício também sobre o assassino de Essarès?

– Nenhum.

– Tem certeza mesmo?

– Por que eu ia mentir?

– E se fosse você?... Ou um de seus amigos?

– Achamos mesmo que vocês iam pensar nisso. Por acaso, e por sorte, temos um álibi.

– Fácil de comprovar?

– Irrefutável.

– Vamos examinar isso. Então, não tem outra revelação?

– Não. Porém, uma ideia... ou melhor, uma pergunta à qual responderá se quiser. Quem nos traiu? Sua resposta pode ser esclarecedora, porque só uma pessoa conhecia nossos encontros semanais, aqui, das quatro às cinco horas... Uma única pessoa, Essarès bei... e ele mesmo com frequência se juntava a nós. Essarès morreu. Portanto, quem nos denunciou?

– O velho Siméon.

– Como! Siméon! Siméon Diodokis!

– Siméon Diodokis, o secretário de Essarès bei.

– Ele! Ah, o bandido, ele vai me pagar... Mas não, é impossível!!

– Por que diz que é impossível?

– Por quê? Mas porque…

Refletiu bastante tempo, provavelmente para ter certeza de que não havia inconveniente em falar. Então, terminou sua frase:

– Porque o velho Siméon estava de acordo conosco.

– O que disse? – exclamou Patrice, surpreso.

– Digo e afirmo que Siméon Diodokis estava de acordo conosco. Era um de nossos homens. Era ele que nos mantinha informado das duvidosas manobras de Essarès bei. Foi ele quem, por um telefonema, dado às nove horas da noite, nos avisou que Essarès havia acendido o forno das antigas estufas e que o sinal de faíscas ia funcionar. Foi ele que nos abriu a porta, obviamente fingindo resistência e deixando-se amarrar no cubículo do zelador. Foi ele, enfim, que dispensou e pagou os criados.

– Mas o coronel Fakhi não falou com ele como se fosse um cúmplice…

– Comédia para enganar Essarès. Comédia do começo ao fim!

– Tudo bem. Mas por que Siméon traía Essarès? Por dinheiro?

– Não, por ódio. Tinha contra Essarès bei um ódio que, muitas vezes, chegou a nos assustar.

– O motivo?

– Não sei. Siméon é do tipo calado, mas é algo muito antigo.

– Ele conhecia o esconderijo do ouro? – perguntou o senhor Desmalions.

– Não. E não foi por falta de ter procurado! Nunca soube como os sacos saíam do porão, que era apenas um esconderijo provisório.

– No entanto, saíam da propriedade. Em todo caso, quem pode afirmar que o mesmo não aconteceu da última vez?

– Dessa vez estávamos vigiando do lado de fora, por todos os lados, o que Siméon não podia fazer sozinho.

Patrice prosseguiu:

– E não sabe mais nada a respeito dele?

– Juro que não. Ah! Contudo, ocorreu algo bastante curioso. Na tarde que precedeu a famosa noite, recebi uma carta na qual Siméon me dava certas informações. No mesmo envelope havia outra carta, obviamente posta dentro por incrível engano, já que parecia muito importante.

– E o que dizia? – perguntou Patrice, ansioso.

– Falava de uma chave.

– Pode ser mais preciso?

– Eis a carta. Guardei-a para lhe devolver e alertá-lo. Vejam, é mesmo a letra dele…

Patrice pegou a folha de papel, e imediatamente viu seu nome. A carta lhe era endereçada, como o pressentira. Era a carta que ele não havia recebido.

Patrice

Esta noite você vai receber uma chave. Essa chave abre, no meio de uma ruela que desce para o Sena, duas portas, uma à direita, a do jardim da mulher que você ama; a outra, à esquerda, a do jardim e onde eu te encontrarei no dia 14 de abril, às 9 da manhã. A mulher que você ama também estará lá. Vocês saberão quem eu sou e o objetivo que quero alcançar. Vocês aprenderão sobre o passado coisas que os aproximam ainda mais um do outro.

Daqui ao dia 14 de abril, a luta que começa hoje à noite será terrível. Se eu cair, pode ter certeza de que a mulher que você ama vai correr os maiores perigos. Vigie-a, Patrice, e que sua proteção não a abandone um único instante. Mas não vou cair, e vocês terão a felicidade que há tanto tempo lhes preparo.

Com todo o meu carinho.

– Não está assinada – continuou Bournef –, mas repito que é a letra de Siméon. Quanto à mulher, trata-se obviamente da senhora Essarès.

– Mas que perigo ela corre? – exclamou Patrice, inquieto. – Essarès morreu. Portanto, não há nada a temer.

– Como sabemos? Era um homem temível.

– A quem ele teria dado a difícil missão de vingá-lo? Quem continuaria sua obra?

– Não sei, mas é preciso ter cuidado.

Patrice não ouvia mais. Com um gesto vivo, entregou a carta ao senhor Desmalions e, sem querer ouvir mais nada, saiu.

– Rua Raynouard, e rapidamente – disse ao motorista, assim que subiu em um táxi.

Tinha pressa de chegar. Os perigos de que falava o velho Siméon de repente lhe pareciam pairar sobre a cabeça de Coralie. Logo o inimigo, aproveitando sua ausência, ia atacar sua amada. "E quem poderia defendê--la se eu cair?", dissera Siméon. Ora, essa hipótese havia se realizado em parte, já que ele perdera o juízo.

– Vejamos – murmurava Patrice –, que tolice... Estou imaginando coisas... não há motivo...

Mas seu tormento crescia a cada minuto. Dizia a si mesmo que o velho Siméon o avisara propositalmente que a chave abria a porta do jardim de Coralie, de modo que ele, Patrice, pudesse exercitar uma vigilância eficiente ao entrar, se fosse preciso, na casa da mulher.

De longe, avistou Siméon. Já era noite, e o homem entrava na casa. Patrice o ultrapassou diante do cubículo do zelador e ouviu-o cantarolar.

Patrice perguntou ao soldado de guarda:

– Alguma novidade?

– Nada, capitão.

– Mamãe Coralie?

– Foi dar uma volta no jardim. Subiu para seu quarto faz meia hora.

– Ya-Bon?

– Ya-Bon seguiu mamãe Coralie. Deve estar diante da porta dela.

Mais calmo, Patrice subiu a escada. Mas, ao chegar ao primeiro andar, ficou surpreso ao ver que a luz não estava acesa. Acionou o interruptor. Viu então, no final do corredor, Ya-Bon ajoelhado diante do quarto de mamãe Coralie, a cabeça encostada na parede. O quarto estava aberto.

– O que está fazendo? – exclamou, correndo.

Ya-Bon não respondeu. Patrice constatou que havia sangue no ombro do dólmã. No mesmo instante, o senegalês caiu no chão.

– Diabo! Está ferido!... Morto, talvez!

Pulou por cima do corpo e se precipitou no quarto, onde imediatamente acendeu a luz.

Coralie estava deitada em um sofá. O assustador cordão de seda vermelha rodeava seu pescoço. E, no entanto, Patrice não sentia dentro de si o terrível aperto do desespero que experimentamos diante de desgraças irreparáveis. Parecia-lhe que o rosto de Coralie não tinha a palidez da morte. E, de fato, a mulher respirava.

– Não morreu… não morreu – murmurou Patrice. – Tenho certeza de que não vai morrer… e Ya-Bon também não. O golpe falhou.

Ele afrouxou o cordão.

Após alguns segundos, Coralie respirava profundamente e voltava à consciência. Ela lhe sorriu.

Mas logo, recordando-se, agarrou-o com os dois braços, ainda bem fracos, e lhe disse, com voz trêmula:

– Ah, Patrice, estou com medo… Com medo por você…

– Medo de quê, Coralie? Quem é o miserável?…

– Não o vi… ele havia apagado a luz… agarrou-me imediatamente pela garganta e disse em voz baixa: "Primeiro você… esta noite será a vez de seu amante…". Ah, Patrice, temo por você… Temo por você, Patrice…

RUMO AO PRECIPÍCIO

Patrice tomou imediatamente uma decisão. Transportou a jovem até sua cama e pediu que ela não se mexesse e não chamasse ninguém. Verificou então que Ya-Bon não estava ferido com gravidade. Finalmente, tocou o alarme com violência, fazendo vibrar todas as campainhas que comunicavam com os postos de guarda que ele pusera em diversos lugares da casa.

Os homens chegaram às pressas. Ele lhes disse:

– Vocês não passam de um bando de brutamontes. Alguém entrou aqui. Mamãe Coralie e Ya-Bon quase foram mortos…

E, como eles reclamassem:

– Silêncio! – ordenou. – Vocês mereciam umas bastonadas! Vou perdoá-los sob uma condição, que de agora em diante e a noite toda vocês falem de mamãe Coralie como se tivesse morrido.

Um deles protestou:

– Mas falar com quem, capitão? Não há ninguém aqui.

– Há alguém, sim, seu idiota, já que mamãe Coralie e Ya-Bon foram atacados. A menos que tenha sido por vocês… Não? Então… e querem saber, chega de besteiras! Não se trata de falar com outras pessoas, mas de falar entre si… e até de pensar nisso no segredo de sua consciência. Estão sendo escutados, vigiados, alguém ouve o que dizem e adivinha o que não dizem. Portanto, até amanhã mamãe Coralie não vai sair do quarto. Vamos vigiá-la em turnos. Os outros vão se deitar logo após o jantar. Nada de idas e vindas pela casa. Silêncio.

– E o velho Siméon, capitão?

– Tranquem-no no seu quarto. É louco e, portanto, perigoso. Alguém pode ter-se aproveitado de sua demência para mandá-lo abrir a porta. Que fique trancado!

O plano de Patrice era simples. Como o inimigo acreditava que Coralie estava à beira da morte, revelara à mulher que sua meta era também matá-lo, Patrice, era preciso que o inimigo se achasse livre para agir, sem que ninguém suspeitasse de seus projetos e desconfiasse dele. O inimigo viria. Atacaria e cairia na armadilha.

Enquanto esperava por essa luta, que desejava com todas as suas forças, Patrice mandou cuidar de Ya-Bon, cuja ferida de fato não era nada grave, e o questionou, assim como a mamãe Coralie.

As duas respostas foram idênticas. A mulher contou que, deitada e um pouco cansada, ela lia, enquanto Ya-Bon permanecia no corredor diante da porta, de cócoras. Nenhum dos dois ouviu algo suspeito. E, de repente, Ya-Bon viu uma sombra se interpor entre ele e a luz do corredor. Essa luz, que vinha de uma lâmpada elétrica, foi apagada, por assim dizer, ao mesmo tempo que a lâmpada que iluminava o quarto. Ya-Bon, já meio levantado, recebeu um golpe violento na nuca e desmaiou. Coralie tentou fugir pela porta de seu toucador, não conseguiu abri-la, pôs-se a gritar, e logo foi agarrada e derrubada. Tudo isso em poucos segundos.

A única indicação que Patrice conseguiu obter foi que o homem vinha não da escada, mas do lado da chamada ala dos serviçais. Essa ala, a que se chegava por uma escada menor, ligava-se à cozinha por uma despensa cuja porta de serviço dava para a Rua Raynouard.

Patrice encontrou essa porta trancada. Mas alguém podia ter a chave.

À noite, Patrice passou um momento junto de Coralie e, às nove horas, retirou-se para seus aposentos, situados um pouco mais adiante, do mesmo lado do corredor. Era antes o cômodo que Essarès bei usava como fumadouro.

Como não esperava que o ataque, do qual desejava tão bons resultados, ocorresse antes do meio da noite, Patrice sentou-se diante de uma escrivaninha e tirou dela um caderno no qual começara a escrever um diário detalhado dos eventos.

Por trinta ou quarenta minutos ele escreveu, e estava prestes a fechar o caderno quando acreditou ouvir como se fosse uma confusa roçadela, que não teria percebido se não estivesse com os nervos tão tensos. Aquilo vinha da janela, de fora. Lembrou-se do dia em que haviam atirado em Coralie e nele. Mas desta vez a janela não estava entreaberta.

Assim, continuou escrevendo sem virar a cabeça e sem que nada pudesse indicar que sua atenção havia sido despertada, e ele escrevia, pode-se dizer que sem se dar conta, frases que relatavam sua própria ansiedade.

"Está ali, olhando-me. O que vai fazer? Não acredito que quebre a vidraça e dispare uma bala. O método não é seguro e já fracassou uma vez. Não, seu plano deve ser estabelecido de maneira diferente e mais inteligente. Suponho mais que esteja esperando o momento em que vou me deitar, que vai vigiar meu sono, e somente então entrar, por um meio que desconheço."

"Até lá, experimento um verdadeiro prazer ao me sentir vigiado. Ele me odeia, e nossos dois ódios vão de encontro um ao outro, como duas espadas que se procuram e se cruzam. Está me olhando, como uma fera, à espreita na escuridão, olha sua presa e escolhe o lugar em que seus dentes vão morder. Mas eu sei que ele é quem é a presa, condenado de antemão à derrota e à aniquilação. Ele prepara a faca e o cordão vermelho. E são minhas duas mãos que encerrarão à luta. Já são fortes e vigorosas. Serão implacáveis..."

Patrice fechou a tampa da escrivaninha. Então, acendeu um cigarro que fumou tranquilamente, como todas as noites. Despiu-se, dobrou cuidadosamente as roupas no encosto de uma cadeira, deu corda ao relógio, deitou-se e apagou a luz.

– Finalmente – dizia a si mesmo – vou saber. Vou saber quem é esse homem. Um amigo de Essarès? Quem dá continuidade à sua obra? Mas por que esse ódio contra Coralie? Deve amá-la, já que procura me atingir também? Vou saber... Vou saber...

Uma hora se passou, no entanto, e mais outra, sem que nada se produzisse do lado da janela. Um único estalo, que ocorreu do lado da escrivaninha. Mas era provavelmente um desses estalos de madeira que se ouvem no silêncio da noite.

Patrice começou a perder a bela esperança que o animara. No fundo, dava-se conta de que toda a sua comédia em relação à suposta morte de Coralie era medíocre, e que certamente um homem do tamanho do seu inimigo não devia ter-se deixado enganar por ela. Bastante decepcionado, estava prestes a dormir quando o mesmo estalo se produziu exatamente no mesmo lugar.

A necessidade de agir o fez pular da cama. Ele acendeu a luz. Tudo parecia na mesma ordem. Nenhum rastro de presença estranha.

– Bem – suspirou Patrice –, decididamente não sou páreo para ele. O inimigo deve ter adivinhado minha intenção e percebido a armadilha que estava preparada. É melhor dormir, não vai acontecer nada esta noite.

De fato, não houve nenhum alerta.

No dia seguinte, ao examinar a janela, notou que ao longo da fachada do jardim havia uma cornija de pedra que corria acima do térreo, larga o suficiente para que um homem pudesse andar nela, segurando-se nas sacadas e calhas.

Visitou todos os cômodos no quais essa cornija dava acesso. Um deles era o quarto do velho Siméon.

– Ele não saiu daqui? – perguntou aos dois soldados encarregados de vigiá-lo.

– É de se crer, capitão. De qualquer modo, não lhe abrimos a porta.

Patrice entrou e, sem se preocupar com o velho homem que ainda fumava seu cachimbo apagado, vasculhou o quarto todo, pensando que podia servir de refúgio ao inimigo.

Não encontrou ninguém. Mas descobriu em um armário vários objetos que não vira nas investigações que fizera com o senhor Desmalions: uma escada de corda, um rolo de canos de chumbo que pareciam ser canos de gás e um pequeno maçarico.

"Tudo isso é muito estranho", pensou. "Como esses objetos entraram aqui? Será que Siméon os juntou sem uma finalidade especial, maquinalmente? Ou então devo supor que Siméon é o instrumento do inimigo? Antes de perder o juízo, ele conhecia esse inimigo, e hoje está sob sua influência."

Sentado diante da janela, Siméon estava de costas para Patrice. Este se aproximou dele e estremeceu. O homem segurava nas mãos uma coroa funerária de pérolas pretas e brancas. Nela estava mencionada uma data: *14 de abril de 1915*. Era a vigésima, aquela que Siméon devia pôr na lápide de seus amigos mortos.

– E é o que vai fazer mesmo – disse Patrice, em voz alta. – Seu instinto de amigo e vingador, que o animara a vida toda, ainda existe em meio à loucura. Ele vai pôr a coroa. Não é verdade, Siméon, que você vai levá-la amanhã? Porque amanhã, 14 de abril, é o aniversário sagrado...

Debruçou-se para o homem incompreensível em quem vinham se juntar, como os caminhos que se encontram em um cruzamento, todas as intrigas, boas ou más, favoráveis ou pérfidas, que compunham aquele drama inextricável. Siméon pensou que Patrice queria pegar sua coroa, e apertou-a fortemente contra si, com um gesto veemente.

– Não tenha medo – disse Patrice –, não vou pegá-la. Até amanhã, Siméon, até amanhã. Coralie e eu estaremos no horário exato no encontro a que nos convidou. E amanhã talvez a lembrança do terrível passado liberte sua mente.

Para Patrice, o dia pareceu longo. Estava tão ansioso para chegar a algo que fosse como uma luz nas trevas! E essa luz não ia surgir justamente das circunstâncias que esse vigésimo aniversário de 14 de abril faria brotar?

No final da tarde, o senhor Desmalions apareceu na Rua Raynouard e disse a Patrice:

– Veja o que recebi, é bastante curioso... uma carta anônima com letra disfarçada... ouça só:

Senhor, quero avisá-lo de que o ouro vai ir embora. Tenha cuidado. Amanhã à noite os mil e oitocentos sacos de ouro estarão a caminho do estrangeiro. – Um amigo da França.

– E amanhã é 14 de abril – disse Patrice, que logo estabeleceu a relação.

– Sim. O que isso tem a ver?

– Ah! nada... uma ideia...

Estava prestes a contar ao senhor Desmalions todos os fatos que se relacionavam a essa data de 14 de abril, e todos aqueles que diziam respeito à estranha personalidade do velho Siméon. Se não falou, foi por motivos obscuros, talvez porque quisesse levar sozinho adiante e até o fim essa parte do caso, talvez também por um tipo de pudor que o impedia de deixar o senhor Desmalions a par de todos os segredos do passado. Manteve-se calado em relação a esses pontos e disse:

– Então, essa carta?

– Bem, não sei o que pensar. Trata-se de um aviso justificado? Ou de um estratagema para nos levar a agir de certa maneira e não de outra? Vou falar a respeito com Bournef.

– Ainda sem novidade desse lado?

– Não, não estou esperando mais nada. O álibi que deu é verdadeiro. Ele e seus amigos e são apenas comparsas cujo papel acabou.

Dessa conversa Patrice só reteve uma informação: a coincidência das datas.

Ambas as direções que o senhor Desmalions e ele seguiam no caso se encontravam de repente nessa data há tanto tempo marcada pelo azar. O passado e o presente iam se reunir. O desfecho se aproximava. Era mesmo no dia 14 de abril que o ouro devia desaparecer para sempre, e que uma voz desconhecida convocava Patrice e Coralie ao mesmo encontro que seus pais haviam tido vinte anos antes.

E o dia seguinte foi 14 de abril.

Às nove horas Patrice foi se informar a respeito do velho Siméon.

– Ele saiu, capitão – responderam os soldados. – O senhor havia levantado a proibição de sair.

Patrice entrou no quarto e procurou a coroa. Não estava mais lá, assim como os três objetos do armário, a escada de corda, o rolo de chumbo e o maçarico. Ele perguntou:

– Siméon não levou nada?

– Sim, capitão, uma coroa.

– Nada mais?

– Não, capitão.

A janela estava aberta. Patrice deduziu que os objetos haviam seguido esse caminho, e sua hipótese de uma cumplicidade inconsciente de Siméon se confirmou.

Pouco antes das dez horas, Coralie se juntou a ele no jardim. Patrice a informara dos últimos incidentes. A jovem mulher estava pálida e inquieta.

Contornaram os gramados e, sem serem vistos, alcançaram os bosques de evônimos que dissimulavam a porta da ruela.

Patrice abriu essa porta.

No momento de abrir a outra, teve uma hesitação. Lamentava não ter avisado o senhor Desmalions, e por executar, sozinho com Coralie, essa peregrinação que alguns sinais anunciavam como perigosa. Mas afastou essa impressão. Tivera o cuidado de pegar dois revólveres. O que podia temer?

– Vamos entrar, certo, Coralie?

– Sim – ela concordou.

– Mesmo assim, você parece indecisa, ansiosa…

– É verdade – murmurou a jovem –, estou com o coração apertado.

– Por quê? Está com medo?

– Não… ou melhor, sim… não tenho medo por hoje, mas, de certo modo, pelo passado. Penso em minha pobre mãe que passou por essa porta antes de mim, em uma manhã de abril. Estava feliz, ia ao encontro do amor… e então é como se eu quisesse segurá-la e lhe gritar: "Não siga adiante… a morte está à espreita… não siga adiante…". E essas palavras de pavor, sou eu que as ouço… estão zumbindo em meu ouvido…. e sou eu que não ouso mais avançar. Estou com medo…

– Vamos voltar, Coralie.

Ela agarrou-lhe o braço e, com voz firme, disse:

– Vamos andar. Quero rezar. A oração vai me fazer bem.

Corajosamente, ela seguiu a pequena senda transversal que sua mãe seguira e que subia entre ervas daninhas e galhos invasivos. Deixaram a casa à esquerda e alcançaram o claustro de vegetação em que descansavam seus pais. E imediatamente, no primeiro olhar, viram que a vigésima coroa estava ali.

Siméon veio – disse Patrice. – O instinto, mais forte que tudo, obrigou-o a vir. Não deve estar longe daqui.

Enquanto Coralie se ajoelhava, ele procurou ao redor do claustro e desceu até a metade do jardim. Mas Siméon permanecia invisível. Só restava visitar a casa, mas era obviamente um ato temível, cuja execução adiaram, não por medo, mas ao menos pela espécie de temor sagrado que experimentamos ao adentrar um lugar de morte e de crime.

Mas uma vez foi Coraline quem deu a orientação da ação.

– Venha – disse ela.

Patrice não sabia como iam entrar na casa, cujas janelas e entradas lhe pareciam fechadas. Mas, ao se aproximar, constataram que a porta traseira, dando para o pátio, estava escancarada, e logo pensaram que Siméon esperava por eles lá dentro.

Eram exatamente dez horas quando passaram pela soleira da casa. Um pequeno vestíbulo levava por um lado à cozinha, por outro a um quarto. Em frente devia ficar o cômodo principal. A porta estava entreaberta e Coralie balbuciou:

– Foi aqui que as coisas devem ter acontecido… antes.

– Sim – disse Patrice –, e ali vamos encontrar Siméon. Mas, se não se sentir forte o suficiente, Coralie, é melhor renunciar.

Uma vontade inconsciente animava a mulher. Nada poderia deter seu impulso.

Ela seguiu adiante.

Embora grande, a sala dava uma impressão de intimidade pela maneira como era mobiliada. Sofás, poltronas, tapetes, cortinas, tudo ajudava a torná-la confortável, e seu aspecto não parecia ter mudado desde a trágica morte daqueles que tinham morado na casa.

A aparência geral era mais a de um ateliê, por causa da vidraça que ocupava metade do alto teto, onde ficava o belvedere e por onde descia a luz do dia. Havia também duas janelas, mas escondidas por cortinas.

– Siméon não está aqui – disse Patrice.

Coralie não respondeu. Examinava as coisas com uma emoção que contraía seu rosto. Havia livros que remetiam ao século passado. Alguns tinham na capa, amarela ou azul, uma assinatura a lápis: "Coralie". Havia trabalhos de costura inacabados, uma tela de bordado, uma tapeçaria da qual pendia uma agulha na ponta de um pedaço de lã. E havia também livros com a assinatura "Patrice" e uma caixa de charutos, uma pasta para documentos, porta-penas e um tinteiro. E duas pequenas fotografias emolduradas, as de duas crianças, Patrice e Coralie.

E assim toda a vida de outrora continuava, não só a vida dos dois namorados que se amam de amor violento e passageiro, mas de duas pessoas que se encontram na quietude e na certeza de uma longa existência em comum.

– Ah! Mamãe, mamãe – sussurrava Coralie.

Sua emoção crescia a cada uma das lembranças que colhia. Palpitante, apoiou-se no ombro de Patrice.

– Vamos embora – disse ele.

– Sim, sim, é melhor, meu amigo. Voltaremos... reviveremos junto deles... retomaremos aqui a intimidade de sua vida ceifada. Vamos embora. Hoje não tenho mais forças.

Mas mal haviam dado alguns passos e pararam, confusos. A porta estava fechada.

Seus olhos se encontraram, carregados de inquietude.

– Não a havíamos fechado, não é? – disse ele.

Aproximou-se para abrir e percebeu que a porta não tinha maçaneta ou fechadura.

Era uma porta de folha única, de madeira maciça, que parecia dura e robusta. Era como se tivesse sido feita de uma só peça e tirada do próprio cerne de um carvalho. Não era envernizada, nem pintada. Em alguns lugares viam-se arranhões, como se tivesse sido golpeada com uma ferramenta.

E então… então… à direita, essas poucas palavras, escritas a lápis:

Patrice e Coralie – 14 de abril de 1895
Deus nos vingará

Acima via-se uma cruz, e abaixo dessa cruz outra data, mas de caligrafia diferente e mais recente:

14 de abril de 1915

– 1915!… 1915! – exclamou Patrice. Que horror! A data de hoje! Quem escreveu isso? Acaba de ser escrito. Ah! Que horror!… Vejamos… Vejamos… Mas nós não vamos…

Correu para uma das janelas, puxou a cortina que a vendava com um movimento rápido e a abriu.

Soltou um grito.

A janela estava murada com grandes blocos que se interpunham entre as vidraças e as persianas.

Correu até a outra janela: o mesmo obstáculo.

Havia duas portas, que deviam dar, à direita, no quarto, e à esquerda, provavelmente em um cômodo contíguo à cozinha.

Abriu-as rapidamente.

Ambas estavam muradas.

Ele correu por todos os lados, tomado por pavor, e então se precipitou para a primeira das três portas que tentou sacudir.

Ela não se moveu. Dava a impressão de ser um bloco imutável.

Então os dois voltaram a se olhar desesperadamente e o mesmo pensamento terrível tomou conta deles. O que acontecera antes estava se repetindo. O drama recomeçava em condições idênticas. Após a mãe e o pai, era a vez da filha e do filho. O inimigo os mantinha sob sua garra poderosa, e eles certamente iam saber a maneira como seus pais haviam morrido, já que iam morrer do mesmo jeito… 14 de abril de 1895… 14 de abril de 1915…

SEGUNDA PARTE

A VITÓRIA DE ARSÈNE LUPIN

O TERROR

– Ah! Não, não – exclamou Patrice –, não vai ser assim!

Lançou-se contra as janelas e as portas, pegou um suporte de ferro da lareira com o qual bateu na madeira dos batentes, ou na parede de blocos. Gestos inúteis! Eram os mesmos que seu pai executara antes, e ele só chegava a fazer na madeira dos batentes e nos blocos dos muros os mesmos arranhões, ineficientes e irrisórios.

– Ah!, mamãe Coralie, mamãe Coralie – disse em um grito de desespero –, a culpa é minha. Para que abismo eu a arrastei! Mas era uma loucura querer lutar sozinho. Era preciso pedir socorro àqueles que sabem, que estão acostumados!... Não, pensei que eu poderia... Perdoe-me, Coralie.

A jovem mulher havia se deixado cair em uma poltrona. Ele, quase ajoelhado, a envolvia com seus braços e suplicava.

Ela sorriu, para acalmá-lo, e disse suavemente:

– Olhe, meu amigo, não podemos perder a coragem. Talvez estejamos enganados... porque, afinal, nada prova que tudo isso não seja efeito de um acaso.

– A data! – ele a interrompeu –, a data deste ano, a data deste dia, escrita por outra mão! Eram nossos pais que haviam escrito a outra... mas esta, Coralie, esta não está mesmo provando a premeditação e a implacável vontade de acabar conosco?

Ela estremeceu. No entanto, disse ainda, obstinando-se em querer confortá-lo.

– Bem, concordo. Mas, finalmente, ainda não chegamos lá. Mesmo que tenhamos inimigos, também temos amigos... Eles vão procurar por nós...

– Vão procurar por nós, mas como poderiam nos encontrar, Coralie? Tomamos todas as precauções para que ninguém soubesse aonde íamos, e ninguém conhece esta casa.

– O velho Siméon?

– Siméon veio e deixou a coroa, mas outro veio com ele, alguém que o domina e que talvez já tenha se livrado dele, agora que Siméon cumpriu seu papel.

– E então, Patrice?

Sentiu-a confusa e teve vergonha de sua própria fraqueza.

– Então – disse ele, controlando-se – vamos esperar. Afinal, o ataque pode não acontecer. O fato de estarmos trancados não significa que estejamos perdidos. Ademais, mesmo assim, lutaremos, não é? E pode acreditar que ainda não esgotei forças e recursos. Vamos esperar, Coralie, e agiremos.

O essencial era averiguar se não existia alguma entrada que permitisse um ataque inesperado. Após uma hora de procura, não descobriram nada. Em todos os lugares as paredes devolviam o mesmo som. Sob o tapete, que tiraram, havia um piso de ladrilhos que não mostrava nada de anormal.

Decididamente, só havia a porta e, como não podiam impedir que alguém a abrisse, já que só se abria por fora, amontoaram diante dela a maior parte dos móveis da sala, formando assim uma barricada que os protegia de qualquer surpresa.

Então Patrice carregou os dois revólveres, deixando-os bem à vista, perto dele.

– Assim, estamos tranquilos – disse ele. – Qualquer inimigo que aparecer é um homem morto.

Mas a lembrança do passado pesava sobre os dois com toda a sua carga formidável. Todas as suas palavras e ações, outros já as haviam dito ou executado, em condições análogas, com os mesmos pensamentos e as mesmas apreensões. O pai de Patrice devia ter preparado suas armas. A mãe de Coralie devia ter juntado as mãos e rezado. Juntos, haviam barricado a porta e, juntos também, investigado as paredes e levantado o tapete.

Que angústia é aquela à qual vem se somar uma angústia igual!

Para rechaçar a terrível ideia, folhearam livros, romances e revistas que seus pais haviam lido. Em algumas páginas, no final de capítulos ou volumes, algumas linhas estavam escritas. Eram cartas que o pai de Patrice e a mãe de Coralie se escreviam.

Meu amado Patrice, corri até aqui nesta manhã para reviver nossa vida de ontem e sonhar em nossa vida de hoje. Como chegará antes de mim, você lerá essas linhas. Lerá que eu o amo...

E em outro livro:

Minha amada Coralie, você acaba de partir e não a verei antes de amanhã, e não queiro deixar o refúgio em que nosso amor experimentou tantas alegrias, sem lhe dizer, mais uma vez...

Assim, folhearam grande parte dos livros, nos quais, em vez das indicações que procuravam, não encontraram mais do que ternura e paixão.

Mais de duas horas se passaram na espera e no tormento daquilo que podia ocorrer.

– Nada – disse Patrice –, não vai haver nada. E talvez isso seja o mais temível, porque, se nada se produzir, somos condenados a não sair daqui. E nesse caso...

A conclusão da frase de Patrice não vinha, mas Coralie a entendeu, e eles tiveram juntos essa visão da morte pela fome que parecia ameaçá-los. Mas Patrice exclamou:

– Não, não, não precisamos ter medo disso. Não. Para que pessoas de nossa idade morram de fome, são necessários dias inteiros, três, quatro dias ou mais. E até lá seremos resgatados.

– Como? – perguntou Coralie.

– Como? Ora, por nossos soldados, por Ya-Bon, pelo senhor Desmalions. Vão se preocupar se nossa ausência passar desta noite.

– Como você já disse, Patrice, não podem saber onde estamos.

– Vão descobrir. É fácil. Apenas a ruela separa os dois jardins. E, aliás, todos os nossos atos não estão mesmo mencionados no diário que escrevo e que está na escrivaninha do meu quarto? Ya-Bon conhece a existência desse diário. Não vai deixar de falar a respeito com o senhor Desmalions. Ademais... ademais, há Siméon... O que aconteceu com ele? Será que não vão anotar suas idas e vindas? Ou que ele não vai avisá-los de algum jeito?

Mas as palavras não eram suficientes para tranquilizá-los. Se não iam morrer de fome, era porque o inimigo havia imaginado outro suplício. A inação os torturava. Patrice voltou às suas investigações, que, por um curioso acaso, seguiram um novo sentido.

Tendo aberto um dos livros que eles ainda não haviam folheado, um livro publicado em 1895, Patrice avistou duas páginas dobradas juntas. Separou uma da outra e leu uma nota que seu pai lhe endereçara:

Patrice, meu filho, se o acaso puser esta nota diante de seus olhos, é que a morte violenta que nos espera não terá permitido que eu a apagasse. Então, sobre essa morte, procure a verdade na parede do ateliê, entre as duas janelas. Eu talvez tenha tempo de escrevê-la.

Assim, nessa época, as duas vítimas haviam previsto o trágico destino que lhes era reservado, e o pai de Patrice e a mãe de Coralie conheciam o perigo que corriam ao se encontrarem nessa casa.

Restava saber se o pai de Patrice havia conseguido executar seu projeto.

Entre as duas janelas havia, como em volta da sala toda, um lambril de madeira envernizada, coroado, a dois metros de altura, por uma cornija. Da cornija para cima a parede era de gesso simples. Patrice e Coralie já haviam notado, sem dar maior atenção, que o lambril, naquele lugar, parecia ter sido refeito, o verniz das tábuas não tinha o mesmo tom uniforme das demais. Patrice, manuseando um dos suportes de lareira como se fosse um cinzel, demoliu a cornija e levantou a primeira tábua.

Quebrou-se facilmente. Sob essa tábua, no próprio gesso da parede, umas linhas estavam escritas.

– É o mesmo procedimento que, desde então, o velho Siméon utiliza. Escrever nas paredes, cobri-las de madeira ou de gesso – ele observou.

Quebrou a parte superior das demais tábuas e, desse modo, apareceram várias linhas completas, linhas traçadas às pressas a lápis, e fortemente alteradas pelo tempo.

Patrice as decifrou com enorme emoção. Seu pai as escrevera no momento em que a morte o rodeava. Algumas horas depois, não vivia mais. Era o testemunho de sua agonia, e talvez sua imprecação contra o inimigo que o matava e a sua amada.

Ele leu a meia voz:

Escrevo para que os desígnios do bandido não se executem até o fim e para garantir seu castigo. Vamos certamente morrer, Coralie e eu, mas ao menos não morreremos sem que se saiba a causa de nossa morte.

– Poucos dias antes, ele dizia a Coralie:

Você rechaça meu amor e me fere com seu ódio. Está bem, mas eu vou matá-la, você e o seu amante, e de tal maneira que ninguém poderá me acusar de uma morte que parecerá um suicídio. Tudo está pronto. Tenha cuidado, Coralie!

Tudo estava pronto, de fato. Ele não me conhecia, mas devia saber que Coralie tinha encontros diários aqui, e foi nessa casa que ele preparou nosso túmulo.

Qual será nossa morte? Ignoramos. Por falta de alimentos, certamente. Estamos prisioneiros há quatro horas. A porta se fechou sobre nós, uma porta pesada que ele deve ter colocado nesta noite. Todas as demais aberturas, portas e janelas, também foram obstruídas por blocos de pedras acumuladas e cimentadas desde nosso último encontro. Qualquer tentativa de fuga é impossível. O que vai ser de nós?

A parte descoberta parava aí. Patrice disse:

– Está vendo, Coralie, eles passaram pelos mesmos tormentos que nós. Também recearam a fome. Eles também passaram por longas horas de espera em que a inação é tão dolorosa, e foi um pouco para se distrair de seus pensamentos que escreveram essas linhas.

Após examiná-las um instante, ele acrescentou:

– Podiam acreditar, e foi o que aconteceu, que aquele que os matava não leria esse documento. Veja, uma única cortina grande corria diante dessas janelas e ao longo do intervalo que as separa, como prova o único trilho que domina todo o espaço. Após a morte de nossos pais, ninguém pensou em abrir essa cortina, a verdade permaneceu escondida... até o dia em que Siméon a descobriu, e, por precaução, escondeu-a de novo sob um entabuamento e pôs duas cortinas no lugar da única. Assim, tudo parecia normal.

Patrice pôs-se de novo à obra. Novas linhas apareceram.

Ah!, se eu fosse o único a sofrer, o único a morrer, mas o horror de tudo isso é que arrasto comigo minha amada Coralie. Ela desmaiou e está descansando, abatida pelo terror que tenta dominar. Minha pobre amada! Já creio ver em seu doce rosto a palidez da morte. Perdão, perdão, minha amada.

Patrice e Coralie se olharam. Eram os mesmos sentimentos que os agitavam, os mesmos escrúpulos, as mesmas delicadezas, o mesmo esquecimento de si diante da dor do outro.

Patrice murmurou:

– Ele amava sua mãe como eu a amo. Eu também não tenho medo da morte. Já a enfrentei tantas vezes, e sorrindo! Mas você, você, Coralie, por você eu sofreria todas as torturas...

Pôs-se a andar. A fúria voltava a tomar conta dele.

– Vou salvá-la, Coralie, eu juro. E com que alegria então nos vingaremos! Ele terá o mesmo fim que nos reservava, está ouvindo, Coralie? É aqui que vai morrer… é aqui. Ah! Eu empregarei todo meu ódio nisso!

Arrancou novos pedaços de tábua na esperança de aprender coisas que poderiam lhe ser úteis, já que a luta retomava em condições idênticas.

Mas as frases seguintes eram, como aquelas que ele acabara de pronunciar, juramentos de vingança:

Coralie, ele será castigado. Se não for por nós, será pela justiça divina. Não, seu plano infernal não vai se realizar. Não, ninguém poderá acreditar que teremos recorrido ao suicídio para nos libertarmos de uma existência que não era nada mais que alegria e felicidade. Seu crime será conhecido. Hora após hora, darei aqui provas irrefutáveis disso…

– Palavras! Palavras! – exclamou Patrice, exasperado. – Palavras de ameaça e de dor. Mas nenhum fato que nos oriente… Pai, o senhor não vai dizer-me nada para salvar a filha de Coralie? E se a sua Coralie sucumbiu, que ao menos a minha Coralie escape dessa infelicidade graças ao senhor, meu pai! Ajude-me! Aconselhe-me!

Mas o pai não respondia ao filho senão por outras palavras de apelo e desespero.

Quem vai nos socorrer? Estamos presos nesse túmulo, enterrados vivos e condenados ao suplício sem poder nos defender. Meu revólver está ali, na mesa. De que serve? O inimigo não nos ataca. Tem ao seu favor todo o tempo, o implacável tempo que mata por sua única força, e pelo único fato de ser o tempo. Quem vai nos socorrer? Quem vai salvar minha amada Coralie?

Situação aterrorizante, da qual sentiam todo o trágico horror. Parecia--lhes que já haviam morrido antes, que a provação, sofrida por outros, eram eles que ainda a sofriam nas mesmas condições, e sem que nada lhes permitisse escapar de todas as fases pelas quais haviam passado os outros – seu pai e sua mãe. A analogia entre a sorte deles e a sorte de seus pais era tamanha que eles sofriam dois sofrimentos, e que sua segunda agonia estava começando.

Coralie, vencida, começou a chorar. Patrice, transtornado pelas lágrimas, insistiu na pressão contra o lambril, cujas tábuas, reforçadas por travessas, resistiam aos seus esforços.

Finalmente ele leu:

O que está acontecendo? Tivemos a impressão de que alguém andava do lado de fora, diante da fachada do jardim. Sim, ao colar o ouvido contra a parede de blocos que obstrui a abertura da janela, acreditamos ter ouvido passos. Será possível? Ah! Tomara que seja verdade! Finalmente chegaria a luta... e qualquer coisa vale mais que o silêncio sufocante e a incerteza sem fim.

É isso!... É isso!... o ruído ficou mais definido... e outro ruído, aquele que se faz ao cavar a terra com picareta. Alguém está cavando a terra, não diante da casa, mas do lado direito, perto da cozinha.

Patrice redobrou seus esforços. Coralie havia se aproximado e o ajudava. Dessa vez ele sentia que um pedaço do misterioso véu ia se levantar. A inscrição seguia:

Mais uma hora, com ruídos e silêncios alternados... o mesmo ruído de terra remexida e o mesmo silêncio em que se adivinha uma obra que continua.

Então alguém entrou no vestíbulo... uma pessoa só... ele, obviamente. Reconhecemos seu passo... anda sem procurar abafá-lo... dirigiu-se para a cozinha, onde trabalhou como antes, com uma picareta, mas dessa vez na pedra. Ouvimos o barulho de um ladrilho quebrado.

E agora saiu de novo, é outro ruído que parece subir ao longo da casa como se o miserável precisasse elevar-se para pôr seu projeto em execução...

Patrice parou de ler e olhou!

Ambos prestaram atenção. Ele disse em voz baixa:

– Ouça...

– Sim, sim – disse ela –, estou ouvindo... São passos do lado de fora... passos diante da casa ou no jardim...

Eles foram juntos até uma das janelas cuja divisória não estava totalmente obstruída por blocos de pedra e escutaram.

Alguém realmente estava andando e, ao adivinharem a aproximação do inimigo, eles experimentaram o alívio que seus pais haviam sentido.

O indivíduo andou duas vezes por volta da casa. Mas, ao contrário de seus pais, eles não reconheceram o ruído dos passos. Eram passos de alguém desconhecido, ou os passos de alguém que mudara o ritmo de seu andar.

Então, por alguns minutos, não houve mais nada. De repente, outro ruído se elevou, e, embora no fundo o esperassem, ficaram confusos ao ouvi-lo. E Patrice pronunciou com a voz abafada, repetindo a frase escrita por seu pai vinte anos antes:

– É o ruído que se faz ao cavar a terra com picareta.

Sim, devia ser isso. Alguém cavava a terra, não diante da casa, mas do lado direito da cozinha.

Assim, o abominável milagre do drama renovado continuava. Mais uma vez o fato de outrora acontecia, fato bem simples em si, mas que se tornava sinistro, porque era daqueles que já se tinham produzido, e antecipava a morte outrora já anunciada e preparada.

Passou-se uma hora. A tarefa prosseguia com descansos e retomadas. Era como se cavassem um túmulo. O coveiro não parecia apressado. Descansava e então retomava o trabalho.

Patrice e Coralie escutavam de pé, um ao lado do outro, juntando mãos e olhares.

– Ele parou – disse Patrice em voz baixa.

– Sim – disse ela –, mas parece...

– Sim, Coralie, alguém entrou no vestíbulo... Ah! não precisa escutar... basta lembrar... Veja... "Ele se dirige para a cozinha, e cava como o fez antes com a picareta, mas na pedra..." E então, então... Ah, Coralie, o mesmo ruído de ladrilho quebrado...

De fato, eram lembranças, lembranças que se mesclavam à macabra realidade. O presente e o passado se uniam. Eles previam os eventos no exato instante em que ocorriam.

O inimigo voltou a sair e imediatamente "parece subir ao longo da casa como se o miserável precisasse elevar-se para pôr seu projeto em execução...".

E então... e então... o que ia acontecer? Eles não pensavam mais em interrogar a inscrição da parede, ou talvez não ousassem. Toda a atenção deles estava voltada para os atos invisíveis e, por momentos, imperceptíveis, que se cumpriam fora deles e contra eles, esforço sorrateiro e ininterrompido, plano misterioso cujos menores detalhes estavam regulados como um mecanismo de relógio havia vinte anos!

O inimigo entrou na casa, e eles ouviram um atrito leve na parte inferior da porta, um atrito de coisas flexíveis que foram juntadas e pressionadas por baixo da madeira da porta. Em seguida houve ruídos confusos nos dois cômodos contíguos, contra as paredes muradas, e os mesmos ruídos do lado de fora entre os blocos das janelas e as persianas abertas. Então, o ruído no telhado.

Levantaram os olhos. Dessa vez, não podiam duvidar de que o desfecho estivesse se aproximando, ou ao menos uma das cenas do desfecho. Para eles, o telhado era a estrutura envidraçada que ocupava o centro do teto, e de onde vinha a única luz que iluminava o cômodo.

E sempre a mesma pergunta angustiante voltava a assolá-los. O que ia acontecer? O inimigo ia mostrar seu rosto acima desse telhado e finalmente se desmascarar?

O trabalho no telhado durou bastante tempo. Os passos faziam estremecer as placas de zinco que o cobriam, conforme uma direção que ligava o lado direito da casa ao entorno da claraboia.

E, de repente, essa claraboia, ou parte dela, um retângulo de quatro vidros, foi levantada levemente, por uma mão que encaixou um bastão, de modo a deixá-la aberta.

O inimigo voltou a atravessar o telhado e desceu.

Foi quase uma decepção, e tamanha foi a necessidade deles de saber algo mais que Patrice começou a quebrar as tábuas do lambril, os últimos pedaços, que escondiam o fim da inscrição.

Essa inscrição os fez reviver os últimos minutos que acabavam de se passar. A entrada do inimigo, o atrito contra as portas e janelas muradas, o ruído sobre o telhado, a abertura da claraboia, a maneira de mantê-la aberta, tudo seguia a mesma ordem, e, por assim dizer, nos mesmos espaços de tempo. O pai de Patrice e a mãe de Coralie haviam conhecido as mesmas impressões. O destino fazia questão de seguir a mesma trilha, reproduzindo os mesmos gestos e procurando a mesma finalidade.

E a inscrição continuava:

Voltou a subir... voltou a subir... de novo seus passos no telhado... ele se aproxima da claraboia... será que vai olhar? Veremos seu odiado rosto?...

– Voltou a subir... voltou a subir... – balbuciou Coralie, apertando-se contra Patrice.

De fato, os passos do inimigo martelavam o zinco.

– Sim... – disse Patrice... –, está subindo, como da outra vez, sem se desviar da programação que o outro seguiu. Só não sabemos que rosto vai aparecer... nossos pais, por sua vez, conheciam seu inimigo.

Ela estremeceu ao pensar na imagem daquele que matara sua mãe e perguntou:

– Era ele, não é?

– Sim, era ele... Eis o nome que meu pai escreveu.

Patrice havia descoberto a inscrição quase inteiramente. Meio inclinado, mostrou-a com o dedo:

– Veja... leia esse nome... Essarès... Está vendo... ali? Foi uma das últimas palavras que meu pai escreveu... Leia, Coralie.

"A claraboia se levantou ainda mais... uma mão a empurrava... e vimos... ele nos olhava, rindo... ah, o miserável! Essarès... Essarès..."

"Então algo passou pela abertura, algo que desceu e se desenrolou no meio da sala, acima de nossas cabeças... uma escada, uma escada de corda..."

"Não entendemos... ela se balança diante de nós... e então, no final, eu avisto... Espetada e enrolada em torno do último degrau, há uma folha de papel... e nessa folha leio estas palavras que foram escritas por Essarès:

Coralie pode subir sozinha. Sua vida estará a salvo. Dou-lhe dez minutos para aceitar. Do contrário..."

– Ah! – disse Patrice, erguendo-se. – Será que isso também vai acontecer de novo? E essa escada... essa escada de corda que encontrei no armário do velho Siméon.

Coralie não tirava os olhos da claraboia, já que os passos ecoavam em volta. De repente, pararam. Patrice e Coralie não duvidavam que o momento tivesse chegado, e que eles também estavam prestes a ver...

E Patrice murmurou, em tom alterado:

– Quem? Só existem três homens que podiam ter desempenhado esse sinistro papel, já representado antes. Dois morreram: Essarès e meu pai. E o terceiro, Siméon, está louco. Será que ele, em sua loucura, seguiu adiante com toda essa maquinação? Mas como supor que o tenha feito com tanta precisão? Não... não... é o outro, aquele que o dirige e que até agora permaneceu na sombra.

Sentiu em seu braço os dedos crispados de Coralie.

– Silêncio, lá vem ele...

– Não... não... – disse ele.

– Sim... Tenho certeza...

Ela adivinhava o outro acontecimento que se prenunciava, e de fato, como antigamente, a claraboia voltou a se levantar... Uma mão a empurrava. E, de repente, viram...

Viram uma cabeça que passava pela claraboia entreaberta.

Era a cabeça do velho Siméon.

Na verdade, o que viram não os surpreendeu muito. Que fossem perseguidos por esse homem e não por outro, não podia lhes parecer algo extraordinário, já que, nas últimas semanas, *aquele homem* se mesclara à existência deles como um ator ao drama que se desenrola. Não importava o que fizessem, eles o encontravam sempre e em todo lugar, cumprindo seu papel misterioso e incompreensível. Cúmplice inconsciente? Força cega do destino? Em todo caso, era quem agia, quem atacava incansavelmente, e contra o qual não há como se defender.

Patrice sussurrou:

– O louco... O louco...

Mas Coralie insinuou:

– Talvez não esteja louco... não deve estar louco.

Ela tremia, tomada por uma convulsão interminável.

No alto, o homem os olhava, escondido atrás dos óculos amarelos, sem que qualquer expressão de ódio ou alegria animasse seu rosto impassível.

– Coralie – disse Patrice em voz baixa... –, não oponha resistência... venha...

Empurrava-a suavemente, como se a sustentasse e a conduzisse até uma poltrona. Na realidade, tinha uma única ideia, aproximar-se da mesa em que deixara o revólver, pegar a arma e atirar.

Siméon não se mexia, igual a um gênio do mal que veio para desencadear a tempestade... Coralie não podia se libertar desse olhar que pesava sobre ela.

– Não – murmurava, resistindo, como se tivesse medo de que o plano de Patrice precipitasse o temido desfecho. – Não, não deve...

Porém, mais determinado que ela, Patrice alcançava sua meta. Mais um esforço e sua mão ia tocar o revólver.

Decidiu-se rapidamente. Apontou a arma de repente e o disparo soou.

No alto, a cabeça desapareceu.

– Ah! – disse Coralie – Foi um erro, Patrice, ele vai se vingar...

– Não... talvez, não... – disse Patrice, com a arma na mão. – Não, quem disse que não o acertei? A bala bateu na beira da claraboia... mas, se ricocheteou, então...

Eles aguardaram, de mãos dadas, com uma leve esperança.

Esperança que durou pouco. O ruído recomeçou no telhado.

Então, *como antigamente,* e tiveram a impressão de já terem visto antes, *como antigamente algo passou pela abertura, algo que descia, que se desenrolou no meio da sala... uma escada... uma escada de corda...* A mesma que Patrice avistara no armário do velho Siméon.

Como antigamente, eles olhavam e sabiam muito bem que tudo recomeçava e que os fatos se encadeavam uns aos outros com implacável rigor. Seus olhos procuraram imediatamente a inevitável folha de papel que devia estar alfinetada no degrau inferior.

E de fato lá estava ela, formando como um rolo de papel. Estava amarela, seca, desgasta.

Era a mesma folha, escrita vinte anos antes por Essarès e que, *como antigamente,* servia à mesma obra de tentação e ameaça.

"Coralie pode subir sozinha. Sua vida estará a salvo. Dou-lhe dez minutos para aceitar. Do contrário..."

OS PREGOS DO CAIXÃO

"Do contrário..." Patrice repetiu essas palavras maquinalmente, várias vezes, enquanto a terrível significação tornava-se patente para ambos. Do contrário... isso significava que, se Coralie não obedecesse e não se entregasse ao inimigo, se não fugisse da prisão para seguir aquele que detinha as chaves dessa jaula, ambos iam morrer.

Naquele instante, nenhum dos dois pensava no tipo de morte que lhes era reservado, nem mesmo na própria morte.

Só pensavam na ordem de separação que o inimigo lhes endereçava. Um devia partir e outro morrer. A vida era prometida a Coralie, desde que sacrificasse Patrice. Mas a que preço era essa promessa? E como se pagaria o sacrifício imposto?

Houve entre os jovens um longo silêncio cheio de incerteza e angústia. Agora algo ficava claro, e o drama não acontecia mais totalmente fora deles e sem que participassem dele senão como vítimas impotentes. Passava-se dentro deles e tinham a faculdade de mudar seu desfecho. Terrível dilema. Que já fora apresentado à Coralie de outrora, e que ela resolvera no sentido do amor, já que havia morrido...

E apresentava-se de novo.

Patrice leu a inscrição, e as palavras, traçadas rapidamente, tornavam-se menos distintas. Patrice leu:

Supliquei a Coralie... ela caiu de joelhos e me abraçou. Queria morrer comigo...

Patrice observou a mulher. Dissera a frase em voz muito baixa e ela não tinha ouvido.

Atraiu-a vivamente contra si, em um ímpeto de paixão, e exclamou:

– Você vai sair, Coralie. Entenda que, se eu não o disse imediatamente, não foi por hesitação. Não... somente... eu pensava na oferta desse homem... e temo por você... O que ele pede é terrível, Coralie. Se promete salvar sua vida, é porque a ama... e então, você entende... não importa, Coralie, é preciso obedecer... é preciso viver... vá embora... É inútil esperar que se passem os dez minutos... ele poderia mudar de ideia... condená-la também a morrer, não, Coralie, vá embora, vá embora agora mesmo.

Ela respondeu simplesmente:

– Eu fico.

Ele estremeceu.

– Mas é loucura. Por que esse sacrifício inútil? Tem medo do que poderia acontecer se obedecesse?

– Não.

– Então, vá embora.

– Eu fico.

– Mas por quê? Por que essa obstinação? Não serve para nada. Por quê?

– Porque eu te amo, Patrice.

Ele ficou perplexo. Não ignorava que a jovem o amasse, e ela já lhe dissera. Mas que o amasse a ponto de morrer ao seu lado era uma alegria imprevista, ao mesmo tempo deliciosa e terrível.

– Ah! – disse ele –, você me ama, Coralie... você me ama...

– Eu te amo, Patrice.

Ela lhe rodeava o pescoço com os braços e ele sentiu que esse abraço era daqueles de que é impossível se desprender. Mesmo assim, não cedeu, decidido a salvá-la.

– Justamente – disse ele –, se me ama, deve me obedecer e viver. Pode acreditar que me é cem vezes mais doloroso morrer com você do que sozinho. Se eu souber que está livre, a morte me será mais suave.

Ela não ouvia e continuava sua confissão, feliz por fazê-la, feliz por pronunciar palavras que guardava em si havia tanto tempo.

– Eu te amo desde o primeiro dia, Patrice. Não precisei que você o dissesse para saber, e se eu não o disse mais cedo foi porque esperava um momento solene, uma circunstância em que seria bom dizê-lo olhando no fundo de seus olhos e oferecendo-me inteira a você. Já que tive de me encontrar à beira da morte para falar, escute-me e não me imponha uma separação que seria pior que a morte.

– Não, não – respondeu ele, tentando se soltar –, você deve partir.

– Meu dever é ficar ao lado daquele que amo.

Ele fez um esforço e agarrou-lhe as mãos.

– Seu dever é fugir – murmurou –, e quando estiver livre, tentar tudo para me salvar.

– O que diz, Patrice?

– Sim – prosseguiu ele –, para me salvar. Nada prova que você não poderá escapar das garras desse miserável, denunciá-lo, procurar socorro, alertar nossos amigos… você vai inventar e usar alguma artimanha…

Ela o olhava com um sorriso tão triste e tamanha expressão de dúvida que ele se interrompeu.

– Está tentando me iludir, meu pobre amado – disse ela –, mas suas palavras não iludem nem a você nem a mim. Não, Patrice, sabe bem que se eu me entregar a esse homem ele vai me reduzir ao silêncio e me manter em algum esconderijo, com mãos e pés atados, até seu último suspiro.

– Tem certeza?

– Assim como você, Patrice, assim como você sabe o que vai acontecer depois.

– O que vai acontecer?

– Olhe, Patrice, se esse homem me salva, não é por generosidade. Uma vez que eu estiver nas mãos dele, você pode antever seu plano abominável, não é? E pode antever também o único meio que terei de escapar disso, não é? Então, Patrice, se devo morrer daqui a poucas horas, por que não morrer agora, nos seus braços... junto de você, com os seus lábios sobre meus lábios? Pode isso ser a morte? Não é viver em um instante a mais bela das vidas?

Patrice resistia ao seu abraço. Sabia que no primeiro beijo desses lábios que se ofereciam ele ia perder toda a sua vontade.

– É terrível – murmurou –, como quer que eu aceite o teu sacrifício? Você... tão jovem... com todos os anos de felicidade que tem o direito de esperar...

– Anos de viuvez e desespero, se não estiver mais aqui.

– É preciso viver, Coralie. Com toda a minha alma, eu te suplico.

– Não posso viver sem você, Patrice. Você é minha única alegria. Não tenho outro motivo de ser senão para amá-lo. Você me ensinou o amor. Eu te amo...

Ah! Que palavras divinas! Ecoavam pela segunda vez entre as quatro paredes da sala. As mesmas palavras de amor pronunciadas pela filha, e que a mãe havia pronunciado com a mesma paixão e o mesmo ardor de sacrifício! As mesmas palavras que a lembrança da morte e que a morte impregnava de uma emoção duplamente sagrada! Coralie as pronunciava sem pavor. Todo o seu medo parecia se perder em seu amor, e só o amor fazia tremer sua voz e turvava seus lindos olhos.

Patrice a contemplava com olhar enlevado. Agora ele julgava também que aqueles minutos valiam morrer.

No entanto, fez um esforço supremo.

– E se eu lhe desse a ordem de partir, Coralie?

– Isto é – murmurou ela –, se me desse a ordem de ir ao encontro desse homem e de me entregar a ele? É isso que desejaria, Patrice?

Ele estremeceu, chocado.

– Ah! Que horror! Esse homem... Esse homem... Você, Coralie, tão pura... tão viçosa...

Esse homem, nem ela nem ele o representavam sob a imagem precisa de Siméon. O inimigo mantinha, até para ele, e apesar da terrível visão que aparecera no alto, um caráter de mistério. Talvez fosse Siméon. Talvez fosse outro homem de quem Siméon era o instrumento. Em todo caso, era o inimigo, o malvado gênio agachado acima de suas cabeças, que preparava a agonia deles, e cujo infame desejo perseguia a jovem mulher.

Patrice apenas perguntou:

– Nunca percebeu que Siméon a perseguia?

– Nunca… Nunca… não me perseguia… talvez até me evitasse…

– Então ele enlouqueceu…

– Não está louco… não creio… está se vingando.

– Impossível. Era amigo de meu pai. A vida toda trabalhou para nos unir, e agora estaria prestes a nos matar por vontade própria?

– Não sei, Patrice, não entendo…

Não falaram mais de Siméon. O fato de a morte vir de um ou de outro não tinha importância. Era contra ela que precisavam lutar, sem se preocupar em saber quem a comandava. Ora, o que podiam fazer contra ela?

– Você aceita, não é, Patrice? – disse Coralie em voz baixa.

Ele não respondeu. Ela continuou:

– Não vou partir, mas quero que concorde comigo. Eu lhe peço. É uma tortura pensar que está sofrendo mais. É preciso que nossos sofrimentos sejam iguais. Você aceita, não é?

– Sim – disse ele.

– Dê-me suas mãos. Olhe no fundo de meus olhos, e vamos sorrir, Patrice.

Perderam-se por um instante em uma espécie de êxtase, transportados de amor e desejo. Mas ela lhe disse:

– O que tem, Patrice? Voltou a ficar transtornado…

– Olhe… olhe.

Soltou um grito rouco. Dessa vez, tinha certeza do que vira.

A escada subia. Os dez minutos haviam se passado.

Precipitou-se e agarrou violentamente um dos degraus.

A escada parou de subir.

O que queria fazer? Ele não sabia. Essa escada oferecia a única chance de salvação para Coralie. Ele ia renunciar e se resignar ao inevitável? Um minuto, dois minutos se passaram. No alto, a escada devia ter sido amarrada novamente, porque Patrice sentia a resistência que oferecem as coisas solidamente fixadas.

Coralie suplicou:

– Patrice, Patrice, o que está esperando?

Ele olhava ao redor e para cima, como se procurasse uma ideia, e parecia olhar também em si mesmo, como se estivesse procurando essa ideia em todas as lembranças que havia acumulado no momento em que *seu pai também segurava a escada* na última tensão de sua vontade.

E, de repente, em um único impulso de sua perna esquerda, pôs o pé no quinto degrau, enquanto se erguia pela força dos braços pelas laterais da corda.

Tentativa absurda! Escalar a escada? Alcançar a claraboia? Dominar o inimigo e, assim, salvar a si e a Coralie? E se seu pai havia fracassado, como admitir que ele pudesse conseguir?

Isso não durou mais do que três segundos. Bruscamente Patrice caiu. No mesmo instante a escada foi desprendida do gancho que provavelmente a mantinha suspensa na claraboia e caía ao lado de Patrice.

Ao mesmo tempo, uma risada estridente ecoou do alto. E, logo, ouviu-se um ruído. A claraboia fora fechada.

Patrice se levantou furioso, xingou o inimigo e, sua raiva crescendo, deu dois tiros de revólver que quebraram dois vidros.

Em seguida, descarregou sua fúria contra as janelas e portas, que golpeou com o suporte de lareira. Bateu nas paredes, no assoalho, ameaçou com os punhos o demônio invisível que zombava dele. Mas, subitamente, após alguns gestos no vazio, imobilizou-se. Algo como um véu espesso havia sido estendido no alto. E tudo ficou escuro.

Ele entendeu. O inimigo fechara a claraboia com uma persiana que a cobria inteiramente.

– Patrice! Patrice – gritou Coralie, a quem as trevas assustavam e que perdeu toda a força de ânimo. – Patrice! Onde está, Patrice? Ah! estou com medo… onde está?

Então os dois se procuraram às apalpadelas, como cegos. Nada lhes havia parecido tão horrível como estarem perdidos nessa noite implacável.

– Patrice! Onde está, Patrice?

Suas mãos se chocaram, as pobres mãos geladas de Coralie e as de Patrice, que ardiam de febre, e elas se apertavam umas nas outras, entrelaçavam-se e se agarravam, como se tivessem sido os sinais palpáveis da existência de ambos.

– Ah! Não me deixe, Patrice – implorava a jovem.

– Estou aqui – respondeu ele –, não tenha medo... ninguém pode nos separar.

Ela balbuciou:

– Ninguém pode nos separar, você tem razão... estamos em nosso túmulo.

E a palavra era tão terrível, e Coralie a pronunciou em tom tão doloroso, que Patrice estremeceu de revolta.

– Não!... O que disse? Não pode desesperar... até o último momento existe a possibilidade da salvação.

Soltou uma das mãos e apontou o revólver na claridade que filtrava pelos interstícios ao redor da claraboia. Atirou três vezes. Ouviram o estalo da madeira e a risada do inimigo. Mas a persiana devia ser reforçada com metal, e nenhuma rachadura se produziu.

Logo, aliás, os interstícios foram obstruídos e eles se deram conta de que o inimigo executava o mesmo trabalho que fizera em volta das portas e janelas. Tomou bastante tempo e deve ter sido feito minuciosamente. Então houve outro trabalho que completou o primeiro. O inimigo pregou a persiana contra a estrutura da claraboia.

O ruído era terrível! As marteladas eram leves e rápidas, mas como penetravam fundo no cérebro! Era o caixão deles que o homem pregava, o grande caixão que fazia pesar sobre eles sua tampa hermeticamente fechada. Não havia mais esperança! Nem socorro possível! Cada martelada reforçava a prisão escura e multiplicava os obstáculos, erguendo, entre o mundo e eles, muros que nenhum poder humano poderia derrubar.

– Patrice – balbuciou Coralie –, estou com medo... Ah, essas marteladas me machucam.

Ela desfalecia nos braços de Patrice. Ele sentia lágrimas correrem em suas faces.

Enquanto isso, no alto, a obra terminava. Eles tinham essa impressão apavorante que os condenados devem sentir na manhã de seu último dia. Do fundo de suas celas, ouvem os preparativos, a sinistra máquina que está sendo montada, ou as baterias elétricas que já funcionam. Homens que se esforçam para que tudo esteja pronto, para que não haja nenhuma chance favorável e que o destino se cumpra em todo o seu inflexível rigor.

E o deles ia se cumprir. A morte estava a serviço do inimigo; a morte e o inimigo trabalhavam juntos. Ele era a própria morte, agindo, combinando, e levando a cabo a luta contra aqueles que havia decidido suprimir.

– Não me deixe – disse Coralie, soluçando –, não me deixe...

– Somente alguns segundos – disse ele... – É preciso que mais tarde sejamos vingados.

– De que serve, Patrice, de que isso pode nos servir?

Ele tinha alguns fósforos em uma caixa. Acendendo-os, um após o outro, levou Coralie para o painel da inscrição.

– O que você quer? – perguntou ela.

– Não quero que atribuam nossa morte a um suicídio. Quero repetir o que nossos pais fizeram e preparar o futuro. Alguém lerá o que vou escrever e nos vingará.

Abaixou-se e tirou um lápis do bolso. Havia um espaço livre na parte inferior do painel. Ele escreveu:

Patrice Belval e sua noiva Coralie morrem da mesma morte, assassinados por Siméon Diodokis, em 14 de abril de 1915.

Mas, como acabava de escrever, avistou algumas palavras da antiga inscrição, que não lera até então porque estavam, por assim dizer, separadas das outras e não pareciam fazer parte do mesmo texto.

– Mais um fósforo – disse ele. – Você viu?... Essas palavras, ali... certamente as últimas que meu pai escreveu.

Coralie acendeu o fósforo.

Na luz vacilante, decifraram algumas letras, mal formadas, visivelmente escritas às pressas e que compunham duas palavras...

Asfixiados... Óxido...

O fósforo se apagou. Levantaram-se, em silêncio. A asfixia... entendiam que era dessa maneira que seus pais haviam morrido, assim como eles mesmos iam morrer. Mas não entendiam bem como isso se produziria. A falta de ar nunca seria absoluta para asfixiá-los, nessa ampla sala em que a quantidade de ar poderia ser suficiente por dias a fio.

– A menos que... murmurou Patrice –... a menos que a qualidade desse ar possa ser alterada, e que, consequentemente...

Parou, e então prosseguiu:

– Sim... é isso... agora estou me lembrando...

Disse a Coralie o que suspeitava, ou, melhor, o que se adaptava tão bem à realidade que não havia mais dúvida possível.

No armário do velho Siméon, não só vira a escada de corda que o louco trouxera, mas também um maço de canos de chumbo e então o comportamento de Siméon, desde o momento em que estavam trancados, suas idas e vindas ao redor da casa, o cuidado que tivera para obstruir todos os interstícios, seu trabalho ao longo da parede e no telhado, tudo se explicava da maneira mais precisa. O velho Siméon simplesmente emendara em uma instalação de gás, provavelmente localizada na cozinha, o cano que em seguida pusera contra a parede e deitara no telhado.

Era assim, então, da mesma maneira que seus pais, que iam morrer, asfixiados pelo gás.

Ambos sentiram um acesso de pavor e andaram pela sala ao acaso, segurando-se pela mão, a mente desordenada, sem ideias, sem vontade, iguais a pequenos objetos sacudidos pela mais violenta das tempestades.

Coralie dizia palavras incoerentes. Patrice, implorando que ela se acalmasse, sentia o mesmo tormento e não conseguia reagir contra a espantosa sensação de desamparo produzida pelo peso das trevas em que a morte espera. Não há o que fazer senão fugir, escapar a esse sopro frio que já gela a nuca. É preciso fugir, mas aonde? Por onde? As muralhas são intransponíveis e as trevas ainda mais resistentes que as muralhas.

Imobilizaram-se, exaustos. Um sibilo vinha de algum lugar, o sibilo leve que sai de uma boca de gás mal fechada. Tendo ouvido, deram-se conta de que vinha do alto.

O suplício começava. Patrice sussurrou:

– Vai demorar meia hora, uma hora no máximo.

Ela havia recobrado a consciência, e respondeu:

– Sejamos corajosos, Patrice.

– Ah, se eu estivesse sozinho! Mas você, minha pobre Coralie…

Ela disse em tom muito baixo:

– Não se sofre.

– Você vai sofrer, você que é tão fraca!

– Quem é fraco sofre ainda menos. E sei que não sofreremos, Patrice.

De repente ela pareceu tão serena que, por sua vez, Patrice foi tomado por uma grande paz.

Calaram-se, os dedos ainda entrelaçados, sentados no grande sofá. Impregnavam-se aos poucos da grande calma que emana dos acontecimentos que consideramos, por assim dizer, como já ocorridos, e que não passa de uma resignação, uma submissão às forças superiores. Naturezas como as deles não se revoltam mais quando a ordem do destino se manifesta e só resta obedecer e rezar.

Coralie rodeou o pescoço de Patrice e disse:

– Diante de Deus, você é meu noivo. Que Ele nos acolha, como acolheria dois esposos.

Sua ternura o fez chorar. Ela secou suas lágrimas com beijos, e entregou seus lábios a Patrice.

Ah! – disse ele –, você tem razão, morrer assim é viver.

Um silêncio infinito os envolveu. Perceberam os primeiros odores de gás que desciam ao redor deles, mas não sentiram terror.

Patrice sussurrou:

– Tudo vai se passar como antigamente até o último segundo, Coralie. Tua mãe e meu pai, que se amavam como nos amamos, morreram também abraçados e com os lábios unidos. Haviam decidido unir-nos e nos uniram.

Ela murmurou:

– Nosso túmulo ficará ao lado do deles.

Suas ideias aos poucos se confundiam e eles pensavam como se em meio de uma bruma crescente. Como não haviam comido, a fome trazia seu mal-estar em uma espécie de vertigem em que a mente de ambos definhava insensivelmente, e essa vertigem, à medida que aumentava, perdia qualquer caráter de inquietude ou ansiedade. Era mais um êxtase, um torpor, uma aniquilação, um repouso em que esqueciam o horror de logo não existirem mais.

Coralie foi a primeira a desmaiar e pronunciou palavras de delírio que, a princípio, surpreenderam Patrice.

– Meu amado, são flores que caem, rosas! Ah, é delicioso!

Mas logo ele também sentiu a mesma beatitude e uma exaltação que se traduziu por sensações de ternura, alegria e emoção.

Sem medo, sentiu aos poucos que Coralie enfraquecia em seus braços e se abandonava, e ele teve a impressão de que a seguia em um imenso abismo, banhado de luz, no qual ambos pairavam enquanto desciam, lentamente, sem esforço, em direção a uma região feliz.

Minutos e horas se passaram. Ainda desciam, ele carregando-a pela cintura, ela um pouco inclinada para trás, os olhos fechados e sorrindo. Patrice se lembrava de imagens em que se veem casais de deuses deslizando no céu e, embriagado de claridade e de ar, ele fazia largos círculos acima da região feliz.

No entanto, enquanto se aproximava, sentiu-se mais cansado. Coralie estava pesada sobre seu braço dobrado. A descida se acelerou. As ondas de luz se escureceram. Ele viu uma nuvem espessa, e depois outras que formavam um turbilhão de trevas.

De repente, exausto, com suor na testa e o corpo tremendo de febre, ele caiu em um grande buraco negro…

UM INDIVÍDUO ESTRANHO

Ainda não era totalmente a morte. Nesse estado de agonia, o que persistia de sua consciência misturava, em uma espécie de pesadelo, as realidades da vida com as realidades imaginárias de um mundo novo em que ele se encontrava e que era o da morte.

Nesse mundo, Coralie não existia mais, o que provocava nele uma imensa pena. Mas parecia-lhe ouvir e ver alguém cuja presença se revelava pela passagem de uma sombra diante de suas pálpebras fechadas.

Esse alguém, ele o representava, sem nenhum motivo, aliás, sob a aparência do velho Siméon, o qual vinha constatar a morte de suas vítimas, levava primeiramente Coralie, antes de voltar para Patrice, levá-lo e estendê-lo em algum lugar. E tudo era tão preciso que Patrice se perguntava se não estava acordado.

Depois, passaram-se horas… ou segundos. No fim, Patrice teve a impressão de que dormia, mas um sono infernal, durante o qual sofria, física e moralmente, como devem sofrer os condenados. Havia voltado ao fundo do buraco negro como um homem caído no mar procurando chegar à superfície. E assim atravessava – com tanta dificuldade! – camadas de água que o sufocavam com seu peso, que devia escalar, agarrando-se com pés e mãos a coisas que escorregavam, escadas de corda que, sem pontos de apoio, caíam.

Contudo, as trevas estavam ficando menos espessas. Um pouco de claridade turva filtrava por elas. Patrice se sentia menos oprimido. Entreabriu os olhos, respirou várias vezes e viu ao seu redor um espetáculo que o surpreendeu: o vão de uma porta aberta, ao lado da qual ele estava deitado, ao ar livre, em um sofá.

Estendida em outro sofá, ao lado dele, estava Coralie. Ela se mexia e parecia sofrer infinitamente.

Ele pensou:

"Ela está subindo do buraco negro... Como eu, está se esforçando... Minha pobre Coralie...".

Entre eles havia uma mesinha, e nessa mesinha, dois copos d'água. Sentindo muita sede, pegou um. Mas não ousou beber. Naquele momento, alguém saiu pela porta aberta, que era, como Patrice então percebeu, a porta da casa, e essa pessoa, Patrice constatou que não era o velho Siméon, como o acreditara, mas um estranho que nunca vira antes.

Sussurrou para si mesmo:

– Não estou dormindo... tenho certeza de que não durmo e que esse estranho é um amigo.

Tentava dizer essas coisas em voz alta, para que sua certeza fosse melhor. Mas não tinha forças.

No entanto, o estranho se aproximou dele e pronunciou em tom leve:

– Não se canse, capitão. Está tudo bem. Pegue, é necessário beber.

O estranho ofereceu-lhe um dos dois copos, que Patrice bebeu de um só trago, sem desconfiança, e ficou feliz ao ver que Coralie também bebia.

– Sim, está tudo bem – disse. – Meu Deus! Como é bom viver! Coralie está viva, não é?

Não ouviu a resposta e caiu em um sono reparador.

Quando despertou, a crise tinha acabado, embora ele ainda sentisse alguns zumbidos na cabeça e tivesse dificuldade para respirar profundamente. No entanto, levantou-se, e entendeu que todas essas sensações haviam sido exatas, que se encontrava na entrada da casa, que Coralie tomara o segundo copo d'água e dormia calmamente. E ele repetiu em voz alta:

– Como é bom viver!

Queria agir, mas não ousava entrar na casa, apesar das portas abertas. Afastou-se, ladeou o claustro reservado aos túmulos e então – sem rumo preciso, porque ainda não sabia o motivo de seus atos e não entendia nada daquilo que lhe acontecia e andava ao acaso – voltou até a casa pela outra fachada, a que dominava o jardim, e de repente parou.

Alguns metros à frente da fachada, ao pé de uma árvore que fazia fronteira com o caminho oblíquo, um homem estava deitado em uma espreguiçadeira de vime, a cabeça na sombra, as pernas ao sol. Parecia dormir. Tinha um livro sobre os joelhos.

Então, e somente então, Patrice se deu conta nitidamente de que Coralie e ele haviam escapado da morte, que ambos estavam vivos e que seu salvador devia ser esse homem cujo sono indicava um estado de segurança absoluta e de consciência tranquila.

Examinou-o. Magro, ombros largos, a tez morena, um bigode fino, alguns cabelos cinzentos nas têmporas, o desconhecido parecia ter no máximo uns 50 anos. O corte de suas roupas indicava uma grande preocupação com a elegância. Patrice se debruçou e olhou o título do livro: *As memórias de Benjamin Franklin.* Leu também as iniciais que adornavam o forro de um chapéu caído na grama: L. P.

– Foi ele que me salvou –Patrice a si mesmo. – Eu o reconheço. Ele nos carregou para fora do ateliê e cuidou de nós. Mas como esse milagre se produziu? Quem o mandou?

Tocou-lhe o ombro. Imediatamente o homem se levantou e seu rosto se iluminou com um sorriso.

– Desculpe-me, capitão, mas minha vida anda tão preenchida que, quando tenho alguns minutos, aproveito para dormir... em qualquer lugar... como Napoleão, não é? Meu Deus, sim, essa pequena semelhança não me é desagradável... mas chega de falar de mim. E o senhor, capitão, como vai? E a senhora "mamãe Coralie", não está mais indisposta? Após ter aberto as portas e transportado vocês para fora, não achei por bem acordá-los. Eu estava tranquilo, havia feito o necessário. Ambos respiravam. O bom ar puro se encarregaria do resto.

Ele se interrompeu e, diante do espanto de Patrice, seu sorriso deu lugar a um riso de alegria.

– Ah! Eu me esquecia, o senhor não me conhece? É verdade, a carta que lhe escrevi foi interceptada. Assim, preciso me apresentar: dom Luís Perenna, de uma antiga família espanhola, autêntica nobreza, documentos em ordem...

Seu riso redobrou.

– Mas vejo que isso não lhe diz nada. Ya-Bon certamente deve ter me chamado de outra maneira quando escreveu meu nome na parede dessa rua, há uns quinze dias, de noite? Ah, ah! Está começando a entender... Pois é, sim, o senhor a quem pediu ajuda... Devo pronunciar o nome claramente? Pois bem, capitão. Então, Arsène Lupin, para servi-lo.

Patrice estava estupefato. Esquecera completamente a proposta de Ya-Bon e a distraída autorização que dera ao senegalês para recorrer ao famoso aventureiro. E eis que Arsène Lupin estava diante dele, eis que Arsène Lupin, com um único esforço de sua vontade, por um incrível milagre, o resgatara, e também Coralie, do fundo do seu caixão hermeticamente fechado.

Estendeu-lhe a mão e disse:

– Obrigado.

– Psiu! – disse dom Luís, alegremente. – Não precisa agradecer! Basta um bom aperto de mãos. E pode apertar minha mão, capitão. Se alguns pecadilhos pesam sobre minha consciência, por outro lado fiz várias boas ações que devem me valer a estima das pessoas honestas... começando por minha própria... portanto...

Interrompeu-se de novo, pareceu refletir e, segurando Patrice por um dos botões de seu dólmã, segredou:

– Não se mexa... estamos sendo vigiados...

– Por quem?

– Alguém que se encontra no cais, ao final do jardim... O muro não é muito alto. Uma grade serve de acabamento. Alguém está olhando por meio dessa grade e procura por nós.

– Como pode saber? Está de costas para o cais e, ademais, há árvores.

– Ouça.

– Não estou ouvindo nada especial.

– Sim, um ruído de motor... o motor de um carro parado. Ora, o que faria um carro parado no cais, diante de um muro perto do qual não há moradia?

– E então, a seu ver, quem seria?

– Ora! O velho Siméon.

– Siméon?

– Com certeza. Está verificando se eu realmente salvei vocês dois.

– Então não está louco?

– Louco, ele? Não mais que nós dois.

– Contudo...

– Contudo, o senhor quer dizer que Siméon o protegia, que seu objetivo era reunir vocês dois, que lhe mandou a chave do jardim, etc.

– O senhor sabe tudo isso?

– É preciso. Do contrário, como eu lhe teria prestado socorro?

– Mas – disse Patrice com ansiedade –, se esse bandido atacar de novo, não deveríamos tomar certas precauções? Voltar à casa. Coralie está sozinha.

– Não há perigo nenhum.

– Por quê?

– Estou aqui.

Patrice estava cada vez mais estupefato. Ele perguntou:

– Então Siméon conhece o senhor? Sabe que está aqui?

– Sim, por uma carta que lhe escrevi sob o disfarce de Ya-Bon e que ele interceptou. Nela eu anunciava minha chegada e ele se apressou a agir. Só que, conforme meu hábito nessas ocasiões, adiantei minha chegada em algumas horas, de modo que o surpreendi em plena ação.

– Naquele momento o senhor ignorava que ele fosse o inimigo... Não sabia nada...

– Absolutamente nada...

– Foi hoje de manhã?

– Não, de tarde, à uma e quarenta e cinco.

Patrice sacou seu relógio.

– São quatro horas. Assim, em duas horas...

– Nem isso, cheguei aqui há uma hora.

– O senhor interrogou Ya-Bon?

– Se acha que perdi meu tempo! Ya-Bon simplesmente me respondeu que você não estava lá, e que começava a estranhar sua ausência.

– Então?

– Procurei onde você podia estar.

– Como?

– Primeiro, vasculhei seu quarto e, como é algo que sei fazer, acabei descobrindo que havia uma fenda no fundo de sua escrivaninha, e que essa fenda se comunicava com outra praticada na parede do cômodo adjacente. Assim, pude pegar o caderno em que mantém seu diário e tomar conhecimento dos acontecimentos. Era assim, aliás, que Siméon estava a par de suas menores intenções. Foi assim que descobriu seu plano de vir aqui, em peregrinação, no dia 14 de abril. Foi assim que, na noite passada, vendo-o escrever, ele preferiu, antes de atacá-lo, saber o que escrevia. Uma vez que soube, pelo seu diário, que o senhor estava em alerta, ele se absteve. Como pode ver, tudo isso é fácil. O senhor Desmalions, inquieto com a sua ausência, poderia ter conseguido salvá-los, mas… só amanhã.

– Isto é, tarde demais – disse Patrice.

– Sim, tarde demais. Esse assunto não é dele, nem da polícia. Ademais, prefiro que ela não se meta nisso. Pedi aos seus mutilados que permanecessem calados sobre tudo que pode lhes parecer suspeito. De modo que, se o senhor Desmalions vier hoje, ele vai acreditar que tudo está em ordem. Então, tranquilizado desse lado, com a ajuda das informações do seu caderno e na companhia de Ya-Bon, atravessei a ruela e entrei neste jardim.

– A porta estava aberta?

– Não, mas ao mesmo tempo Siméon saía do jardim. Azar o dele, não é? Então aproveitei intrepidamente a oportunidade. Pus a mão na maçaneta e entramos sem que ele ousasse protestar. E, com certeza, ele soube mesmo quem eu era.

– Mas, naquele momento, o senhor ignorava que ele fosse o inimigo?

– Como, eu o ignorava?… E seu diário?

– Eu não pensava…

– Mas, capitão, cada página é uma acusação contra ele. Não houve um único incidente em que ele não estivesse envolvido, um único crime que ele não tivesse preparado!

– Nesse caso, era preciso pegá-lo.

– E depois? De que isso teria me servido? Eu o teria obrigado a falar? Não, é deixando-o livre que vou pegá-lo mais facilmente. Assim, vai causar sua própria perda. Como pode ver, já está rondando a casa, em vez de fugir. Ademais, eu tinha coisas melhores para fazer, primeiramente socorrer vocês dois.... se ainda tivesse tempo. Ya-Bon e eu corremos até a porta da casa. Estava aberta, mas a outra, a da escada, estava fechada com chave e tranca. Abri as duas trancas e para nós foi fácil forçar a fechadura. Então, só pelo cheiro de gás, compreendi. Siméon devia ter conectado um velho registro a algum conduto externo, provavelmente aquele que alimenta os postes de luz da ruela e os asfixiava. Só restava tirá-los da casa e dar-lhes os cuidados de praxe, massagens, flexões, etc., e assim vocês foram salvos.

Patrice perguntou:

– Ele certamente deve ter retirado toda a instalação macabra?

– Não, obviamente pensava voltar para deixar tudo em ordem, de modo que ninguém pudesse comprovar sua intervenção e que se pensasse em um suicídio... suicídio misterioso, morte sem causa aparente. Em suma, o mesmo drama de antigamente, entre seu pai e a mãe de mamãe Coralie.

– Então o senhor sabe?

– Ora, não tenho olhos para ler? E a inscrição na parede, as revelações de seu pai? Sei tanto quanto o senhor, capitão... e talvez mais.

– Mais?

– Meu Deus, o hábito, a experiência. Muitos problemas, indecifráveis para os outros, para mim parecem entre os mais simples e claros do mundo. Assim...

– Assim?

Dom Luís hesitou e, finalmente, respondeu:

– Não, não... Acho melhor não falar... Aos poucos a escuridão vai se dissipar. Vamos esperar por enquanto...

Ele escutou com atenção.

– Olhe, deve tê-lo visto. E agora que foi informado, está indo embora.

Patrice se alterou:

– Ele vai embora… está vendo… teria sido melhor pegá-lo. Será que voltaremos a encontrá-lo, esse miserável? Será que poderemos nos vingar?

Dom Luís sorriu.

– Está chamando de miserável o homem que cuida do senhor há vinte anos e que o aproximou de mamãe Coralie! Seu benfeitor!

– Ah! Sei lá! Tudo isso está tão obscuro! Só posso odiá-lo… e lamento que tenha fugido… eu gostaria de torturá-lo e, no entanto…

Ele teve um gesto de desespero e segurava a cabeça entre as mãos. Dom Luís o reconfortou.

– Não tenha medo. Ele nunca esteve tão perto de sua derrota como agora. Está em minha mão como esta folha da árvore.

– Mas como?

– O homem que dirige o carro dele é dos meus.

– O quê? O que disse?

– Eu disse que pus um dos meus homens em um táxi; que esse táxi, conforme minha ordem, esperava no fim da ruela, e Siméon não hesitou em pular dentro.

– Isso é o que o senhor supõe… – observou Patrice, cada vez mais espantado.

– Reconheci o ruído do motor no final do jardim, quando eu o avisei.

– E confia plenamente em seu homem?

– Plenamente.

– Não importa! Siméon pode pedir para ser levado longe de Paris e se livrar desse homem… e então, quando seremos avisados?

– Se pensa que alguém sai de Paris e passeia pelas estradas principais sem autorização especial!… Não, se sair de Paris, Siméon vai querer ser levado até uma estação qualquer, e seremos informados vinte minutos depois. E logo que soubermos iremos atrás.

– Como?

– De carro.

– O senhor tem algum salvo-conduto?

– Sim, válido na França inteira.

– É possível?

– Perfeitamente, e, ademais, um salvo-conduto autêntico: em nome de dom Luís Perrena, assinado pelo ministro do Interior e ratificado…

– E ratificado?

– Pelo presidente da República.

O espanto de Patrice de repente se transformou em violenta emoção. Na terrível aventura em que se encontrava envolvido, e na qual, até então, suportando a implacável vontade do inimigo, só conhecera derrotas e os tormentos de uma morte sempre ameaçadora, de repente ocorria que uma determinação mais poderosa surgia a seu favor. E, bruscamente, tudo se modificava. O destino parecia mudar de direção, como um navio que um bom vento imprevisto leva para o porto.

– Realmente, capitão – disse-lhe dom Luís –, parece que está prestes a chorar, como mamãe Coralie. Está com os nervos à flor da pele, capitão… e com fome, talvez… Precisa se alimentar. Vamos…

Andando devagar e segurando-o, levou-o para a casa e declarou, com a voz um tanto grave:

– Sobre tudo isso, capitão, peço-lhe a mais absoluta discrição. Exceto alguns velhos amigos, exceto Ya-Bon, que encontrei na África e que salvou minha vida, ninguém na França me conhece por meu nome verdadeiro. Chamo-me dom Luís Perrena. Em Marrocos, onde lutei, tive a ocasião de prestar serviço ao muito simpático rei de uma nação vizinha da França, e neutra, que, embora obrigado a esconder seus verdadeiros sentimentos, deseja ardentemente nossa vitória. Foi ele quem me trouxe para cá e, consequentemente, pedi-lhe que me credenciasse e obtivesse para mim um salvo-conduto. Portanto, e oficiosamente, tenho uma missão secreta, que acaba dentro de dois dias. Dentro de dois dias volto… para de onde eu vim e onde, durante a guerra, sirvo à França à minha maneira… que não é ruim, pode acreditar, como se comprovará um dia ou outro.

Estavam chegando perto da cadeira em que mamãe Coralie dormia. Dom Luís deteve Patrice.

– Uma palavra a mais, capitão. Jurei a mim mesmo e dei minha palavra àquele que confiou em mim que meu tempo, durante essa missão, seria exclusivamente dedicado a defender, na medida de minhas possibilidades, os interesses do meu país. Portanto, devo avisá-lo que, apesar da simpatia que sinto pelo senhor, não posso prorrogar minha estada por um só minuto a partir do momento em que eu descobrir os mil e oitocentos sacos de ouro. Só respondi ao chamado de Ya-Bon por esse único motivo. Quando os sacos de ouro estiverem em nosso poder, isto é, depois de amanhã à noite, irei embora. Aliás, os dois casos estão ligados. O desfecho de um será a conclusão do outro. E agora, chega de palavras, chega de explicações, apresente-me à mamãe Coralie, e vamos trabalhar!

Ele se pôs a rir:

– Não faça mistério com ela, capitão. Diga meu verdadeiro nome. Não tenho nada a temer: Arsène Lupin tem todas as mulheres a seu favor.

Quarenta minutos depois, mamãe Coralie estava em seu quarto, bem cuidada e vigiada. Patrice tivera uma refeição substancial, enquanto dom Luís passeava no terraço e fumava cigarros.

– Pronto, capitão? Podemos começar?

Olhou seu relógio.

– Cinco e meia. Temos ainda mais de uma hora de luz do dia. É mais que suficiente.

– Suficiente?... Suponho que o senhor não pretenda resolver o caso em uma hora.

– Resolver o caso, não, mas chegar ao objetivo que almejo, sim... e antes até. Uma hora? Para fazer o quê, meu Deus? Daqui a poucos minutos teremos informações sobre o esconderijo do ouro.

Dom Luís se fez levar até o porão cavado sob a biblioteca e onde Essarès bei trancava os sacos de ouro até serem enviados.

– Era mesmo por esse respiradouro que os sacos eram jogados, capitão?

– Sim.

– Não há outras saídas?

– Só a escada que leva à biblioteca e o respiradouro correspondente.

– Aquele que abre para o terraço?

– Sim.

– Portanto, está claro. Os sacos entravam pelo primeiro e saíam pelo segundo.

– Mas…

– Não há outra alternativa, capitão. Como quer que seja diferente? Veja, o erro que sempre cometemos é complicar as coisas inutilmente.

Voltaram ao terraço. Dom Luís se pôs perto do respiradouro e inspecionou o entorno. Não se demorou. Quatro metros à frente das janelas da biblioteca havia um tanque redondo, enfeitado, em seu centro, por uma estátua de criança que lançava um jato d'água pela abertura de uma concha.

Dom Luís se aproximou, examinou o tanque e, debruçando-se, alcançou a estatueta, que fez girar sobre si mesma, da direita para a esquerda.

Ao mesmo tempo, o pedestal girou noventa graus.

– Pronto – disse, levantando-se.

– O quê?

– O tanque vai se esvaziar.

De fato, muito rapidamente a água baixou e o fundo do tanque apareceu.

Dom Luís desceu e se agachou. A parede interna era coberta por um mosaico de mármore com largos desenhos brancos e vermelhos, compondo o que se chama uma grega[6]. No meio desses desenhos engastava-se um aro que dom Luís levantou e puxou. Toda a porção de parede que formava o desenho respondeu a esse comando e se abaixou, deixando à mostra um orifício de cerca de trinta centímetros por vinte e cinco.

Dom Luís afirmou:

– Os sacos iam embora por esse caminho. Segunda etapa. A remessa era feita da mesma maneira, por meio de um gancho que deslizava sobre um arame. Veja, no alto dessa canalização está o arame.

– Caramba! – exclamou o capitão Belval. Mas não podemos seguir o arame.

[6] Ornamento formado por linhas quebradas em ângulo reto. (N.T.)

– Não, mas basta saber onde termina. Olhe, capitão, vá até o final do jardim, perto do muro, seguindo uma linha perpendicular em relação à casa. Uma vez lá, corte um galho de árvore um pouco alta. Ah, eu estava me esquecendo, precisa sair pela ruela. O senhor tem a chave da porta? Sim? Dê para mim.

Patrice deu a chave, e então foi até o muro que ladeava o cais.

– Um pouco mais à direita – dom Luís orientou. – Mais um pouco. Muito bem. Agora espere.

Ele saiu do jardim pela ruela, alcançou o cais e, do outro lado do muro, chamou:

– Está aí, capitão?

– Sim.

– Plante o galho de maneira que eu possa vê-lo daqui... Maravilha!

Patrice então se juntou a dom Luís, que atravessou o cais.

Ao longo do Sena, mais abaixo, estendem-se uns cais, construídos na própria margem do rio, e reservados à cabotagem. Neles as barcaças encostam, descarregam suas mercadorias, recebem outras, e com frequência permanecem atracadas umas junto das outras.

No lugar em que Patrice e dom Luís desciam pelos degraus de uma escada, o cais apresenta uma série de canteiros de obras, dos quais um deles, a que chegaram, parecia abandonado certamente desde o começo da guerra. Nele, entre os materiais inúteis, havia blocos de pedras e tijolos amontoados, uma cabana com os vidros quebrados e a base de um guindaste a vapor. Um cartaz pendurado em um poste mostrava uma inscrição: "Canteiro Berthou, construção".

Dom Luís andou ao longo do muro de contenção, acima do qual o cais formava um terraço.

Um amontoamento de areia ocupava metade do espaço, e avistavam-se no muro as barras de uma grade de ferro cuja parte inferior, escorada por tábuas, era escondida pela areia.

Dom Luís desobstruiu a grade e disse, gracejando:

– Já reparou que nessa aventura nenhuma porta está trancada?... Tomara que aconteça o mesmo com esta.

A hipótese se confirmou, o que, apesar de tudo, não deixou de surpreender dom Luís, e eles penetraram em um desses cubículos nos quais os operários guardam suas ferramentas.

– Até então, nada anormal – murmurou dom Luís, que acendeu uma luz elétrica. Baldes, picaretas, carrinhos, uma escada... Ah! Ah! É mesmo o que eu pensava... trilhos... todo um sistema de trilhos de pequena largura... Ajude-me a limpar o fundo, capitão. Perfeito... Está pronto.

No nível do chão e em frente à grade, abria-se um orifício retangular exatamente semelhante ao do tanque. Avistaram o arame no alto. Dele pendiam ganchos enfileirados.

Dom Luís explicou:

– Então, os sacos chegavam aqui. Caíam, por assim dizer, nesses pequenos vagonetes que está vendo no canto. De noite, claro, os trilhos eram colocados e atravessavam a margem, e os vagonetes eram dirigidos para uma barcaça em que o conteúdo era descarregado... simples movimento basculante!

– De modo que?...

– De modo que o ouro da França ia embora por aí... não sei aonde... no estrangeiro.

– E acredita que os mil e oitocentos sacos de ouros também tenham sido enviados?

– Receio.

– Então chegamos tarde demais?

Houve um silêncio bastante longo entre os dois homens. Dom Luís refletia, Patrice, embora desapontado por um desfecho que não previra, permanecia confuso diante da extraordinária habilidade com a qual, em tão pouco tempo, seu companheiro conseguira desembaraçar parcialmente o novelo.

Ele murmurou:

– É um verdadeiro milagre. Como conseguiu?

Sem nenhuma palavra, don Luís tirou do bolso o livro que Patrice avistara sobre seus joelhos, *As memórias de Benjamin Franklin,* e, com um sinal, convidou-o a ler algumas linhas que mostrou com o dedo.

Essas linhas haviam sido escritas durante os últimos anos do reinado de Luís XVI. Diziam:

Todo dia vamos à aldeia de Passy, vizinha à minha casa, onde tomamos as águas em um jardim admirável. Riachos e cascatas correm por todo lado, trazidos e reenviados por canais muito bem organizados.

Como sabem que gosto da boa mecânica, mostraram-me o tanque onde todas as águas das fontes são recolhidas. Basta girar uma pequena estátua de mármore noventa graus à esquerda e tudo vai embora, em linha reta, até o Sena, por um aqueduto que se abre na parede...

Patrice fechou o livro. Dom Luís explicou:

– As coisas mudaram desde então, certamente por causa de Essarès bei. A água escapa de outra maneira, e o aqueduto servia para escorrer o ouro. Ademais, o leito do rio foi estreitado. Construíram-se os cais sob os quais passa a canalização. Como vê, capitão, era fácil encontrar tudo isso, já que o livro me informava. *Doctus cum libro*[7].

– Sim, claro, mas ainda era preciso ler esse livro.

– O acaso. Eu o encontrei no quarto de Siméon e pus no bolso, curioso por saber os motivos pelos quais ele o lia.

Patrice exclamou:

– Ah! É justamente assim que ele também deve ter descoberto o segredo de Essarès bei, segredo que ele ignorava. Encontrou o livro entre os documentos de seu patrão e se informou dessa maneira. O que acha? Não? Parece que não concorda comigo? Tem outra ideia?

Dom Luís Perenna não respondeu. Olhava o rio. Ao longo dos cais, um pouco distante do canteiro, via-se uma barcaça amarrada, aparentemente sem ninguém dentro. Mas uma leve fumaça começava a subir de um cano que emergia do convés.

– Vamos ver – ele disse.

A barcaça carregava a inscrição: *La Nonchalante-Beaune*.

---

[7] Sábio (ou culto) com o livro. Diz-se dos que ostentam ciência livresca por serem incapazes de raciocinar. (N.T.)

Precisaram passar por cima do espaço que separava o barco do cais e por meio das cordas e barricas vazias que cobriam as partes planas do convés. Uma escada os levou a um tipo de cabine que servia de cozinha e quarto. Um homem estava nela, de aspecto robusto, o peito largo, cabelos pretos e cacheados, o rosto sem barba. Vestia uma bata e uma calça de sarja, sujas e remendadas.

Dom Luís apresentou-lhe uma nota de vinte francos que o homem pegou com vivacidade.

– Uma informação, amigo. Nos últimos dias você viu uma barcaça diante do canteiro Berthou?

– Sim, uma barcaça motorizada que foi embora ontem.

– O nome da barca?

– *Belle-Hélène*. As pessoas que moravam nela, dois homens e uma mulher, eram estrangeiros que falavam... não sei que língua... inglês, creio, ou espanhol... a menos que... bem, não sei...

– Mas ninguém está trabalhando no canteiro Berthou?

– Não, o chefe foi recrutado, ao que me disseram... e depois os capatazes... ninguém escapa, não é, nem eu. Estou aguardando minha convocação... embora eu esteja com problema no coração.

– Mas, se ninguém trabalha no canteiro, o que esse barco fazia ali?

– Não sei. No entanto, trabalharam uma noite toda. Tinham postos trilhos no cais. Eu ouvia os vagonetes e estavam carregando... o quê? Não sei, e de manhã foram embora.

– Aonde iam?

– Desceram o rio para o lado de Mantes.

– Obrigado, amigo, era o que eu queria saber.

Dez minutos depois, ao chegar à casa de Essarès, Patrice e Dom Luís encontraram o motorista do carro que Siméon utilizara após seu encontro com dom Luís. Conforme a previsão de dom Luís, Siméon havia sido levado até uma estação ferroviária, a estação Saint-Lazare, onde comprou uma passagem.

– Para qual destino? – perguntou dom Luís.

O motorista respondeu:

– Para Mantes!

A "BELLE-HÉLÈNE"

– Não tem como errar – disse Patrice. – O aviso que foi dado ao senhor Desmalions, de que a remessa do ouro estava sendo feita... a rapidez com a qual o trabalho foi executado, de noite, sem preparativos e pelas próprias pessoas do barco... a nacionalidade estrangeira dessas pessoas... a direção que tomaram... tudo se encaixa. Provavelmente deve haver, entre o porão em que era jogado e o cubículo aonde chegava, um esconderijo intermediário onde o ouro permanecia, a menos que os mil e oitocentos sacos tenham esperado a remessa, pendurados um atrás do outro ao longo da canalização?

– Mas isso não importa. O essencial é saber que a *Belle-Hélène,* aninhada em algum canto do subúrbio, esperava o momento oportuno. Antes, por prudência, Essarès bei lhe lançava um sinal mediante essa chuva de faíscas que observei. Dessa vez o velho Siméon, que continua a obra de Essarès, certamente por vontade própria, avisou a tripulação, e os sacos de ouro estão fugindo do lado de Rouen e do Havre, em que algum navio a vapor os levará... até o Oriente. Afinal, algumas dezenas de toneladas no fundo do porão do navio sob uma camada de carvão não representam nada. O que acha? É isso mesmo, não é? Para mim é uma certeza...

– E Mantes, essa cidade para a qual ele comprou uma passagem e rumo à qual a *Belle-Hélène* está navegando? Está claro? Mantes, em que Siméon vai reencontrar seu carregamento de ouro, e onde vai embarcar disfarçado de marinheiro... nunca visto ou conhecido antes... O ouro e o bandido desaparecem... O que acha? Não tem erro?

Mais uma vez, dom Luís não respondeu. Mas devia concordar com as ideias de Patrice, porque, após um instante, ele disse:

– Está bem, vou até lá e veremos...

E disse ao motorista:

– Vá até a garagem e traga o carro de oitenta cavalos. Quero estar em Mantes daqui a uma hora. Quanto ao senhor, capitão...

– Quanto a mim, eu vou acompanhá-lo.

– E quem vai vigiar?...

– Mamãe Coralie? Que perigo está correndo? Agora ninguém pode atacá-la. O golpe de Siméon fracassou e neste momento ele só pensa na própria segurança... e nos seus sacos de ouro.

– Quer vir mesmo?

– Insisto.

– Talvez esteja errado. Mas, enfim, isso lhe diz respeito. Vamos embora... Ah! Antes, uma precaução...

Ele chamou:

– Ya-Bon!

O senegalês chegou às pressas.

Se Ya-Bon sentia por Patrice um apego baseado na lealdade, ele parecia professar em relação a dom Luís um culto religioso. O menor gesto do aventureiro o mergulhava em uma espécie de êxtase. Não parava de rir na presença do grande chefe.

– Ya-Bon, você sarou completamente? Sua ferida já se curou? Não está mais cansado? Perfeito. Nesse caso, siga-me.

Ele o levou até o cais, um pouco além do canteiro de obras Berthou.

– Esta noite, a partir das nove horas, você ficará de guarda aqui, neste banco. Traga algo para comer e beber e vigie especialmente o que acontece ali, mais abaixo. O que vai acontecer? Nada, talvez. Não importa, não saia daqui antes que eu tenha voltado... a menos... a menos que algo ocorra... e nesse caso você agirá conforme as circunstâncias.

Fez uma pausa e prosseguiu:

– Acima de tudo, Ya-Bon, desconfie de Siméon. Foi ele que o feriu. Se o avistar, pule em sua garganta e traga-o para cá... Mas não o mate, diabo! Não faça besteira, hein? Não quero que me entregue um cadáver... mas um homem vivo. Entendeu, Ya-Bon?

Patrice ficou preocupado.

– Assim, está temendo algo desse lado? Olhe, não é possível, já que Siméon foi embora...

– Capitão – disse dom Luís –, quando um bom general começa a perseguir o inimigo, isso não o impede que garanta o terreno conquistado e que deixe tropas em fortalezas. O canteiro Berthou é obviamente um ponto de encontro, o mais importante, talvez, de nosso adversário. Precisa ser vigiado.

Dom Luís tomou igualmente sérias precauções quanto a mamãe Coralie. Muito cansada, a jovem precisava de repouso e cuidados. Acomodaram-na no automóvel e, após uma corrida em direção ao centro de Paris, executada em alta velocidade para despistar qualquer tentativa de espionagem, ela foi levada ao anexo da Avenida Maillot, onde Patrice a entregou aos cuidados da supervisora e deu recomendações ao médico. Proibiu que qualquer pessoa estranha lhe fosse apresentada. Não devia responder a nenhuma carta que não estivesse assinada pelo "Capitão Patrice".

Às nove da noite o carro corria pela estrada de Saint-Germain e Mantes. Acomodado no fundo, ao lado de dom Luís, Patrice experimentava a exaltação da vitória e passava o tempo elaborando hipóteses que, aliás, tinham para ele o valor de certezas irrefutáveis. No entanto, algumas dúvidas permaneciam em sua mente, alguns pontos continuavam obscuros, sobre os quais ele gostaria de ter a opinião de Arsène Lupin.

– Para mim – dizia ele –, duas coisas seguem absolutamente incompreensíveis. Primeiramente, quem foi morto por Essarès no dia 4 de abril, às 7h19 da manhã? Ouvi gritos de agonia. Quem morreu? E o que aconteceu com o cadáver?

Dom Luís ainda não respondia, e Patrice continuava:

– O segundo ponto, ainda mais estranho, é a conduta de Siméon. Como, eis um homem que dedica sua vida a uma única meta, vingar o assassinato de seu amigo Belval e, ao mesmo tempo, garantir minha felicidade e a de Coralie. Nenhum fato desmente a coerência de sua vida. Adivinha-se nele um caráter obsessivo, maníaco até. E então, no dia em que seu inimigo Essarès bei falece, de repente ele muda radicalmente e nos persegue, Coralie e eu, até tramar e pôr em execução essa terrível maquinação que Essarès bei praticara com êxito contra nossos pais. Olhe, confesse que tudo isso é muito incrível. Será que foi a ganância pelo ouro que o fez enlouquecer, o prodigioso tesouro posto ao seu dispor desde o dia em que desvendou o segredo? Isso explicaria seus crimes? O homem honesto tornou-se bandido para satisfazer instintos que despertaram nele de repente? O que acha?

Silêncio de dom Luís. Patrice, que esperava que todos os enigmas fossem resolvidos em um instante pelo ilustre aventureiro, sentia irritação e surpresa.

Fez uma última tentativa.

– E o triângulo de ouro? Mais um mistério? Porque, afinal, nisso tudo não há sinal de qualquer triângulo! Onde está o triângulo de ouro? Tem alguma ideia a respeito disso?

Silêncio de dom Luís. No final, o capitão não conseguiu deixar de dizer:

– Mas o que está acontecendo? O senhor não responde… parece preocupado…

– Talvez – disse dom Luís.

– Mas por qual motivo?

– Ah! Não há motivo.

– No entanto…

– Pois acho que tudo está correndo bem demais.

– O que está correndo bem demais?

– Nosso caso.

E, como Patrice ia interrogá-lo, ele falou:

– Capitão, tenho pelo senhor a mais franca simpatia e o mais vivo interesse em tudo que lhe diz respeito, mas, devo confessar, há um problema que domina todos os meus pensamentos, e uma meta para a qual a todos os meus esforços se dirigem agora. É a busca pelo ouro que nos foi roubado, e não quero que esse ouro nos escape. Tive êxito no que diz respeito ao senhor. Mas, do outro lado, ainda não. Vocês dois estão sãos e salvos e ainda não tenho os mil e oitocentos sacos, e preciso tê-los... preciso tê-los...

– Mas o senhor vai conseguir, já que sabe onde estão.

– Vou pegá-los – disse dom Luís – quando estiverem alinhados diante de meus olhos. Até lá, nada está garantido.

Em Mantes, as buscas não se alongaram. Tiveram quase imediatamente a satisfação de saber que um viajante, cuja aparência correspondia à do velho Siméon, havia se hospedado no hotel Trois-Empereurs, e que nesse exato momento ele dormia em um quarto do terceiro andar.

Dom Luís se acomodou no térreo, enquanto Patrice, que por causa de sua perna podia facilmente chamar a atenção, foi para o Grand-Hôtel.

Acordou tarde, no dia seguinte. Um telefonema de dom Luís o informou que Siméon, após passar nos correios, fora até a margem do Sena, e depois à estação, de onde trouxera uma dama, bastante elegante, cujo rosto era escondido por um véu espesso. Ambos almoçaram no quarto do terceiro andar.

Às quatro horas, novo telefonema. Dom Luís pedia ao capitão que o encontrasse sem demora em um pequeno café na saída da cidade, em frente ao rio. Lá, Patrice pôde ver Siméon, que passeava ao longo do cais. Andava com as mãos às costas, a fisionomia de um homem que passeia à toa sem objetivo preciso.

– Cachecol, óculos, sempre a mesma aparência, sempre o mesmo aspecto – disse Patrice.

E acrescentou:

– Olhe-o bem, ele finge estar despreocupado, mas adivinha-se que seus olhos estão mirando rio acima, para a direção por onde a *Belle-Hélène* deve chegar.

– Sim, sim – murmurou dom Luís. – Olhe, aqui está a dama.

– Ah, essa? – disse Patrice. – Já a encontrei duas ou três- vezes na rua.

Um casaco de gabardina desenhava sua cintura e os ombros, que eram largos e um pouco fortes. Ao redor de seu chapéu de feltro de abas grande caía um véu. Ela entregou a Siméon o papel azul de um telegrama que ele leu imediatamente.

Então, conversaram por um momento, pareceram se orientar, passaram diante do café e pararam um pouco adiante.

Ali, Siméon escreveu algumas palavras em uma folha de papel que entregou à companheira. Ela o deixou e voltou à cidade. Siméon continuou a seguir o curso do rio.

– O senhor vai ficar aqui, capitão – disse dom Luís.

– Mas – protestou Patrice – o inimigo não parece estar de sobreaviso. Nem está olhando para trás.

– É melhor sermos prudentes, capitão. Mas que pena que não possamos saber o que Siméon escreveu naquele papel.

– E se eu alcançasse…

– Se alcançasse aquela dama? Não, não, capitão. Sem querer ofendê-lo, você não é páreo. Eu mesmo mal…

Ele se afastou.

Patrice esperou. Alguns barcos subiam e desciam o rio. Maquinalmente, olhava seus nomes. E, de repente, meia hora após o instante em que dom Luís o deixara, ele ouviu o ritmo muito nítido, a martelagem ritmada de um dos potentes motores que, há algum tempo, haviam sido adaptados em algumas barcaças.

De fato, uma barcaça desembocava na curva do rio. Quando passou diante dele, ele leu distintamente, e com forte emoção: *Belle-Hélène!*

Ela deslizava rapidamente, em um estrondo de explosões regulares. Era larga, abaulada e pesada, e andava bem mergulhada na água, embora não parecesse transportar nenhuma carga.

Patrice viu dois marinheiros sentados e que fumavam distraidamente. Amarrada à popa do barco, uma canoa era rebocada.

A barcaça se afastou e chegou à curva seguinte.

Patrice esperou uma hora a mais antes que dom Luís estivesse de volta. Imediatamente o capitão lhe perguntou:

– E aí, a *Belle-Hélène?*

– Dois quilômetros adiante. Soltaram a canoa e vieram buscar Siméon.

– Então ele foi embora com eles?

– Sim.

– Sem suspeitar de nada?

– Está me perguntando demais, capitão.

– Não importa! A vitória é nossa. Com o carro, vamos alcançá-los, ultrapassá-los e em Vernon, por exemplo, alertar as autoridades, militares e as demais, para que procedam à detenção, à apreensão...

– Não vamos avisar ninguém, capitão. Vamos executar essas pequenas operações por nós mesmos.

– Como? Mas...

Os dois homens se olharam. Patrice não conseguira esconder o pensamento que lhe vira à mente.

Dom Luís não se irritou.

– Tem medo de que eu leve os trezentos milhões? Caramba, é bem difícil esconder um pacote desse tamanho debaixo do paletó.

– Contudo – disse Patrice –, posso lhe perguntar quais são suas intenções a respeito disso?

– Pode, capitão, mas permita que eu adie minha resposta até o momento em que conseguirmos êxito. Por enquanto, precisamos ir ao encontro da barcaça.

Voltaram ao hotel Trois-Empereurs e saíram de carro em direção a Vernon. Dessa vez os dois permaneceram calados.

A estrada alcançava o rio alguns quilômetros adiante, ao pé de uma ladeira íngreme que começa em Rosny. No momento em que chegavam a Rosny, a *Belle-Hélène* já entrava na grande curva no fim da qual fica Roche-Guyon, e então o rio segue em direção à estrada principal em Bonnières. Três horas no mínimo eram necessárias para percorrer esse trajeto, ao passo que o carro, escalando a colina e cortando em linha reta, chegava a Bonnières quinze minutos depois.

Atravessaram a aldeia.

Um pouco adiante, à direita, havia um albergue. Dom Luís parou e disse ao motorista.

– Se não estivermos de volta à meia-noite, regresse a Paris. Vai me acompanhar, capitão?

Patrice o seguiu e eles chegaram, por um caminho estreito, às margens do rio, que percorreram durante quinze minutos. Finalmente dom Luís encontrou o que parecia procurar: uma canoa atracada a uma estaca, perto de uma casa cujas persianas estavam fechadas.

Dom Luís desamarrou a corrente.

Eram perto das sete da noite. A escuridão se estendia rapidamente, mas um belo luar iluminava a água.

– Primeiramente – disse dom Luís –, umas palavras de explicação. Vamos espiar a barcaça, que deve aparecer por volta das dez horas. Ela vai nos encontrar atravessados no meio do rio e, com a ajuda do luar… ou de minha tocha elétrica, daremos a ordem de parar, ordem à qual, decerto e vendo seu uniforme, vão obedecer. Então subiremos.

– E se não obedecerem?

– Nós a abordaremos. Lá há três pessoas e somos dois… portanto…

– E depois?

– Depois? Tudo nos leva a pensar que os dois tripulantes não passam de comparsas a serviço de Siméon, que ignoram seus atos e não sabem a natureza da carga. Uma vez neutralizado Siméon, eles, bem remunerados por mim, vão levar a barcaça aonde eu quiser. Mas, e é o ponto aonde eu queria chegar, capitão, devo alertá-lo que farei dessa barcaça o que eu bem entender. Vou entregar a carga na hora que eu quiser. É meu espólio, minha presa. Ninguém tem direito sobre a carga senão eu.

O oficial se retesou:

– Mas não posso aceitar tamanho papel…

– Nesse caso, dê-me sua palavra de honra de que guardará um segredo que não lhe pertence. E então, adeus, cada um vai para o seu lado. Vou abordar sozinho essa barca e o senhor volta a cuidar de seus negócios. Note, aliás, que não exijo uma resposta imediata. Tem todo o tempo para refletir e tomar a decisão que lhe ditam seus interesses e seus bem nobres escrúpulos. Quanto a mim, desculpe-me, mas lhe confidenciei minhas pequenas fraquezas: quando as circunstâncias me dão um pouco de trégua, aproveito para dormir. "*Carpe omnium*[8]", disse o poeta. Boa noite, capitão.

E, sem mais uma palavra, dom Luís se cobriu com seu casaco, pulou no barco e se deitou.

Patrice tivera que fazer um violento esforço para refrear sua fúria. A calma irônica de dom Luís, sua entonação polida, em que havia um pouco de sarcasmo, o irritavam, ainda mais porque ele sofria a influência desse homem e se reconhecia incapaz de agir sem sua ajuda. E, ademais, como esquecer que dom Luís havia salvado a vida dele e de Coralie?

Passaram-se horas. O aventureiro dormia na noite fresca. Patrice hesitava, procurando um plano de conduta que lhe permitisse atingir Siméon e se livrar desse implacável inimigo, ao mesmo tempo que impedisse dom Luís de pôr a mão no enorme tesouro. Ele se consternava por ser cúmplice. E, no entanto, quando as primeiras batidas do motor se fizeram ouvir ao longe e dom Luís despertou, Patrice estava ao seu lado, pronto para agir.

Não trocaram uma única palavra. Um sino de aldeia tocou onze horas. A *Belle-Hélène* se aproximava.

Patrice sentia sua emoção crescer. A *Belle-Hélène* significava a captura de Siméon, a recuperação dos milhões, Coralie fora de perigo, o fim do mais abominável pesadelo, a obra de Essarès definitivamente derrotada. O motor martelava, cada vez mais perto. Seu ritmo regular e potente se ampliava no Sena, que deslizava em silêncio. Dom Luís, cuidando da direção da canoa, remava com vigor para alcançar o meio do rio.

E, de repente, viram ao longe uma massa preta que surgia na luz branca. Doze a quinze minutos ainda, e estaria ali.

– Quer que eu o ajude? – murmurou Patrice. – Parece que a corrente o está levando e que tem dificuldade para manter o barco no lugar.

– Dificuldade nenhuma – disse dom Luís, que se pôs a cantarolar.

– Mas o que…

Patrice estava surpreso. A canoa havia girado a cento e oitenta graus e voltava à margem.

---

8 "Aproveite tudo", em latim. (N.T.)

– Mas o que... o que... – repetiu... O que está fazendo? Ficou de costas para eles... O quê? Decidiu renunciar?... Não entendo... ou é porque somos apenas dois? Dois contra três? E está com receio? É isso?

De um só movimento, Dom Luís pulou para a margem e estendeu a mão a Patrice.

Este o rechaçou e resmungou:

– Vai me explicar?

– Vai ser longo demais – respondeu dom Luís. – Uma única pergunta: esse livro que encontrei no quarto do velho Siméon, *As memórias de Benjamin Franklin,* o senhor já o vira em suas investigações?

– Diabo! Parece-me que temos outras coisas...

– É urgente, capitão.

– Pois bem, não, não estava lá.

– Então – disse dom Luís – é isso mesmo, fomos enganados, ou melhor, para ser mais justo, fui enganado. Vamos, capitão, e rápido.

Patrice não havia saído da canoa. Com um movimento brusco, empurrou-a para dentro do rio e agarrou o remo, resmungando.

– Caramba! Acho que está zombando de mim!

E, já a dez metros da margem, exclamou:

– Se tem medo, irei sozinho. Não preciso de ninguém!

Dom Luís lhe respondeu:

– Até mais, capitão, vou esperá-lo no albergue.

A expedição de Patrice não encontrou nenhuma dificuldade. À primeira ordem que lançou com voz imperiosa, a *Belle-Hélène* se imobilizou, de modo que a abordagem se realizou na maior tranquilidade.

Os dois marinheiros, homens já maduros, oriundos da costa basca e aos quais ele se apresentou como agente delegado pela autoridade militar, deixaram que visitasse a barcaça.

Ele não encontrou o velho Siméon, nem o menor saco de ouro. O porão estava quase vazio.

O interrogatório foi rápido.

– Aonde estão indo?

– Até Rouen. Fomos requisitados para um serviço de abastecimento.

– Mas deixaram alguém subir a caminho?

– Sim, em Mantes.

– Seu nome?

– Siméon Diodokis.

– O que aconteceu com ele?

– Pediu para descer logo depois para pegar o trem.

– O que queria?

– Pagar-nos.

– Em troca de quê?

– De um carregamento que fizemos em Paris há dois dias.

– Eram sacos?

– Sim.

– De quê?

– Não sabemos. Pagava bem. Isso bastava.

– E onde está esse carregamento?

– Nós o transferimos ontem à noite para um pequeno barco a vapor que nos acostou logo depois de Poissy.

– O nome desse barco?

– O *Chamois*. Seis tripulantes.

– E onde está?

– Mais adiante. Ia às pressas. Já deve estar além de Rouen. Siméon Diodokis deve ir ao seu encontro.

– Desde quando conhecem Siméon Diodokis?

– Era a primeira vez que o víamos. Mas sabíamos que trabalhava para o senhor Essarès.

– Ah! Vocês trabalharam para o senhor Essarès?

– Várias vezes... o mesmo trabalho e a mesma viagem.

– Ele os chamava mediante um sinal?

– Uma velha chaminé de fábrica que ele acendia.

– Eram sempre sacos?

– Sim, sacos. Não sabíamos de que se tratava. Ele pagava bem.

Patrice não fez outras perguntas. Rapidamente, desceu na canoa, voltou para a margem e encontrou dom Luís sentado diante de um reconfortante jantar.

– Rápido – disse ele. – O carregamento está a bordo de um barco a vapor, o *Chamois,* que vamos alcançar entre Rouen e o Havre.

Dom Luís se levantou e entregou ao oficial um pacote embrulhado com papel branco.

– Aqui estão dois sanduíches, capitão. A noite vai ser difícil. Lamento que não tenha dormido tão bem quanto eu. Vamos, e dessa vez vou dirigir. O motor vai roncar. Sente-se ao meu lado, capitão.

Os dois homens subiram no carro, junto ao motorista. Mas mal estavam na estrada e Patrice exclamou:

– Ah! Olhe, cuidado! Não desse lado! Estamos voltando para Mantes e Paris.

– É exatamente o que quero – disse dom Luís com uma risada.

– Hein? O quê? Para Paris?

– Obviamente.

– Ah! Não, não! Isso está ficando absurdo demais. Já que eu lhe disse que os dois marinheiros…

– Seus marinheiros? Uns farsantes.

– Afirmaram-me que o carregamento…

– O carregamento? Um lastro.

– Mas o *Chamois…*

– O *Chamois?* Um barco. Eu lhe repito que fomos enganados, capitão, completamente enganados! O velho Siméon é um homem prodigioso! É um grande adversário, o velho Siméon. Com ele não falta diversão! Preparou uma armadilha na qual caí até o pescoço. Que seja assim! Só que mesmo a melhor brincadeira tem seus limites, não é? Chega de rir!

– Contudo…

– Não está feliz, capitão? Após a *Belle-Hélène,* quer atacar o *Chamois?* Como quiser, pode descer em Mantes. Mas quero avisá-lo que Siméon está em Paris, com três ou quatro horas à nossa frente.

Patrice estremeceu. Siméon em Paris! Em Paris, onde Coralie se encontrava. Parou de protestar, e dom Luís prosseguiu:

– Ah! Miserável! E não é que soube jogar mesmo? Um golpe de mestre, *As memórias de Benjamin Franklin!*... Sabendo de minha chegada, ele disse a si mesmo: "Arsène Lupin? É um homem perigoso, capaz de resolver o caso e dar conta de mim e dos sacos de ouro. Para me livrar dele, um único jeito: fazer com que corra atrás da pista verdadeira, e com tanto ímpeto que nem vai perceber do minuto psicológico em que a verdadeira pista se tornar falsa". Hein? Não é esperto? Então o livro de Franklin foi posto como uma isca, foi a página que se abre sozinha no lugar desejado, foi minha inevitável e fácil descoberta da canalização, foi o fio de Ariadne[9] que me foi oferecido com tanta gentileza e que segui docilmente, conduzido que fui pela própria mão de Siméon, desde o porão até o canteiro Berthou.

– E, até aí, estava tudo bem. Mas a partir de então, cuidado! No canteiro Berthou não havia ninguém. Apenas, ao lado, uma barcaça, portanto uma possibilidade de obter informações e, consequentemente, a certeza de que eu ia me informar. E acabo me informando e, uma vez informado, eu me perco.

– Mas, então, aquele homem?

– Ah! Sim, um cúmplice de Siméon, que, suspeitando que ia ser seguido até a estação Saint-Lazare, me mandou assim por duas vezes na direção de Mantes. Em Mantes, a farsa continua. A *Belle-Hélène* passa, carregando Siméon e os sacos de ouro; corremos atrás da *Belle-Hélène*. Obviamente, na *Belle-Hélène*, nada, nem Siméon, nem os sacos de ouro. "Corram atrás do *Chamois*. Transferimos o carregamento para o *Chamois*."

E dom Luís concluiu:

– Corremos atrás do *Chamois*, até Rouen, até o Havre, até o fim do mundo, e claro, em vão, já que o *Chamois* não existe. Mas acreditamos firmemente que existe e que escapou às nossas investigações. Então está

[9] Conta a lenda da mitologia grega que Ariadne, filha de Minos, rei de Creta, ajudou seu grande amor, Teseu, a sair do labirinto do Minotauro seguindo um novelo de lã, o "fio de Ariadne". Teseu entrou no labirinto e venceu o monstro, que era metade homem, metade touro. (N.T.)

tudo acabado. Os milhões foram embora. Siméon desapareceu. E não nos resta nada a fazer senão nos resignarmos e abandonar nossas buscas. Você percebe, abandonarmos nossas buscas, essa é a meta desse homem. E ele teria alcançado essa meta se…

O carro andava a toda velocidade. Uma vez ou outra, com incrível destreza, dom Luís parava de repente. Um posto de controle. Apresentação de salvo-conduto. E ele voltava a pisar no acelerador e retomar a corrida desenfreada e vertiginosa.

– Se… o quê?… – perguntou Patrice, não totalmente convencido. – Qual indício o pôs no caminho certo?

– A presença dessa mulher em Mantes. Indício vago, no começo. Mas, de repente, lembrei que na primeira barcaça, a *Nonchalante*, o indivíduo que nos deu essas informações… lembre-se… o canteiro Berthou! Pois bem, diante desse indivíduo… eu tive uma impressão estranha… inexplicável, que eu talvez estivesse diante de uma mulher disfarçada. Essa impressão surgiu de novo em mim. Fiz um paralelo com a mulher de Mantes… e então… então, de repente, tudo ficou claro…

Dom Luís refletiu e, em voz baixa, continuou:

– Mas que diabo, quem pode ser essa mulher?

Houve um silêncio, e Patrice murmurou instintivamente:

– Grégoire, certamente…

– Hein? O que disse? Grégoire?

– É no que acredito que esse Grégoire é uma mulher.

– Olha só, o que está me contando?

– É óbvio… Lembre… foi o que os cúmplices me revelaram no dia em que mandei detê-los, no terraço do café.

– Como! Mas não há uma única palavra sobre isso em seu diário!

– Ah!… de fato… eu me esqueci desse detalhe.

– Um detalhe! Chama isso de detalhe. Mas é da maior importância, capitão! Se eu tivesse sabido, eu poderia ter adivinhado que esse barqueiro não era ninguém mais que Grégoire, e não íamos perder uma noite inteira. Credo, o senhor tem cada uma, capitão!

Mas isso não podia alterar o bom humor de dom Luís. Agora, enquanto Patrice, atormentado por pressentimentos, se tornava cada vez mais taciturno, ele se punha a cantar vitória.

– Já não era sem tempo! A batalha está ficando séria! E também tudo estava muito fácil, e é por isso que eu estava me sentido desmotivado, eu, Lupin! E quem disse que as coisas funcionam assim na realidade? Será que tudo se encadeia com essa precisão? Franklin, o canal de ouro, o esquema ininterrompido, as pistas que se revelam por si só, o encontro em Mantes, a *Belle-Hélène,* não, tudo isso me incomodava. Era fácil demais para ser verdade! E então, essa fuga do ouro em uma barcaça!... Em tempo de paz, até que tudo bem, mas durante a guerra, em pleno regime de salvo-condutos, de barcos de patrulha, de busca e apreensão... Como um homem como Siméon se arrisca a fazer uma viagem dessas? Não, eu estava desconfiado, e foi por isso, capitão, que, por mero acaso, pus Ya-Bon de vigia diante do canteiro Berthou. Uma ideia como qualquer outra...

Lupin seguiu seu raciocínio:

– Bem que esse canteiro estava no centro da aventura! Hein? Não tive razão? E o senhor Lupin perdeu seu faro? Capitão, eu lhe confirmo que vou embora amanhã à noite. Aliás, devo ir, como eu lhe disse: vencedor ou derrotado, tenho que ir embora... mas vamos vencer... tudo vai se esclarecer... Chega de mistério... nem o do triângulo de ouro... Ah! Não pretendo lhe trazer um belo triângulo do metal precioso. Não, não deve se deixar iludir por essas palavras. Talvez seja uma disposição geométrica dos sacos de ouro, um amontoamento em forma de triângulo... ou então o buraco na terra que foi cavado dessa maneira. Não importa, será nosso! E os sacos de ouro também serão nossos! E Patrice e Coralie se apresentarão perante o juiz de paz e receberão minha bênção, e terão muitos filhos!

Estavam chegando às portas de Paris. Patrice, cada vez mais preocupado, perguntou:

– Assim, acredita que não haja mais nada a temer?

– Ah, ah!, eu não disse isso, o drama não acabou. Após a grande cena do terceiro ato, que vamos chamar de cena do monóxido de carbono, com certeza haverá um quarto ato, e talvez um quinto. O inimigo ainda não entregou suas armas, diabo!

Estavam seguindo os cais.

– Vamos descer aqui – disse dom Luís.

Ele deu um apito e repetiu o sinal por três vezes.

– Sem resposta – murmurou. – Ya-Bon não está mais ali. A luta já começou, estou certo disso.

– Mas e Coralie?

– Não tema por ela. Siméon não sabe onde está.

No canteiro Berthou não havia ninguém. No cais, mais abaixo, ninguém também. Mas, com a ajuda do luar, era possível ver a outra barcaça, a *Nonchalante*.

– Vamos lá – disse dom Luís. – Será que essa barcaça é a moradia habitual dessa tal de Grégoire? Será que já voltou a ela, pensando que estamos a caminho do Havre? É o que espero. Em todo caso, Ya-Bon certamente deve ter passado por aí e deixado algum sinal. Você me acompanha, capitão?

– Claro. Só acho estranho o quanto sinto medo!

– Do quê? – disse dom Luís, que era suficientemente corajoso para entender essa impressão.

– Do que vamos encontrar…

– Bem, talvez nada.

Cada um ligou sua lanterna elétrica e apalpou a coronha do revólver.

Passaram pela prancha que ligava o barco à margem. Alguns degraus. A cabine.

A porta estava trancada.

– Olá, amigo, seria bom você abrir.

Sem resposta. Tiveram que derrubar a porta, o que não foi fácil porque era maciça e não tinha nada em comum com uma porta habitual de cabine.

Finalmente ela cedeu.

– Caramba – disse dom Luís, o primeiro a entrar –, eu não esperava por isso!

– O quê?

– Veja por si... essa mulher, a quem chamávamos Grégoire... parece morta...

Estava deitada em uma pequena cama de ferro, sua bata masculina aberta, o peito descoberto. O rosto mantinha uma expressão de medo extremo. A desordem da cabine indicava que a luta havia sido furiosa.

– Eu não estava enganado. Ao lado dela estão as roupas que ela usava em Mantes. Mas o que há, capitão?

Patrice havia abafado um grito.

– Ali... à nossa frente... abaixo da janela...

Era uma janelinha que dava para o rio. O vidro estava quebrado.

– Bem – disse dom Luís. – O quê? Sim, de fato, alguém deve ter sido jogado por aí...

– Esse véu azul... Esse véu azul... – gaguejou Patrice – é seu véu de enfermeira... o véu de Coralie...

Dom Luís se irritou:

– Impossível! Olhe, ninguém conhecia seu endereço.

– No entanto...

– No entanto, o quê? O senhor lhe escreveu? Telegrafou para ela?

– Sim... Eu lhe telegrafei... de Mantes...

– O que disse? Mas então... Olhe, olhe... é uma loucura... O senhor fez isso?

– Sim.

– Telegrafou dos correios de Mantes?

– Sim.

– E havia alguém mais nessa agência dos correios?

– Sim, uma mulher.

– Quem? A que está aqui, assassinada?

– Sim.

– Mas ela leu o que escreveu?

– Não, mas eu tive que refazer minha mensagem duas vezes.

– E o rascunho, o senhor o jogou ao acaso, no chão... de modo que o primeiro que chegasse... Ah! realmente, há de confessar, capitão...

Patrice já estava longe. Corria a toda pressa em direção ao carro.

Meia hora depois, voltava com dois telegramas na mão, os dois encontrados na mesa de Coralie.

O primeiro, enviado por ele, continha as seguintes palavras:

Está tudo bem... Fique tranquila e não saia. Carinhosamente, capitão Patrice.

O segundo, obviamente enviado por Siméon, estava assim redigido:

Graves acontecimentos. Projetos modificados. Estamos voltando. Espero por você às nove horas na portinha de seu jardim. Capitão Patrice.

Coralie havia recebido esse segundo telegrama às oito horas. Logo depois, tinha saído.

O QUARTO ATO

– Capitão – notou dom Luís –, o senhor já cometeu dois belos deslizes. O primeiro foi por não ter me avisado que Grégoire era uma mulher. O segundo...

Mas dom Luís viu o oficial em tamanho estado de abatimento que interrompeu sua acusação. Pôs a mão sobre o ombro de Patrice e disse:

– Vamos, capitão, não se abale. A situação não é tão ruim quanto pensa.

Patrice murmurou:

– Para escapar desse homem, Coralie se jogou por essa janela.

Dom Luís deu de ombros.

– Mamãe Coralie está viva... nas mãos de Siméon, mas viva.

– Eh, e como sabe? Ademais, estar nas mãos desse monstro não é a morte, a morte em todo o seu horror?

– É uma ameaça de morte. Mas é a vida, se chegarmos a tempo. E vamos chegar.

– O senhor tem uma pista?

– Acha que estou de braços cruzados? E que meia hora não tenha sido suficiente para um velho aventureiro como eu decifrar os enigmas que se encontram nessa cabine?

– Então vamos embora – exclamou Patrice, já pronto para a luta. – Vamos atrás do inimigo.

– Ainda não – disse dom Luís, que ainda procurava ao redor. – Escute-me. Eis o que sei, capitão, e eu vou lhe dizer sem rodeios, sem tentar deslumbrá-lo com minhas deduções, sem mesmo lhe contar todas as coisinhas que me serviram de prova. A realidade nua, nada mais. Portanto…

– Portanto?

– Às nove horas mamãe Coralie veio ao encontro. Siméon já estava lá com sua cúmplice. Ambos a amarraram e amordaçaram e a trouxeram até aqui. Note que, para eles, o esconderijo era seguro, já que, com toda certeza, ainda não havíamos descoberto a armadilha. No entanto, devemos presumir que se tratava de um esconderijo provisório, escolhido para uma parte da noite, e que Siméon contava deixar mamãe Coralie nas mãos de sua cúmplice e ir em busca de um refúgio definitivo, de uma prisão. Mas, felizmente, e disso tiro certo orgulho, Ya-Bon estava ali. Ya-Bon, perdido na escuridão, vigiava tudo de seu posto. Deve ter visto essas pessoas que atravessavam o cais e, certamente, ter reconhecido de longe a silhueta de Siméon.

– Imediatamente Ya-Bon os perseguiu, pulou no convés da barcaça e chegou aqui ao mesmo tempo que os dois agressores, e antes que eles pudessem se trancar. Quatro pessoas nesse cômodo exíguo, em plena escuridão, deve ter sido um tumulto geral. Conheço Ya-Bon nessas situações. É terrível. Infelizmente, não foi Siméon que ele apanhou com sua mão implacável… foi essa mulher. Siméon se aproveitou disso. Não havia soltado Coralie. Pegou-a em seus braços, subiu até o convés, jogou-a no alto dos degraus e voltou para trancar a porta da cabine, deixando nela os dois combatentes.

– O senhor acredita?… Acredita que tenha sido Ya-Bon, e não Siméon, que matou essa mulher?

– Com certeza. Se não houvesse outras provas, ao menos existe essa, essa fratura da laringe, que é a marca típica de Ya-Bon. O que não entendo é o motivo pelo qual Ya-Bon, uma vez seu adversário dominado, não derrubou a porta com um tranco de ombro para correr atrás de Siméon.

Suponho que foi ferido e, por isso, não pôde fazer o esforço necessário. Também suponho que a mulher não morreu imediatamente, e que deve ter falado, e falado contra Siméon, que a abandonou em vez de defendê-la. De qualquer modo, Ya-Bon quebrou as vidraças...

– Para se jogar no Sena, ferido, com um único braço? – objetou Patrice.

– Em absoluto. Há um parapeito ao longo dessa janela. Ele pode ter-se equilibrado nele e ido embora por aí.

– Tudo bem, mas tinha dez a vinte minutos de atraso em relação a Siméon.

– Tanto faz, se antes de morrer essa mulher teve tempo de lhe dizer onde Siméon se escondia.

– E como vamos saber?

– É o que estou procurando enquanto conversamos, capitão... e é o que acabo de descobrir.

– Aqui?

– Agora mesmo, e não esperava menos de Ya-Bon. Essa mulher lhe indicou um lugar da cabine... olhe, certamente essa gaveta que ficou aberta, e onde estava um cartão de visita com endereço. Ya-Bon pegou esse cartão e, para me avisar, o prendeu nessa cortina. Eu o vi antes, mas foi somente no instante em que notei o alfinete que o segurava. Um alfinete de ouro com o qual eu mesmo pendurei no peito de Ya-Bon a cruz de Marrocos.

– E esse endereço?

– Amédée Vacherot, Rua Guimard, 18. A Rua Guimard fica bem perto daqui, o que confirma a informação.

Foram embora imediatamente, deixando o cadáver da mulher. Como disse dom Luís, a polícia ia cuidar disso.

Ao atravessar o canteiro Berthou, deram uma olhada no cubículo, e dom Luís comentou:

– Falta uma escada. Vamos nos lembrar desse detalhe. Siméon deve ter passado por aqui, e Siméon também começa a cometer deslizes.

O carro os levou à Rua Guimard, uma ruazinha de Passy cujo número 18 corresponde a um amplo prédio de moradia, de construção já antiga. Já eram duas da manhã quando tocaram a campainha da porta principal.

Demoraram para abrir e, quando eles entraram pelo pórtico de entrada, o zelador passou a cabeça para fora da portaria.

– Quem está aqui?

– Precisamos muito ver o senhor Amédée Vacherot.

– Sou eu.

– É o senhor?

– Sim, eu, o zelador. Mas com que direito?

– Ordem da polícia – disse dom Luís, exibindo uma medalha qualquer.

Entraram na portaria.

Amédée Vacherot era um velhinho, com rosto honesto, suíças brancas, e aparência de sacristão.

– Responda claramente – ordenou dom Luís em voz rude – e sem rodeios, está bem? Procuramos o senhor Siméon Diodokis.

O zelador se assustou.

– Para lhe causar algum mal? Se for para prejudicá-lo, é inútil querer me interrogar. Prefiro morrer aos poucos do que prejudicar esse bom senhor Siméon.

O tom de voz de dom Luís se suavizou.

– Causar-lhe algum mal? Ao contrário, estamos procurando-o para lhe fazer um favor, protegê-lo contra um grande perigo.

– Um grande perigo – exclamou Vacherot. – Ah! Isso não me surpreende. Eu nunca o vi tão agitado.

– Então ele veio?

– Sim, logo depois da meia-noite.

– Está aqui?

– Não, já foi embora.

Patrice teve um gesto de desespero e perguntou:

– Talvez tenha deixado alguém?

– Não, mas queria trazer alguém.

– Uma dama?

O senhor Vacherot hesitou.

– Sabemos – interveio dom Luís – que Siméon Diodokis tenta proteger uma dama pela qual tem a mais profunda veneração.

– Mas pode me dizer o nome dessa senhora? – questionou o zelador, ainda desconfiado.

– Certamente. É a senhora Essarès, a viúva do banqueiro na casa de quem Siméon exercia a função de secretário. A senhora Essarès está sendo perseguida, ele a defende contra seus inimigos, e como nós queremos socorrer ambos, e nos encarregarmos desse caso criminal, insistimos para que o senhor...

– Pois bem, é o seguinte – disse Vacherot, totalmente tranquilizado. – Conheço Siméon Diodokis há muitos anos, prestou-me serviço na época em que eu trabalhava como marceneiro, emprestou-me algum dinheiro, conseguiu esta vaga para mim e com muita frequência vinha conversar aqui na portaria, falar sobre muitas coisas...

– Sobre suas histórias com Essarès bei? Sobre seus projetos em relação a Patrice Belval? – perguntou dom Luís casualmente.

O zelador hesitou mais uma vez e disse:

– Sobre muitas coisas. É um excelente homem, o senhor Siméon, que faz o bem e que recorria a mim para suas boas obras no bairro. E, ainda há pouco ainda, arriscava a própria vida pela senhora Essarès.

– Mais uma palavra. O senhor o viu desde que Essarès bei morreu?

– Não. Foi a primeira vez. Chegou por volta de uma hora. Falava em voz baixa, ofegante, e prestava atenção nos ruídos da rua. "Fui seguido", ele me disse... "Fui seguido... posso jurar..." "Mas por quem?", perguntei. "Você não o conhece... Só tem uma mão, mas que torce o pescoço...", e então ele se calou. Mas voltou a falar em voz bem baixa... eu mal conseguia ouvir: "É o seguinte, você vai comigo. Vamos buscar uma senhora, a senhora Essarès... querem matá-la... eu a escondi bem, mas ela desmaiou... vai ter que carregá-la... Mas, não, afinal, vou sozinho; vou dar um jeito... Mas eu queria saber... meu quarto ainda está livre?". Devo lhes dizer que ele tem um pequeno alojamento aqui, desde o dia em que também teve que se esconder. Voltava aqui de vez em quando e o mantinha, porque é um quarto isolado, afastado dos outros inquilinos.

– E depois? – disse Patrice, ansioso.

– Depois? Mas ele foi embora.

– Mas então, por que ainda não voltou?

– Confesso que é preocupante. Talvez esse homem que o seguia o tenha atacado? Ou então talvez seja a dama... a dama que sofreu alguma desgraça?

– O que disse? Por que teria sofrido alguma desgraça?

– Temo que sim. À primeira vista, quando me indicou de que lado íamos buscá-la, ele me disse: "Depressa. Para salvá-la, tive de escondê-la em um buraco... duas a três horas, tudo bem. Além disso, ela vai sufocar... por falta de ar...".

Patrice havia agarrado o velho homem. Estava fora de si. Enlouquecia diante da ideia que Coralie, já doente e exausta, pudesse agonizar em algum lugar, assolada de medo e martírio.

– Você vai falar! – gritava ele –, e agora. Vai nos dizer onde ela está! Ah! Pensa que pode zombar de nós dessa maneira! Onde ela está? Ele lhe contou... você sabe...

Sacudia o senhor Vacherot pelos ombros e lhe lançava sua cólera com incrível violência.

Dom Luís deu uma risada:

– Muito bem, capitão! Está de parabéns! Minha colaboração o ajudou a fazer verdadeiros progressos. Agora o senhor Vacherot vai colaborar conosco.

– Ah! Muito bem – exclamou Patrice –, você vai ver se não consigo soltar a língua desse homem!

– Inútil, senhor – declarou o zelador com muita firmeza e grande calma. – Estão enganados, senhores; são inimigos do senhor Siméon. Não vou falar uma única palavra sequer que possa informá-los.

– Você não vai falar? Não vai falar?

Exasperado, Patrice apontou o revólver para o zelador.

– Vou contar até três. Se até lá você não se decidir a falar, eu, capitão Belval, vou lhe dar uma lição que nunca esquecerá.

O zelador estremeceu. Pela expressão de seu rosto, era possível ver que algo novo acabara de se produzir e que modificava completamente a situação atual.

– O capitão Belval! O que disse? O senhor é o capitão Belval?

– Ah, homem, parece que isso o fez refletir!

– É o capitão Belval? Patrice Belval?

– Ao seu dispor se, daqui a dois segundos, você não tiver explicado...

– Patrice Belval! É Patrice Belval e pretende ser o inimigo de Siméon? Olhe, olhe, não é possível. Como! O senhor quer...

– Matá-lo feito cachorro, como o cachorro que ele é... sim, esse bandido de Siméon, e você também, seu cúmplice... Ah! que bandidos! Ah! Mas vai se decidir a falar?

– Seu infeliz! – balbuciou o zelador... – Infeliz! Não sabe o que faz... Matar o senhor Siméon! O senhor! O senhor! Mas é o último homem que poderia cometer tamanho crime!

– E daí? Fale então, seu velho estúpido!

– O senhor, matar o senhor Siméon, o senhor, Patrice! O senhor, o capitão Belval!

– E por que não?

– Existem coisas...

– Que coisas?...

– É que...

– Ah, diabo! Mas será que vai falar, seu velho tolo? Do que se trata?

– O senhor, Patrice, matar o senhor Siméon!

– E por que não! Fala, em nome de Deus! Por que não?

O zelador ficou mudou por alguns instantes, então murmurou:

– Você é filho dele.

Toda a fúria, toda a angústia de Patrice ao pensar que Coralie estava em poder de Siméon ou então jazia no fundo de algum buraco, toda a sua dolorosa impaciência, todos os seus temores, de repente deram lugar a uma formidável alegria que se expressou em longas risadas.

– O filho de Siméon! O que está contando! Ah! Essa piada é bem boa! É verdade, você inventa cada uma para tentar salvá-lo, velho bandido! Caramba, assim é fácil. "Não mate esse homem, é seu pai!" Meu pai, o imundo Siméon! Siméon Diodokis, pai do capitão Belval! Não, é de rolar no chão de rir.

Dom Luís havia escutado em silêncio. Fez um sinal a Patrice e disse:

– Capitão, quer que eu resolva esse assunto? Poucos minutos serão suficientes, e não vamos nos atrasar. Ao contrário.

E, sem esperar a resposta do oficial, debruçou-se sobre o zelador, a quem pediu lentamente:

– Vamos esclarecer as coisas, senhor Vacherot. É do interesse de todos. Trata-se somente de ser claro e não se perder em frases supérfluas. Aliás, você já falou demais para não ir até o fim de sua revelação. Siméon Diodokis não é o verdadeiro nome de seu benfeitor, não é?

– De fato.

– Ele se chama Armand Belval e aquela que o amava chamava-o de Patrice Belval.

– Sim, assim como seu filho.

– No entanto, esse Armand Belval foi vítima do mesmo assassinato que a mulher a quem ele amava, que é a mãe de Coralie Essarès?

– Sim, mas a mãe de Coralie Essarès morreu. Ele não morreu.

– Foi no dia 14 de abril de 1895.

– Isso mesmo.

Patrice agarrou Dom Luís pelo braço.

– Venha – balbuciou. – Coralie está agonizando. O monstro a soterrou. É só isso que importa.

Dom Luís respondeu:

– Esse monstro, o senhor não acredita que seja seu pai?

– Está louco?

– Contudo, capitão, está tremendo...

– Pode ser... pode ser... mas, por causa de Coralie!... Não ouço o que esse homem está dizendo! Ah! Suas palavras são como um pesadelo! Que se cale! Que se cale! Eu deveria tê-lo estrangulado!

Desabou em uma cadeira, os cotovelos apoiados na mesa e a cabeça entre as mãos. De fato, o momento era aterrador, e nenhuma catástrofe poderia ter abalado um homem mais profundamente que essa.

Dom Luís o olhou com emoção e então, dirigindo-se para o zelador, disse, de maneira incisiva:

– Explique-se, senhor Vacherot. Em poucas palavras, certo? Sem detalhes. Mais tarde veremos. Portanto, em 14 de abril de 1895...

– Em 14 de abril de 1895, um escrivão de tabelião, acompanhado pelo delegado de polícia, veio encomendar ao meu patrão, bem perto daqui, dois caixões para serem entregues assim que prontos. A oficina toda se pôs à obra. Às dez da noite o patrão, um de meus camaradas e eu chegávamos à Rua Raynouard, em uma casa...

– Eu a conheço. Prossiga.

– Lá estavam dois corpos. Envolvemos ambos com sudário e os colocamos nos caixões. Então, às onze horas, meu patrão e meu camarada me deixaram sozinho com a religiosa. Só restava pregá-los. Ora, naquele momento a religiosa, que estava vigiando e rezando, adormeceu, e aconteceu essa coisa... Ah! Algo que deixou meus cabelos em pé e que nunca vou esquecer, senhor... eu mal me segurava de pé... eu tremia de medo... Senhor, *o corpo do homem havia se mexido... o homem vivia.*

Dom Luís perguntou:

– Então você não sabia nada a respeito do crime? Ignorava tudo sobre o atentado?

– Sim, disseram-nos que ambos haviam se asfixiado com gás. Aliás, esse homem precisou de várias horas para recuperar a consciência. Estava como que envenenado.

– Mas por que não avisou a religiosa?

– Não sei dizer. Estava atordoado. Eu olhava o morto que voltava à vida, que se animava aos poucos, e que acabou por abrir os olhos. Sua primeira palavra foi: "Ela morreu, não é?". E imediatamente ele me disse: "Não diga nada. Silêncio a respeito disso. Vão acreditar que morri, e é melhor assim". E, não sei por quê, aceitei. Esse milagre tirava de mim qualquer vontade própria... Eu obedecia como uma criança...

Vacherot continuou seu relato:

– Ele acabou se levantando. Debruçou-se sobre o outro caixão, abriu o sudário e beijou várias vezes o rosto da morta, murmurando: "Vou vingá-la. Minha vida toda será dedicada a vingá-la, e também, como o queria, a unir nossos filhos. Se não me mato, é por eles, por Patrice e Coralie. Adeus".

Depois, ele me disse: "Ajude-me". Então, tiramos a morta do caixão e a transportamos até um pequeno cômodo ao lado. Depois, fomos ao jardim, pegamos pedras grandes e as pusemos no lugar dos dois corpos. Uma vez isso feito, preguei os dois caixões e saí, após ter despertado a freira. Ele havia se trancado no cômodo com a morta. De manhã, os homens da funerária vinham buscar os dois caixões.

Patrice havia desapertado os punhos, e seu olhar convulsionado intercalava-se entre o de dom Luís e o do zelador. Com os olhos apreensivos fixados no homem, ele balbuciou:

– Mas e os túmulos...? Essa inscrição que diz que ambos os mortos descansam lá, perto da casa em que ocorreu o assassinato?... Esse cemitério?

– Armand Belval quis que fosse assim. Naquela época eu morava em uma água-furtada desse prédio onde estamos. Aluguei para ele um apartamento em que ele veio morar furtivamente sob o nome de Siméon Diodokis, já que Armand Belval estava legalmente morto, e onde ele permaneceu vários meses sem sair. Então, sob seu novo nome, e por meu intermediário, ele comprou de volta sua casa. E, aos poucos, juntos, cavamos os túmulos, o de Coralie e o seu. O seu, sim, já que, repito, ele quis que fosse assim. Desse modo, ele tinha a impressão de não a deixar. E talvez também, devo confessar, o desespero o tenha desequilibrado um pouco... ah, bem pouco... somente no que dizia respeito à lembrança e à devoção àquela que morrera em 14 de abril de 1895. Ele escrevia o nome dela e o seu em todo lugar, no túmulo e também nas paredes, nas árvores e até nos canteiros de flores. Era o seu nome e o de Coralie Essarès. Mas para aquilo, para o que dizia respeito à sua vingança contra o assassino, e o que tratava de seu filho e da filha da morta... ah, para tudo isso, senhor, ele estava com as ideias bem claras.

Patrice estendeu os punhos crispados e o rosto aturdido na direção do zelador.

– Provas – articulou, em voz abafada. – Dê-me provas, imediatamente. Agora mesmo alguém está morrendo pela vontade criminosa desse bandido... há uma mulher agonizando. Quero provas!

– Não tenha medo – disse o senhor Vacherot. – Meu amigo não tem outra ideia senão salvar essa mulher, jamais matá-la...

– Ele atraiu, a ela e a mim, àquela casa para nos matar, do mesmo jeito que nossos pais foram mortos...

– Ele só procura uni-los.

– Sim, na morte.

– Na vida. É seu filho, que ele tanto ama. Ele me falava do senhor com orgulho.

– É um bandido! Um monstro! – rebateu o oficial.

– É o homem mais honesto do mundo, senhor, e seu pai.

Patrice se sobressaltou, abalado pela terrível afronta.

– Provas, quero provas! – gritou. – Eu o proíbo de dizer uma palavra a mais até ter provado a verdade da maneira mais irrefutável.

O homem não se moveu de seu assento. Apenas estendeu o braço para uma velha escrivaninha de mogno de que baixou a tampa e abriu uma das gavetas ao apertar uma mola. Então, entregou a Patrice um maço de documentos.

– O senhor conhece a letra de seu pai, capitão, não é? Deve ter conservado cartas que ele lhe mandou, do tempo em que estava na Inglaterra, em uma escola. Pois bem, leia as cartas que ele me escrevia. Vai ver seu nome mencionado cem vezes, o nome do filho dele, e o nome dessa Coralie que ele lhe destinava. Toda a sua existência, seus estudos, suas viagens, seus trabalhos, tudo está aqui. E encontrará também fotografias suas, que ele mandava correspondentes tirarem, e fotografias de Coralie, que ele havia encontrado em Salônica. E, acima de tudo, verá o ódio que sentia contra Essarès bei, de quem se tornara secretário, e seus projetos de vingança, sua tenacidade, sua paciência. Também verá seu desespero quando soube do casamento de Essarès e Coralie e, logo depois, sua alegria ao pensar que sua vingança seria ainda mais cruel uma vez que conseguisse unir seu filho Patrice à própria mulher de Essarès.

Aos poucos o homem punha as cartas diante dos olhos de Patrice, que, à primeira vista, havia reconhecido a letra de seu pai e lia fervorosamente pedaços de frases em que seu nome se repetia o tempo todo.

O senhor Vacherot o observava e finalmente lhe disse:

– Não está mais duvidando?

O oficial voltou a apertar os punhos fortemente contra as têmporas. Falou de modo lento:

– Vi o rosto dele, no alto da claraboia, na casa em que nos trancou... Ele nos via morrer... um rosto transtornado pelo ódio... odiava-nos muito mais do que a Essarès.

– Erro! Alucinação! – protestou o zelador.

– Ou loucura – murmurou Patrice.

O capitão bateu violentamente na mesa, em um acesso de revolta.

– Não é verdade! Não é verdade! – exclamou. – Esse homem não é meu pai. Não! Tamanho criminoso...

Deu uns passos em círculo dentro da portaria e então parou diante de dom Luís e disse, em tom trêmula:

– Vamos embora. Eu também vou acabar enlouquecendo. Um pesadelo... não há outra palavra... um pesadelo em que as coisas giram ao contrário e o cérebro naufraga. Vamos embora... Coralie está correndo perigo... só isso importa...

O zelador meneou a cabeça.

– Receio que...

– O que receia?

– Receio que meu pobre amigo tenha sido alcançado pelo indivíduo que o seguia... porque, então, como poderia ter salvado a senhora Essarès? Segundo ele me disse, a pobre mulher mal conseguia respirar.

– Ela mal conseguia respirar... – repetiu Patrice com voz abafada. – Assim, Coralie está agonizando... Coralie...

Saiu da portaria como um homem embriagado, segurando-se em dom Luís:

– Está perdida, não é? – disse ele.

– Em absoluto – respondeu dom Luís. – Assim como você, Siméon está tomado pela febre da ação. Vê aproximar-se o desfecho. Treme de medo e não mediu suas palavras. Acredite em mim, mamãe Coralie não está correndo um perigo imediato. Ainda temos algumas horas.

– Tem certeza?

– Absoluta.

– Mas Ya-Bon...

– O quê?

– Se Ya-Bon conseguiu pegá-lo.

– Dei a Ya-Bon a ordem de não o matar. Portanto, não importa o que acontecer, Siméon está vivo. É o essencial, Siméon vivo, não há nada a temer. Não vai deixar mamãe Coralie morrer.

– Por quê, já que a odeia? Por quê? O que há no fundo desse homem? Dedica a existência inteira a uma obra de amor para conosco, e em um minuto esse amor se transforma em execração.

De repente, pressionou o braço de dom Luís e balbuciou, a voz fraca:

– Acredita que seja meu pai?

– Ouça... não podemos negar que certas coincidências...

– Eu lhe peço – interrompeu o oficial... sem rodeios... uma resposta clara. Sua opinião em duas palavras.

Dom Luís respondeu:

– Siméon Diodokis é seu pai, capitão.

– Ah! Cale-se, cale-se! É horrível. Meu Deus, que trevas!

– Ao contrário – disse dom Luís –, as trevas se dissipam um pouco, e devo confessar que nossa conversa com o senhor Vacherot trouxe-me alguma luz.

– É possível?

Mas, na mente confusa de Patrice, as ideias se embaralhavam umas contra as outras.

De repente, ele parou.

– Siméon talvez volte à portaria? E não estaremos mais lá! Ele talvez traga Coralie?

– Não – afirmou dom Luís –, já o teria feito, se pudesse. Não, somos nós que devemos ir ao seu encontro.

– Mas por onde?

– Ah! Meu Deus! Do lado onde toda a batalha aconteceu... *Do lado do ouro.* Todas as operações do inimigo giram em torno desse ouro, e tenha certeza de que, mesmo que esteja recuando, ele não pode se afastar muito do ouro. Aliás, sabemos que não está bem longe do canteiro Berthou.

Sem uma palavra a mais, Patrice se deixou levar. Mas, bruscamente, dom Luís exclamou:

– Ouviu?

– Sim, uma detonação.

Naquele momento, encontravam-se prestes a desembocar na Rua Raynouard. A altura das casas impedia que discernissem o lugar exato onde o tiro havia sido disparado, mas vinha aproximadamente da casa de Essarès ou de seus arredores. Patrice ficou inquieto:

– E se foi Ya-Bon?

– Receio – respondeu dom Luís –, já que Ya-Bon não atira, que foi contra ele que atiraram… Ah, diabo, se meu pobre Ya-Bon morrer…

– E se foi contra ela, contra Coralie? – murmurou Patrice.

Dom Luís se pôs a rir:

– Ah! Capitão, estou quase lamentando por ter-me envolvido nessa história. Antes de minha chegada, o senhor era bem mais forte… e até perspicaz. Por que diabos Siméon atacaria mamãe Coralie se ela já está em seu poder?

Apressaram-se. Ao passar diante da casa de Essarès, viram que tudo estava tranquilo e seguiram adiante até a ruela, que desceram.

Patrice tinha a chave, mas a pequena porta que abria para o jardim estava trancada por dentro.

– Ah! – exclamou dom Luís. – É um sinal de que estamos perto. Vá até o cais, capitão. Eu vou correr ao canteiro Berthou, para me assegurar.

Um dia pálido começava a se infiltrar nas sombras da noite.

No entanto, o cais ainda estava deserto.

Dom Luís não notou nada de especial no canteiro Berthou, mas, quando se juntou a Patrice, este lhe mostrou, na calçada que ladeava a parte baixa do jardim da casa, uma escada, e dom Luís reconheceu a escada cuja ausência ele havia notado no cubículo do canteiro. Logo, com essa acuidade de visão que era um de seus trunfos, ele explicou:

– Já que Siméon tem a chave do jardim, evidentemente foi Ya-Bon quem se serviu dessa escada para entrar. Portanto, ele viu que Siméon procurava aqui um refúgio ao voltar de sua visita ao senhor Vacherot, depois que tivesse ido buscar mamãe Coralie. Mas será que Siméon conseguiu recuperar mamãe Coralie ou teve de fugir de novo antes? Não sei, mas de qualquer modo…

Recurvado, ele olhava a calçada e continuou:

– Mas, de qualquer modo, o que é certo é que Ya-Bon conhece o esconderijo onde os sacos de ouro se encontram, e que provavelmente deve ser o lugar onde Coralie estava e onde, infelizmente, ela ainda pode estar, se o inimigo, pensando antes de tudo na própria segurança, não teve tempo de tirá-la de lá.

– Tem certeza?

– Capitão, Ya-Bon sempre carrega consigo um pedaço de giz. Como não sabe escrever, exceto as letras do meu nome, traçou essas duas linhas retas que, com a linha do muro, destacada por ele, aliás, formam um triângulo. O triângulo de ouro.

Dom Luís se levantou.

– A indicação é um tanto sucinta. Mas Ya-Bon acredita que sou bruxo. Não duvidou de que eu conseguiria vir até aqui e que essas três linhas me bastariam. Pobre Ya-Bon!

– Mas – objetou Patrice –, a seu ver, tudo isso teria acontecido antes de nossa chegada a Paris, portanto por volta de meia-noite ou uma hora.

– Sim.

– E esse tiro que acabamos de ouvir, quatro ou cinco horas depois?

– Aí não posso ser tão afirmativo. Podemos presumir que Siméon ficou agachado na escuridão. Foi só quando começou a clarear que, mais tranquilo e sem ouvir Ya-Bon, ele se arriscou a dar alguns passos. Ya-Bon, que espiava em silêncio, deve ter pulado sobre ele.

– De modo que supõe…

– Suponho que houve uma luta, que Ya-Bon foi ferido e que Siméon…

– E que Siméon fugiu?

– Ou que Siméon está morto. De resto, daqui a poucos minutos certamente ficaremos sabendo.

Ergueu a escada contra a grade que encimava o muro. Com a ajuda de dom Luís, o capitão passou. Então, tendo por sua vez passado por cima da grade, dom Luís retirou a escada que jogou no jardim e observou com atenção.

Finalmente, no meio da relva alta e dos arbustos folhudos, dirigiram-se para a casa.

O dia avançava rapidamente, e as coisas tomavam um aspecto preciso. Eles contornaram a casa.

Ao avistarem o pátio, do lado da rua, dom Luís, que andava na frente, virou-se e disse:

– Eu não estava enganado.

Imediatamente, lançou-se:

Diante da porta do vestíbulo jaziam os corpos dos dois adversários, entrelaçados e confundidos. Ya-Bon tinha uma horrível ferida na cabeça, cujo sangue lhe corria ao longo do rosto. Com a mão direita, segurava Siméon pelo pescoço.

Dom Luís se deu conta de que Ya-Bon estava realmente morto. Siméon Diodokis vivia.

SIMÉON VAI À LUTA

Precisaram de tempo para desapertar a mão de Ya-Bon. Mesmo morto, o senegalês não soltava sua presa, e seus dedos duros como ferro, armados de unhas afiadas com garras de tigre, entravam no pescoço do inimigo, desmaiado e sem forças.

No chão do pátio, via-se o revólver de Siméon.

– Você teve sorte, velho bandido – disse dom Luís em voz baixa –, que Ya-Bon não tenha tido tempo de apagá-lo antes do tiro. Mas não se alegre: talvez ele o tivesse poupado... ao passo que, agora que Ya-Bon morreu, pode escrever à sua família e reservar sua poltrona no inferno. *De profundis*[10], Diodokis. Você não pertence mais a este mundo.

E acrescentou, emocionado:

– Pobre Ya-Bon, salvou-me de uma morte terrível, um dia, na África... e hoje ele é quem morre, por ter seguido minhas ordens, a bem dizer... meu pobre Ya-Bon!

Fechou os olhos do senegalês. Ajoelhou-se perto dele, beijou sua testa ensanguentada e sussurrou ao ouvido do morto, prometendo-lhe tudo o que há de mais suave para as almas simples e fiéis, a lembrança, a vingança...

[10] "Das profundezas", em latim. A expressão também é possivelmente uma alusão a *De profundis,* obra (publicada em 1897) escrita por Oscar Wilde na prisão, onde cumpriu pena de dois anos por homossexualismo. (N.T)

Finalmente, com a ajuda de Patrice, transportou o cadáver para o pequeno cômodo adjacente à grande sala.

– Esta noite, capitão – disse ele –, quando o drama acabar, avisaremos a polícia. Por enquanto, trata-se de vingá-lo, a ele e aos outros.

Procedeu então à vistoria minuciosa do local da luta, voltou para Ya-Bon e, em seguida, para Siméon, de quem examinou as roupas e os sapatos.

Patrice Belval estava ali, diante de seu terrível inimigo, que havia apoiado encostado contra a parede da casa e o mirava em silêncio, com olhar fixo e carregado de ódio. Siméon! Siméon Diodokis! O execrável demônio que, dois dias antes, havia tramado o terrível complô e que, debruçado sobre a claraboia, contemplava rindo a horrível agonia dele e de Coralie! Siméon Diodokis, que, como um bicho feroz, escondera Coralie no fundo de algum buraco, para poder torturá-la quando quisesse!

Parecia sofrer e respirar com muita dificuldade, a laringe certamente lesionada pelo implacável punho de Ya-Bon. Durante o combate, seus óculos amarelos haviam caído. Espessas sobrancelhas cinzentas delineavam suas pesadas pálpebras.

Dom Luís disse:

– Reviste-o, capitão.

Mas, como Patrice parecia sentir repugnância, ele mesmo vasculhou os bolsos do homem, de onde tirou uma carteira que entregou ao oficial.

Em primeiro lugar, havia uma permissão de residência em nome de Siméon Diodokis, cidadão grego, com sua fotografia colada no alto no documento. Óculos, cachecol, cabelos compridos... o retrato era recente e apresentava o carimbo da polícia com data de dezembro de 1914. Havia uma série de documentos relativos a negócios, faturas, notas endereçadas a Siméon, secretário de Essarès bei, e, entre esses documentos, uma carta do zelador, Amédée Vacherot. A carta dizia o seguinte:

Caro senhor Siméon,

Consegui. Um de meus jovens amigos conseguiu tirar, na enfermaria, a fotografia da senhora Essarès e de Patrice, que estavam próximos um do outro naquele momento. Estou muito feliz por poder lhe fazer esse favor. Quando pretende dizer a verdade ao seu filho querido? Que alegria vai ser para ele!...

Ao pé da carta estavam palavras escritas por Siméon Diodokis como uma nota pessoal:

Mais uma vez, comprometo-me solenemente a não revelar nada a meu filho querido antes que minha noiva Coralie tenha sido vingada, e antes que Patrice e Coralie Essarès estejam livres para se amar e se unir.

– É mesmo a letra do seu pai? – perguntou dom Luís.

– Sim – respondeu Patrice, confuso... – E é a letra das cartas endereçadas por esse miserável ao seu amigo Vacherot... Ah! Que ignomínia!... esse homem... Esse bandido!...

Siméon fez um movimento. Suas pálpebras se abriram e se fecharam várias vezes. Então, despertando totalmente, ele olhou Patrice.

Imediatamente, em tom abafado, o oficial pronunciou:

– Coralie?...

E, como Siméon não parecia entender, ainda atordoado e contemplando-o com estupor, ele repetiu mais duramente:

– Coralie?... Onde está?... Onde a escondeu? Está morrendo, não é?

Aos poucos Siméon voltava a se reanimar e recuperava a consciência. Ele balbuciou:

– Patrice... Patrice...

Olhou ao redor, avistou dom Luís, lembrou-se certamente de sua luta implacável com Ya-Bon e voltou a fechar os olhos. Mas Patrice, cuja raiva redobrava, gritou:

– Escute... sem hesitação!... Precisa responder... É a sua vida que está em jogo.

Os olhos do homem se reabriram, olhos estriados de sangue e sombreados de vermelho. Esboçou em direção à garganta um gesto que significava quanto lhe era difícil falar. Finalmente, com visível esforço, voltou a dizer:

– Patrice, é você?... Espero por este momento há tanto tempo!... E é hoje, como dois inimigos, que nós...

– Como dois inimigos mortais – gritou Patrice. – A morte está entre nós... a morte de Ya-Bon... A morte de Coralie, talvez... Onde ela está? Você precisa falar... Do contrário...

O homem repetiu em voz baixa:

– Patrice... Então é você?

Essa familiaridade exasperava o oficial. Pegou o adversário pela lapela do paletó e o brutalizou.

Mas Siméon avistara a carteira que Patrice segurava na outra mão e, sem opor resistência à agressão de Patrice, disse:

– Você não vai me machucar, Patrice... Deve ter encontrado as cartas, e sabe do vínculo que nos liga um ao outro... Ah! Eu teria ficado tão feliz!...

Patrice, que o soltara, olhava-o com horror. Em voz baixa, foi sua vez de dizer:

– Eu o proíbo de falar disso.... É algo impossível.

– É uma verdade, Patrice.

– Está mentindo! Está mentindo! – exclamou o oficial, incapaz de se conter, com o rosto contraído pela dor a ponto de se tornar irreconhecível.

– Ah! Vejo que já havia adivinhado. Então é inútil lhe explicar...

– Está mentindo!... Não passa de um bandido!... Se fosse verdade, por que o complô contra Coralie e contra mim? Por que esse duplo assassinato?

– Eu estava louco, Patrice... Sim, há momentos que fico louco... Todas essas catástrofes me deixaram atordoado... a morte de Coralie no passado... minha vida à sombra de Essarès... e então... então... o ouro, sobretudo... será que eu realmente quis matar vocês dois? Não me lembro... ou, pelo menos, lembro-me de um sonho que tive... acontecia na casa, não é? Como antigamente... Ah, a loucura... que suplício! Ser obrigado, como um condenado, a fazer coisas contra a própria vontade! Então, foi na casa, como antigamente, provavelmente, e da mesma maneira?... Com os mesmos instrumentos?... Sim, de fato, em meu sonho, recomecei toda a minha agonia, e a da mulher que eu amava... Em vez de ser torturado, eu era quem torturava... Que suplício!

Falava em voz baixa, para si mesmo, com hesitações e silêncios e um ar de sofrimento além de qualquer expressão. Patrice o escutava, tomado por crescente ansiedade. Dom Luís não deixava de olhá-lo, como se procurasse saber aonde o outro queria chegar.

E Siméon continuou:

– Meu pobre Patrice... eu o amava tanto... E agora não tenho inimigo mais implacável... Como poderia ser diferente?... Como poderia esquecer?... Ah! Por que não me trancaram após a morte de Essarès? Foi naquele momento que senti que não controlava mais meu raciocínio...

– Então foi você que o matou? – perguntou Patrice.

– Não, justamente não... foi outra pessoa que se apoderou de minha vingança.

– Quem?

– Não sei... tudo isso é incompreensível. É melhor ficarmos calados sobre isso... tudo isso me faz mal... sofri tanto desde a morte de Coralie!

– De Coralie! – exclamou Patrice.

– Sim, daquela que eu amava... quanto à filha, sofri muito também por causa dela.... não deveria ter-se casado com Essarès, e então muitas coisas talvez não tivessem acontecido...

Patrice murmurou, o coração apertado:

– Onde ela está?...

– Não posso lhe dizer.

– Ah – disse Patrice, estremecendo de raiva –, é que ela morreu!

– Não, está viva, eu juro.

– Então onde está? Só isso importa... Todo o resto pertence ao passado... Mas isso, a vida de uma mulher, a vida de Coralie...

– Escute...

Siméon parou, deu uma olhada para dom Luís e disse:

– Eu bem que falaria... mas...

– O que o impede?

– A presença desse homem, Patrice. Primeiro ele tem que ir embora!

Dom Luís Perenna se pôs a rir.

– Esse homem sou eu, não é?

– É o senhor.

– E devo ir embora?

– Sim.

– Em troca de, seu velho bandido, você indicar o esconderijo em que mamãe Coralie está?

– Sim…

A alegria de Dom Luís só aumentou.

– Ah! Caramba, mamãe Coralie está no mesmo esconderijo que os sacos de ouro. Salvar mamãe Coralie significa entregar os sacos de ouro.

– E então? – disse Patrice, em um tom que manifestava um pouco de hostilidade.

– Então, capitão – respondeu dom Luís com certa ironia –, imagino que, se o honrado senhor Siméon lhe desse sua palavra de que iria buscar mamãe Coralie caso eu o deixasse solto, o senhor aceitaria?

– Não.

– Não é? Não tem a menor confiança nele e está certo. Embora louco, o honrado senhor Siméon manifestou, ao nos enviar para passear do lado de Mantes, tanta superioridade e equilíbrio que seria perigoso dar às suas promessas o mais ínfimo crédito. E daí que…

– Daí quê?

– Daí que, capitão, o honrado senhor Siméon vai lhe propor uma troca… que pode se enunciar da seguinte maneira: “Eu lhe dou Coralie, mas fico com o ouro”.

– E então?

– Então? Seria perfeito se estivesse sozinho com esse digno cavalheiro. O acordo se concluiria rapidamente. Mas acontece que estou aqui… e ora!

Patrice havia se levantado. Avançou em direção a dom Luís e argumentou, em um tom de voz que se tornava nitidamente agressivo:

– Presumo que o senhor também não vai se opor. Trata-se da vida de uma mulher.

– Evidentemente. Mas, por outro lado, trata-se de trezentos milhões.

– Então, está se recusando?

– Sim, estou me recusando!

– Está se recusando, enquanto essa mulher agoniza! Prefere que ela morra!... Mas esqueceu que isso me diz respeito... que esse caso... que esse caso...

Os dois homens estavam de pé, em frente um ao outro. Dom Luís mantinha essa calma um tanto irônica e esse ar de saber mais que os outros que irritavam Patrice. No fundo, Patrice, embora sofresse a dominação de dom Luís, concebia certa irritação e sentia algum incômodo ao utilizar um colaborador de quem conhecia o passado. Fechou os punhos e gritou:

– Está se recusando?

– Sim – disse dom Luís, ainda tranquilo. – Sim, capitão, eu me recuso a esse acordo que acho absurdo... um verdadeiro engano. Caramba! Trezentos milhões... abandonar tamanha oportunidade! Nunca! Mas não me recuso em absoluto em deixá-lo a sós com o honrado senhor Siméon... desde que eu não me afaste. Isso lhe basta, Siméon?

– Sim.

– Pois bem, façam um bom negócio. Assinem o acordo. O honrado senhor Siméon Diodokis, que, por sua vez, confia totalmente em seu filho, vai lhe dizer, capitão, onde fica o esconderijo, e o senhor vai libertar mamãe Coralie.

– Mas e o senhor? – exclamou Patrice, exasperado.

– Eu vou completar meu pequeno inquérito sobre o presente e o passado, ao visitar de novo a sala em que quase morreu, capitão. Até breve. E, sobretudo, tome todas as garantias possíveis.

Então, acendendo sua lanterna de bolso, dom Luís entrou na casa e foi ao ateliê. Patrice viu os reflexos de luz projetados nos lambris, entre as janelas emparedadas.

Imediatamente o oficial voltou para perto de Siméon e, em tom imperioso, disse:

– Pronto. Ele foi embora. Vamos agir rapidamente.

– Tem certeza de que não está escutando?

– Totalmente.

– Desconfie dele, Patrice. Ele quer pegar o ouro para si mesmo.

Patrice se impacientou.

– Não vamos perder tempo. Coralie…

– Já lhe disse que Coralie está viva.

– Estava viva quando a deixou, mas desde então…

– Ah! Desde então…

– O quê? Parece estar duvidando?…

– Não podemos ter certeza de nada. Foi esta noite, há cinco ou seis horas, e receio…

Patrice sentia o suor escorrer por suas costas. Teria dado tudo para ouvir palavras decisivas e, ao mesmo tempo, estava prestes a estrangular o velho homem para castigá-lo.

Dominou-se e repetiu:

– Não vamos perder mais tempo. As palavras são totalmente inúteis. Diga-me onde ela está.

– Não, iremos juntos.

– Você não vai ter força…

– Sim… sim. Vou ter força… Não fica longe. Mas antes, ouça-me…

O velho parecia exausto. Às vezes sua respiração era entrecortada, como se a mão de Ya-Bon ainda lhe agarrasse o pescoço e, gemendo, ele caía sobre si mesmo.

Patrice se debruçou sobre ele e disse:

– Estou ouvindo. Mas, por Deus, apresse-se!

– Bem – disse Siméon. – Bem… daqui a poucos minutos Coralie estará livre. Mas com uma condição… uma única… Patrice.

– Aceito. Qual é?

– Bem, Patrice, você vai me jurar pela vida de Coralie que deixará o ouro e que ninguém no mundo saberá…

– Juro pela vida dela.

– Você jura, tudo bem, mas o outro… seu maldito companheiro… ele vai nos seguir… ele vai ver.

– Não.

– Sim… a menos que concorde…

– Em quê? Ah! Pelo amor de Deus!

– Nisso… escute… mas lembre-se de que precisa ir socorrer Coralie… e rapidamente… do contrário…

Patrice, a perna esquerda dobrada, quase ajoelhado, estava ofegante.

– Então venha – disse ao seu inimigo… –, venha, já que Coralie…

– Mas esse homem…

– Ah! Coralie acima de tudo!

– O que diz? E se ele nos vê? Se toma o ouro de mim?

– Não importa!…

– Ah! Não diga isso, Patrice!… O ouro! O ouro é tudo! Desde que esse ouro é meu, minha vida mudou. O passado não conta mais… nem o ódio… nem o amor… só existe o ouro… os sacos de ouro. Eu preferiria morrer e que Coralie morresse… e que o mundo inteiro desaparecesse…

– Afinal, o que quer? O que exige?

Patrice segurava os dois braços do homem, que era seu pai, e que nunca antes detestara com tanta violência. Suplicava com todo o seu ser. Teria derramado lágrimas se acreditasse que as lágrimas fossem comover o velho homem.

– O que quer?

– O seguinte. Escute. Está ali, não é?

– Sim.

– No ateliê?

– Sim.

– Nesse caso… ele não deve sair…

– Como!

– Não… Enquanto não tivermos acabado, é preciso que permaneça lá dentro.

– Mas…

– É simples. Ouça bem. Só precisa fazer um único gesto… trancar a porta… a fechadura foi forçada, mas ainda tem dois fechos e isso basta… entendeu?

Patrice se revoltou.

– Mas você está louco! Como eu poderia consentir!… Um homem que salvou minha vida… que salvou Coralie!

– Mas que agora é responsável por sua perda. Reflita… Se não estivesse aqui, se não tivesse se envolvido nesse caso… Coralie estaria livre… Aceita?

– Não.

– Por quê? Sabe quem é esse homem? Um bandido… um miserável, que só tem uma ideia, a de se apossar dos milhões. E você teria escrúpulos? Olhe, Patrice, é absurdo, não é? Aceita?

– Não, mil vezes não.

– Então, azar o de Coralie… pois é, vejo que não se dá exatamente conta da situação. Está na hora, Patrice. Talvez já seja tarde demais.

– Ah! Cale-se.

– Pois sim, você precisa saber e assumir sua responsabilidade. Quando o maldito negro me perseguia, livrei-me de Coralie como pude, pensando que ia soltá-la em uma ou duas horas… e então… então… sabe o que aconteceu. Eram onze da noite… já faz quase oito horas… então, pense…

Patrice retorcia as mãos. Nunca imaginara que tamanho suplício pudesse ser imposto a um homem, e Siméon prosseguia, implacável:

– Ela não consegue respirar, eu juro… apenas pouquíssimo ar chega até ela… e ainda eu me pergunto se tudo aquilo que a cobre e protege não desmoronou. Então, está sufocando… está sufocando enquanto você fica aqui discutindo. Olhe, qual é o problema de trancar esse homem durante dez minutos? Não mais que dez minutos, entende… e você hesita? Então é você quem a mata, Patrice. Reflita… enterrada viva!

Patrice se reergueu, decidido. Naquele momento, nenhum pacto, por tão penoso que fosse, lhe teria causado repugnância. E o que Siméon lhe pedia era tão pouco!

– O que quer? – disse ele. – Ordene.

O outro murmurou:

– Já sabe muito bem o que quero, é tão simples! Vá até a porta, tranque-a e volte.

– É sua última exigência? Não haverá outra?

– Nenhuma a mais. Se fizer isso, Coralie estará livre em poucos instantes.

Com passo decidido, o oficial entrou na casa e atravessou o vestíbulo. No fundo do ateliê, a luz dançava.

Não disse uma única palavra. Não teve qualquer hesitação. Fechou a porta violentamente, empurrou os dois fechos de um só movimento e voltou rapidamente. Sentia-se aliviado. O gesto era desprezível, mas ele não duvidava de que tivesse executado um dever imperioso.

– Pronto – disse ele... – Vamos, depressa.

– Ajude-me – disse Siméon. – Não consigo me levantar.

Patrice o agarrou por baixo dos dois braços e o pôs de pé. Mas teve de segurá-lo, já que as pernas do velho tremiam.

– Ah, maldição! – balbuciou Siméon. – Esse maldito negro acabou comigo. Estou sufocando, não consigo andar.

Patrice quase o carregava, e Siméon, sem forças, gaguejava:

– Por aqui... Agora, reto...

Passaram pelo canto da casa e se dirigiram para o lado dos túmulos.

– Tem certeza de que trancou bem a porta? – insistiu Siméon. – Sim, não é? Eu ouvi... Ah! É que esse homem é terrível... Deve desconfiar dele... Mas você me jurou que não ia dizer nada, hein? Jure mais uma vez, pela memória de sua mãe... Não, melhor ainda, jure por Coralie... Que ela morra agora mesmo se você trair seu juramento!

O velho estacou. Não aguentava mais e se contorcia para que um pouco mais de ar chegasse aos pulmões. Apesar de tudo, continuou:

– Posso ficar tranquilo, não é? Aliás, você não gosta de ouro. Nesse caso, por que iria falar? Não importa, jure que ficará calado. Dê-me sua palavra de honra... É o que tem de melhor, sua palavra, hein?

Patrice ainda o segurava pela cintura. Para o oficial, essa marcha tão arrastada e esse tipo de abraço a que se obrigava para libertar Coralie eram um terrível calvário. Ao sentir contra si o corpo desse homem odiado, sua vontade era apertar cada vez mais até sufocá-lo.

E, no entanto, uma frase repugnante se repetia no seu íntimo mais profundo: “Sou o filho dele... Sou o filho dele...”.

– É aí – disse o velho.

– Aí? Mas são os túmulos.

– É o túmulo de minha Coralie, e o meu, e aqui está nosso alvo.

Ele se virou, confuso:

– E os rastros dos nossos passos? Você vai apagá-los na volta, hein? Do contrário, ele encontraria nossa pista e saberia que é aí...

Patrice exclamou:

– Ah! Não há nada a temer! Depressa. Então Coralie está ali? No fundo? Enterrada? Ah, que abominação!

Para Patrice, parecia que cada minuto que passava contava mais que uma hora de atraso, e que a salvação de Coralie dependia de uma hesitação ou um movimento errado. Fez todos os juramentos exigidos. Jurou por Coralie. Deu sua palavra de honra. Naquele momento, não havia ato que ele não estivesse pronto a cumprir.

Agachado na relva, sob o pequeno templo, o dedo estendido, Siméon repetiu:

– É aí… embaixo.

– Dá para acreditar? Sob a lápide?

– Sim.

– Então a pedra se levanta? – perguntou Patrice com ansiedade.

– Sim.

– Mas, sozinho, não consigo levantá-la. Não dá… Seriam necessários pelo menos três homens.

– Não – disse Siméon –, existe um movimento de balanço. Vai conseguir facilmente… basta fazer pressão em uma das extremidades.

– Qual?

– Esta, à direita.

Patrice se aproximou e pegou a grande placa na qual estava inscrito "Aqui descansam Patrice e Coralie…", e tentou pressionar.

De fato, a pedra se levantou imediatamente, como se um contrapeso a obrigasse a afundar na outra ponta.

– Espere, espere – disse Siméon. – É preciso apoiá-la, do contrário vai cair de volta.

– E apoiá-la com quê?

– Com uma barra de ferro.

– Tem alguma?

– Sim, depois do segundo degrau.

Três degraus estavam descobertos e desciam para uma pequena cavidade na qual, mesmo dobrado em dois, mal cabia um homem. Patrice avistou a barra de ferro e, segurando a lápide com o ombro, pegou a barra e a ergueu.

– Muito bem – continuou Siméon –, agora está firme. Só lhe resta se abaixar na escavação. É ali que meu caixão deveria se encontrar, e onde muitas vezes vim me deitar ao lado de minha amada Coralie. Eu permanecia lá por horas, deitado no chão... falando com ela. Nós dois conversávamos, pode acreditar, conversávamos... Ah! Patrice!

Patrice havia curvado seu alto corpo no espaço estreito em que mal cabia, e perguntou:

– O que devo fazer?

– Não está ouvindo a sua Coralie? Apenas uma parede a separa de você... alguns tijolos escondidos por um pouco de terra... E uma porta... Atrás fica o outro túmulo, o de Coralie... e atrás, Patrice, há mais um... onde estão os sacos de ouro.

Siméon havia se debruçado e dirigia as buscas, ajoelhado sobre a grama...

– A porta fica à esquerda... um pouco mais adiante... Não consegue encontrá-la? Que estranho... Mas você precisa se apressar... Ah! Parece que a achou... Não? Ah, se eu pudesse descer! Mas só há lugar para uma pessoa.

Houve um silêncio. Então ele prosseguiu:

– Deite-se mais... bem... consegue se mexer?

– Sim – disse Patrice.

– Não muito, hein?

– Mal.

– Então fique assim, meu rapaz – exclamou o velho homem com uma gargalhada.

E, afastando-se rapidamente, fez um gesto brusco e deixou cair a barra de ferro. Pesadamente, com lentidão causada pelo contrapeso, porém com força irresistível, o enorme bloco de pedra se fechou.

Embora inteiramente envolvido por terra remexida, Patrice, diante do perigo, quis se levantar. Siméon, que havia apanhado a barra de ferro, deu-lhe um golpe na cabeça. Patrice soltou um grito e parou de se mexer. A pedra o cobriu. A cena havia durado poucos segundos.

– Está vendo – exclamou Siméon –, tive razão de separá-lo de seu camarada. Ele não se teria deixado enganar. Mas, por outro lado, que comédia você me fez interpretar!

Siméon não perdeu mais um único instante. Sabia que Patrice, ferido como devia estar, enfraquecido pela posição que não podia mudar, não conseguiria fazer o esforço necessário para levantar a tampa do túmulo. Portanto, não havia nada a temer por esse lado.

Voltou para a casa e, embora andando com dificuldade, devia ter exagerado seu sofrimento, porque não parou antes do vestíbulo. Não se preocupou em apagar os rastros de seus passos. Ia diretamente ao seu objetivo, como um homem que tem um plano e se apressa a executá-lo, sabendo que, uma vez o plano executado, todos os caminhos estarão livres.

Já no vestíbulo, prestou atenção. Dentro do ateliê e do lado do quarto, dom Luís batia contra as paredes e divisórias.

– Perfeito – disse Siméon com uma risadinha. – Este também caiu feito um patinho. Agora é a sua vez! Realmente, esses senhores não são muito espertos.

Tudo aconteceu rapidamente. Andou em direção à cozinha, que ficava à direita, abriu a porta do medidor de gás e virou a chave, soltando assim o gás e refazendo com dom Luís o que não conseguira completar com Patrice e Coralie.

Foi só então que se entregou ao imenso cansaço que o assolava e se permitiu dois ou três minutos de relaxamento. Seu mais implacável inimigo também estava fora de combate.

Mas as coisas ainda não haviam acabado. Ele precisava agir e garantir a própria salvação. Contornou a casa, procurou e pôs os óculos amarelos, desceu pelo jardim, abriu e fechou a porta. E então, pela ruela, chegou ao cais.

Nova parada, dessa vez diante do parapeito que encima o canteiro Berthou. Ele pareceu hesitar quando à decisão a tomar. Mas o fato de avistar pessoas passando, carroceiros, feirantes, etc., pôs fim à sua indecisão. Chamou um carro e se fez levar até a Rua Guimard, na casa do zelador Vacherot.

Encontrou o amigo na soleira da portaria e logo foi recebido com uma prontidão e uma emoção que demonstravam o afeto do homem.

– Ah, é o senhor, senhor Siméon? – exclamou o zelador. – Mas meu Deus! Em que estado!

– Cale-se, não fale meu nome – murmurou Siméon, entrando na portaria. – Alguém me viu?

– Ninguém. São apenas sete e meia e a casa mal está despertando. Mas por Deus! O que esses miseráveis fizeram com o senhor? Parece estar com falta de ar. Foi vítima de uma agressão.

– Sim, esse negro que me seguia…

– Mas e os outros?

– Que outros?

– Aqueles que vieram aqui?… Patrice?

– Hein? Patrice esteve aqui? – indagou Siméon, sempre em voz baixa.

– Sim, chegou aqui nesta noite, após o senhor, com um de seus amigos.

– E você lhe disse?…

– Que era seu filho?… Obviamente, era preciso…

– Então era isso – resmungou o velho homem… – É por isso que não pareceu surpreso com minha revelação.

– Onde estão agora?

– Com Coralie. Consegui salvá-la. Eu a entreguei a eles. Mas não se trata dela. Depressa… um médico… o tempo urge…

– Temos um no prédio.

– Não quero. Você tem uma lista telefônica.

– Aqui está.

– Abra-a e procure…

– Que nome?

– O doutor Géradec.

– Como? Mas não é possível. O doutor Géradec? Não está pensando nisso!…

– Por quê? Sua clínica fica perto daqui, no boulevard de Montmorency, e em um lugar totalmente isolado.

– Sei. Mas o senhor não ignora? Existem rumores a respeito dele, senhor Siméon… todo um caso de passaportes e certificados falsos…

– Procure…

– Olhe, senhor Siméon, será que pretende ir embora?

– Procure.

O zelador folheou a lista telefônica e ligou. A linha estando ocupada, anotou o número em um pedaço de jornal e voltou a ligar.

Responderam-lhe então que o médico tinha saído e só estaria de volta pelas dez da manhã.

– Melhor assim – disse Siméon –, eu não teria tido força suficiente para ir até lá agora. Avise que irei às dez.

– Devo anunciá-lo sob o nome de Siméon?

– Sob meu verdadeiro nome, Armand Belval. Diga que é urgente... que preciso de intervenção cirúrgica.

O zelador obedeceu e desligou, murmurando:

– Ah, meu pobre senhor Siméon! Um homem como o senhor, tão bom, tão generoso. O que aconteceu?

– Não se preocupe com isso. Meu apartamento está arrumado?

– Claro.

– Vamos até lá sem que ninguém nos veja.

– Não há como nos verem, o senhor bem sabe.

– Apresse-se. Pegue seu revólver. E a portaria? Pode deixá-la?

– Sim... cinco minutos.

Por trás, a portaria dava para um pequeno pátio que se comunicava com um longo corredor. Na extremidade desse corredor havia outro pátio pequeno, e nesse pátio uma casinha composta por um térreo e um sótão.

Entraram.

Um vestíbulo e três cômodos enfileirados.

Apenas o segundo estava mobiliado. O último abria diretamente para uma rua paralela à Rua Guimard.

Pararam no segundo cômodo.

Siméon parecia exausto. Mesmo assim, reergueu-se quase imediatamente, com o gesto de um homem decidido e que nada pode enfraquecer.

Ele disse:

– Você trancou mesmo a porta do térreo?

– Sim, senhor Siméon.

– E ninguém nos viu entrar?

– Ninguém.

– Ninguém pode suspeitar de sua presença aqui?

– Ninguém.

– Dê-me seu revólver.

O zelador entregou a arma.

– Aqui está.

– Você acha – murmurou Siméon – que, se eu atirasse, alguém ouviria o disparo?

– Não, com certeza. Quem ouviria? Mas…

– Mas o quê?

– O senhor não vai atirar?

– Não vou ficar parado!

– Em si mesmo, senhor Siméon, em si? Vai se matar?

– Idiota.

– Em quem, então?

– Em alguém que está me incomodando e que poderia me trair.

– Em quem, afinal?– Em você, diabo! – disse Siméon com uma risada.

E, com um tiro, acertou-o na cabeça.

O senhor Vacherot desabou como uma massa amorfa, morto no ato.

Siméon, por sua vez, soltou a arma e permaneceu impassível, um pouco vacilante. Um por um, até seis, abriu os dedos. Contava as seis pessoas de quem havia se livrado nas últimas horas: Grégoire, Coralie, Ya-Bon, Patrice, dom Luís, o senhor Vacherot…

Sua boca teve um ricto de satisfação. Um esforço a mais antes da salvação, da fuga.

Por enquanto, era incapaz de fazer esse esforço. Sua cabeça girava, seus braços se moviam no vazio. Caiu desmaiado, arquejando, o peito como esmagado por um peso intolerável.

Mas, às quinze para as dez, em um sobressalto de vontade, levantou-se e, controlando a crise, desprezando a dor, saiu pela outra porta da casa.

Às dez horas, após ter mudado de carro duas vezes, Siméon chegou ao boulevard de Montmorency, no exato momento em que o doutor Géradec descia de sua limusine e subia a escada externa de sua suntuosa vila, onde sua clínica funcionava desde o começo da guerra.

O DOUTOR GÉRADEC

A clínica do doutor Géradec agrupava, em um belo jardim na área interna, várias construções, cada uma com sua finalidade. A vila era destinada às operações mais importantes.

Era ali também que o médico mantinha seu consultório, e foi nela que Siméon Diodokis foi recebido. Após ter sido examinado rapidamente por um enfermeiro, Siméon foi levado para uma sala em uma ala independente.

O médico já o esperava. Era um homem de uns 60 anos, de aparência ainda jovem, o rosto barbeado, e que seu monóculo, sempre preso no olho direito, obrigava a fazer uma careta que lhe contraía o rosto. Vestia um grande avental branco dos pés à cabeça.

Com grande dificuldade, já que mal conseguia falar, Siméon lhe explicou seu caso. Na noite anterior um assaltante o agredira, agarrando-o pelo pescoço, e o roubara, deixando-o quase morto na calçada.

– O senhor já poderia ter chamado um médico desde aquela hora – observou Géradec, enquanto olhava fixamente o velho homem.

E, já que Siméon não respondia, acrescentou:

– Aliás, não é nada. O fato de o senhor estar vivo significa que não houve fratura. Portanto, seu caso se reduz a espasmos da laringe, aos quais vamos remediar com intubação.

Deu ordens ao seu assistente. Introduziram na garganta do paciente um longo tubo de alumínio que ele manteve por meia hora. O médico, que se ausentara nesse intervalo, voltou e, tendo retirado o tubo, examinou o paciente, que já começava a respirar com maior facilidade.

– Acabou – disse o doutor Géradec –, e mais rapidamente do que eu esperava. No caso, havia evidentemente um fenômeno de oclusão que contraía a garganta. Pode ir para sua casa. Descanse um pouco e logo não sentirá mais nada.

Siméon perguntou quanto devia e pagou. Mas, enquanto o médico o levava até a porta, ele parou e disse bruscamente, em tom de confidência:

– Sou amigo da senhora Albouin.

O médico não pareceu entender o que significava essa frase. Ele insistiu:

– Talvez esse nome não lhe diga nada? Mas, se eu lembrar você de que ele esconde a personalidade da senhora Mosgranem, não duvido de que possamos nos entender.

– Entender-nos a respeito do quê? – perguntou o médico, cuja surpresa contraía ainda mais o rosto.

– Olhe, doutor, o senhor está desconfiado, e é um erro. Estamos sozinhos. Todas as portas são duplas e almofadadas. Podemos conversar.

– Não me recuso a conversar, de forma alguma. Mas, para isso, é necessário que eu saiba...

– Um pouco de paciência, doutor.

– É que meus pacientes estão esperando por mim.

– Não vai demorar, doutor. Não estou lhe pedindo uma entrevista, mas apenas o tempo de dizer algumas frases. Vamos nos sentar.

Ele se sentou com ar resoluto. O doutor se acomodou em sua frente, parecendo cada vez mais surpreso.

E Siméon disse sem rodeios:

– Sou de nacionalidade grega. A Grécia, sendo um país neutro e amigo até hoje, não encontro dificuldade para obter um passaporte e sair da França. Mas, por motivos pessoais, desejo que esse passaporte não esteja em meu nome, mas em outro qualquer, que procuraremos juntos, e que, com sua ajuda, permitirá que eu vá embora sem o menor perigo.

O médico se levantou, indignado.

Siméon insistiu:

– Não venha com frases prontas, por favor. Aqui, trata-se de definir o preço, certo? Estou disposto a pagar. Quanto?

Com um gesto, o médico lhe mostrou a porta.

Siméon não protestou. Pôs seu chapéu. Mas, ao chegar perto da porta, articulou:

– Vinte mil?... É o suficiente?

– Devo chamar alguém para que o ponha para fora? – disse o doutor.

– Trinta mil?... Quarenta?... Cinquenta?... Ah, mais? Está jogando alto, pelo visto... uma quantia redonda... vamos lá. Mas, sabe, está tudo incluído no preço que acertarmos. Não somente o senhor me arruma um passaporte cuja autenticidade não será contestada, mas ainda me garante o meio de sair da França, como o fez para minha amiga, a senhora Mosgranem, e diabo, com condições bem melhores! Afinal, não estou regateando. Preciso do senhor. Então estamos de acordo, doutor? Cem mil?

O doutor Géradec o olhou longamente e então, com um movimento rápido, trancou a porta. Depois, foi sentar-se à sua mesa e disse simplesmente:

– Podemos conversar.

– É tudo o que quero. As pessoas honestas sempre acabam por se entender. Mas, antes de tudo, repito minha pergunta: estamos de acordo sobre cem mil?

– Estamos de acordo... – disse o médico –, a menos que a situação se apresente de uma forma menos clara do que aquela que sugere.

– O que quer dizer?

– Digo que o valor de cem mil é uma base de discussão aceitável, e só.

Siméon Diodokis hesitou um segundo. O indivíduo lhe parecia guloso demais. No entanto, voltou a se sentar, e o médico logo emendou:

– Seu verdadeiro nome, por favor?

– Impossível. Repito que por motivos...

– Então são duzentos mil.

– Hein?

Siméon se sobressaltou.

– Diabo! Com o senhor, não há meio termo. Uma quantia dessas!

Géradec respondeu calmamente:

– Ninguém o obriga a aceitar. Estamos negociando. O senhor é livre.

– Mas, afinal, a partir do momento em que aceita fazer-me um falso passaporte, o que lhe importa saber meu nome?

– Importa-me muito. Corro muito mais riscos ao facilitar a fuga, porque se trata de uma fuga, de um espião do que de um homem honesto.

– Não sou espião.

– E como posso saber? O senhor vem até minha casa para me propor algo desonesto. Esconde seu nome, sua personalidade, e tem tanta pressa de desaparecer que está prestes a pagar cem mil francos. E, apesar de tudo, tem a pretensão de se fazer passar por um homem honesto. Reflita. É absurdo. Um homem honesto não se comporta como um ladrão... ou como um assassino.

O velho Siméon não retrucou. Após um instante, enxugou a testa com um lenço. Obviamente, pensava que Géradec era um jogador duro e que talvez tivesse sido melhor não recorrer aos seus serviços. Mas, afinal de contas, o pacto era condicional. Sempre haveria tempo para rompê-lo.

– Oh! Oh! – exclamou, tentando rir. – O senhor usa cada palavra!

– São apenas palavras – disse o médico. – Não estabeleço nenhuma hipótese. Limito-me a resumir a situação e a justificar minhas pretensões.

– O senhor está totalmente certo.

– Portanto, fazendo minha a sua pergunta: estamos de acordo?

– Estamos de acordo. Talvez, porém, e será minha última observação, o senhor pudesse ter tratado com mais amabilidade um amigo da senhora Mosgranem.

– E como sabe que a tratei diferentemente do senhor? – perguntou o médico. – O senhor tem informações a esse respeito?

– A senhora Mosgranem confessou para mim que o senhor não cobrou absolutamente nada dela.

O médico deu um sorriso um tanto satisfeito e murmurou:

– De fato, não lhe cobrei nada, mas talvez ela me tenha dado muito. A senhora Mosgranem era uma dessas lindas mulheres cujos favores valem muito.

Essas palavras foram seguidas por um silêncio. O velho Siméon parecia cada vez mais incomodado diante de seu interlocutor. Finalmente, este insinuou:

– Minha indiscrição parece ser-lhe desagradável. Será que existiam entre a senhora Mosgranem e o senhor laços de ternura?... Nesse caso, desculpe-me... Aliás, tudo isso, senhor, não tem mais importância após o que acaba de ocorrer, não é?

E o médico suspirou:

– Pobre senhora Mosgranem!

– Por que o senhor fala dela dessa maneira? – questionou Siméon.

– Por quê? Mas justamente por causa do que acaba de ocorrer.

– Ignoro totalmente...

– Como, o senhor ignora o terrível drama?

– Mas não recebi carta dela desde sua partida.

– Ah! Eu recebi uma ontem à noite, e fiquei muito surpreso ao saber que ela estava de volta à França.

– Na França, a senhora Mosgranem!

– Pois é. E ela até marcou um encontro comigo para hoje cedo... Um encontro estranho...

– Em que lugar? – perguntou Siméon, visivelmente inquieto.

– Eu que lhe pergunto.

– Fale!

– Bem, em uma barcaça.

– Hein?

– Sim, em uma barcaça, chamada *Nonchalante,* atracada no cais de Passy, ao longo do canteiro Berthou.

– Como é possível? – balbuciou Siméon.

– É a mais pura realidade. E sabe como a carta era assinada? Estava assinada com o nome de Grégoire.

– Grégoire… Um nome de homem… – murmurou Siméon em tom abafado.

– De fato, um nome do homem… Olhe, a carta está comigo. Ela me diz que leva uma vida bem perigosa, que desconfia do homem ao qual sua fortuna está associada, e que gostaria de me pedir um conselho.

– Então… então… O senhor foi ao encontro?

– Fui.

– Mas quando?

– Hoje de manhã. Eu estava lá quando o senhor telefonou aqui. Infelizmente…

– Infelizmente?…

– Cheguei tarde demais.

– Tarde demais?…

– Sim, o senhor Grégoire, ou melhor, a senhora Mosgranem estava morta.

– Morta!

– Havia sido estrangulada.

– Que horror – disse Siméon, que parecia voltar a se sentir sufocado. – E o senhor não sabe nada mais?

– Nada mais a respeito do quê?

– A respeito do homem que havia mencionado.

– O homem de quem ela desconfiava?

– Sim.

– Sim, sim, escreveu-me o nome dele nessa carta. É um grego que se diz chamar Siméon Diodokis. Deu-me até sua descrição… que li sem prestar muita atenção.

Abriu a carta e deu uma olhada na segunda página, murmurando:

– Um homem bastante velho… curvado… que usa um cachecol… sempre usa um cachecol e espessos óculos amarelos.

O doutor Géradec interrompeu sua leitura e olhou Siméon com ar estupefato. Ambos ficaram calados por um momento. Então o médico repetiu maquinalmente:

– Um homem bastante velho… curvado… que usa um cachecol… e espessos óculos amarelos.

Após cada trecho da frase, ele parava o tempo necessário para conferir o detalhe acusador. Finalmente, pronunciou:

– O senhor é Siméon Diodokis…

O outro não protestou. Todos os incidentes se encadeavam de maneira tão estranha, e ao mesmo tão natural, que ele sentia quanto mentir era inútil.

O doutor Géradec fez um gesto largo e declarou:

– Eis exatamente o que eu havia previsto. A situação não é mais como o senhor a apresentou. Não se trata mais de ninharias, mas de algo muito grave e terrivelmente perigoso para mim.

– O que significa?

– O que significa que o preço não é mais o mesmo.

– Quanto, então?

– Um milhão.

– Ah! Não, não! – exclamou Siméon com veemência. – Não! E não fui eu que agredi a senhora Mosgranem. Eu mesmo fui atacado pelo homem que a estrangulou, e é o mesmo indivíduo, um negro chamado Ya-Bon, que me alcançou e tentou me estrangular.

O médico lhe agarrou o braço.

– Repita esse nome! O senhor disse mesmo Ya-Bon?

– Sim, um senegalês, mutilado de um braço.

– E houve uma luta entre esse Ya-Bon e o senhor?

– Sim.

– E o senhor o matou?

– Eu me defendi.

– Que seja. Mas matou-o?

– Isto é…

O médico deu de ombros, sorrindo.

– Olhe, senhor, a coincidência é curiosa. Ao sair da barcaça, encontrei meia dúzia de soldados mutilados, que conversaram comigo. Procuravam justamente seu camarada Ya-Bon, procuravam seu capitão, o capitão Belval, também procuravam um amigo desse oficial e ainda uma senhora, na casa da qual estavam alojados. Essas quatro pessoas haviam desaparecido, e acusavam um indivíduo de ser responsável por esse desaparecimento... mas, veja só, disseram-me o nome... Ah, é cada vez mais estranho! Era Siméon Diodokis, era o senhor que acusavam... não é curioso? Mas, por outro lado, confesse que tudo isso representa fatos novos e que, consequentemente...

Houve uma pausa. Então o médico anunciou claramente:

– Dois milhões.

Dessa vez Siméon permaneceu impassível. Sentia-se preso nas garras desse homem como o rato entre as garras de um gato. O médico brincava com ele, deixava-o escapar, pegava-o de volta, sem que ele, por um segundo sequer, tivesse a esperança de poder escapar desse jogo mortal.

Ele disse simplesmente:

– É chantagem...

O médico fez um sinal de aprovação:

– De fato, não vejo outra palavra. É chantagem. E, ainda mais, uma chantagem para a qual não dei motivos de estar na origem da ocasião que agora aproveito. Um maravilhoso acaso surge ao alcance de minha mão. Não o deixo passar, assim como o senhor não deixaria. O que quer? Tive com a Justiça de meu país alguns problemas que o senhor bem conhece. Ela e eu assinamos um tratado de paz. Mas, minha situação profissional ficou tão abalada que não posso recusar por desdém o que o senhor me traz com tanta benevolência.

– E se eu me recusar a aceitar?

– Então chamo a delegacia de polícia, em que hoje sou muito bem-visto, já que presto alguns serviços a esses senhores.

Siméon olhou do lado da janela, e então do lado da porta. O médico já estava pegando o telefone. Não havia nada que ele pudesse fazer por enquanto, senão ceder... na esperança de poder tirar proveito de futuras circunstâncias mais favoráveis.

– Pois bem – declarou Siméon. – Afinal de contas, é melhor assim. O senhor me conhece, eu conheço o senhor. Podemos chegar a nos entender.

– Sobre a base indicada?

– Sim.

– Dois milhões?

– Sim. Explique-me seu plano.

– Não vale a pena. Tenho meios próprios, e acho inútil divulgá-los antecipadamente. O essencial é sua evasão, não é? E o fim dos perigos que está correndo? Por tudo isso eu respondo.

– Quem me garante?

– O senhor vai me pagar metade agora, e metade no fim da empreitada. Permanece a questão do passaporte. Para mim, é secundária. Mas precisamos fazer algum. Com qual nome?

– Aquele que o senhor quiser.

O médico pegou um papel para escrever a descrição e, enquanto observava seu interlocutor, murmurava: cabelo cinza... rosto imberbe... óculos amarelos... Então, perguntou:

– Mas o senhor... quem me garante o indispensável pagamento? Quero cédulas de banco... cédulas verdadeiras, autênticas...

– O senhor as terá.

– Onde estão?

– Em um esconderijo inacessível.

– Seja mais preciso.

– Posso fazê-lo. Mas mesmo que eu indique onde estão, o senhor não vai achá-las.

– Então?

– Grégoire era quem as guardava. São quatro milhões... estão na barcaça. Iremos até lá juntos e lhe entregarei o primeiro milhão.

O médico bateu na mesa.

– Hein? O que disse?

– Digo que esses milhões estão na barcaça.

– A barcaça que está atracada perto do canteiro Berthou, na qual a senhora Mosgranem foi morta?

– Sim, foi lá que escondi quatro milhões. Um deles lhe será entregue.

O medico meneou a cabeça e disse:

– Não, não aceito esse dinheiro como pagamento!

– Por quê? Está louco.

– Por quê? Porque ninguém é pago com aquilo que já lhe pertence.

– O que disse? – exclamou Siméon, espantado.

– Esses quatro milhões me pertencem. Consequentemente, não pode oferecê-los a mim.

Siméon deu de ombros.

– Está divagando. Para que fossem seus, precisaria primeiramente que estivessem com o senhor.

– Claro.

– E estão com o senhor?

– Sim.

– O quê? Explique-se. Explique-se imediatamente – gritou Siméon, fora de si.

– Vou explicar. O esconderijo inacessível consistia em quatro listas telefônicas obsoletas. A lista de Paris e as de alguns departamentos[11], cada uma em dois volumes. Cada um desses quatro volumes, vazios por dentro e dos quais só restava a encadernação, continha um milhão.

– Está mentindo! Está mentindo!

– Estavam em uma prateleira, no pequeno cubículo que fica ao lado da cabine.

– E então? Então?

– Então? Bem, estão aqui.

– Aqui?

– Nesta prateleira, diante dos seus olhos. Portanto, nessas condições, já que estão em minha posse legítima, não posso aceitar, não é?...

– Ladrão! ladrão! – gritou Siméon, tremendo de raiva e mostrando o punho. – O senhor não passa de um ladrão e vou obrigá-lo a me devolver... Ah, bandido...

Muito calmo, o doutor Géradec sorriu e levantou a mão em sinal de protesto.

[11] A França é dividida em regiões (dezoito, atualmente), e estas em departamentos (de dois a treze por região), totalizando 101 departamentos. (N.T.)

– Quantas palavras, e como são injustas! Sim, repito, injustas! Devo lhe lembrar que sua amante, a senhora Mosgranem, me honrava com seus favores? Um dia, ou melhor, uma manhã, após um momento de efusividade, ela me disse: "Meu amigo (chamava-me de seu amigo e, naqueles momentos, manifestava muita intimidade), meu amigo, quando eu morrer... tinha pressentimentos sombrios... quando eu morrer, eu lhe lego tudo que estiver em meu apartamento". Seu apartamento, no minuto em que morreu, era a barcaça em questão. Como eu poderia, sem ofender sua memória, não obedecer a uma vontade tão sagrada?

O velho Siméon não escutava. Uma ideia infernal despertava nele e, levantando-se, foi em direção ao médico em um gesto de desesperada atenção.

O médico lhe disse.

– Não vamos desperdiçar um tempo precioso, meu caro senhor. O que decide?

Brincava com a folha em que inscrevera as informações necessárias para o passaporte. Siméon avançou em sua direção sem dizer uma palavra. No final, o velho homem sussurrou:

– Dê-me essa folha... Quero ver como elaborou meu passaporte... e com que nome...

Arrancou o papel, percorreu-o com os olhos e, de repente, deu um salto para trás.

– Que nome o senhor pôs? Que nome o senhor pôs? Com que direito me dá esse nome? Por quê? Por quê?

– O senhor me disse para colocar o nome que eu quisesse.

– Mas este? Este?... Por que escreveu este?

– Na verdade, não sei... uma ideia como qualquer outra. Eu não podia colocar Siméon Diodokis, não é, já que não se chama assim... e eu não podia utilizar Armand Belval, já que também não se chama assim. Então, pus esse nome.

– Mas por que justamente esse nome?

– Diabo, porque é o seu nome verdadeiro.

O velho teve um movimento de espanto e, em tom baixo, cada vez mais debruçado sobre o médico, disse, estremecendo:

– Apenas um único homem... apenas um único homem era capaz de adivinhar...

Mais um longo silêncio. Então o médico disse, com uma risada:

– De fato, creio que um único homem era capaz disso. Portanto, digamos que eu seja esse homem.

– Um único – continuou o outro, a quem a respiração de novo parecia faltar... – também um único homem podia encontrar o esconderijo dos quatro milhões, como o senhor o encontrou, em poucos segundos...

O médico não respondeu. Sorria e seu rosto se descontraía aos poucos.

Era como se Siméon não ousasse pronunciar o nome temido que lhe vinha aos lábios. Curvava a cabeça. Era como um escravo diante de seu amo. Algo formidável, cujo peso ele já havia sentido durante a luta, esmagava-o. O homem que estava diante dele tomava, em sua mente, as proporções de um gigante que podia eliminá-lo com uma única palavra, podia aniquilá-lo com um único gesto. E apenas um homem tinha essas proporções, fora das dimensões humanas.

No final, ele murmurou com um terror quase incompreensível:

– Arsène Lupin... Arsène Lupin...

– Acertou na mosca – exclamou o médico, levantando-se.

Lupin deixou cair seu monóculo. Tirou do bolso uma caixinha que continha uma pomada, passou essa pomada no rosto, lavou-se em uma bacia d'água que ficava dentro de um armário e reapareceu com a tez clara, o rosto sorridente e zombeteiro, o ar desenvolto.

– Arsène Lupin – repetiu Siméon, petrificado... – Arsène Lupin... Estou perdido...

– Completamente, seu velho estúpido. E precisa ser mesmo estúpido! Como! Conhece minha fama, sente para comigo um medo intenso e salutar que um homem honesto de minha envergadura deve inspirar a um velho bandido como você, e imaginou que eu seria tolo o suficiente para me deixar prender em sua câmara de gás.

Lupin ia e vinha, como um hábil comediante que tem uma tirada para dizer, que a pontua nos lugares certos, se alegra com o efeito produzido e que se escuta falar com certa complacência. Sentia que por nada no mundo teria deixado seu lugar e abandonado seu papel.

Ele continuou:

– Note que naquele momento eu poderia tê-lo agarrado pelo pescoço e representado imediatamente com você a grande cena do quinto ato, que estamos interpretando agora. Mas acontece que meu quinto ato era um pouco curto, e sou homem de teatro! Enquanto desta maneira o interesse voltou a crescer! Como foi divertido ver a ideia brotar em sua cabeça de tolo! E como foi divertido ir até o ateliê, amarrar minha lanterna a um barbante, levar assim Patrice a crer que eu estava lá, sair, ouvir Patrice me renegar três vezes e trancar cuidadosamente, o quê? Minha lanterna! Tudo isso foi muito bem feito, o que acha? Não é? Sinto que está boquiaberto de admiração... e dez minutos depois, quando você voltou, hein? Que linda cena interpretei! Obviamente, eu batia mesmo contra a porta emparedada, entre o ateliê e o cômodo da esquerda... Só que, velho Siméon, eu não estava no ateliê, mas no quarto da esquerda! E o velho Siméon não duvidou de nada, e foi embora tranquilamente, convencido de que deixava para trás um condenado à morte. Um golpe de mestre, não acha? E eu dominava tanto a situação que nem precisei segui-lo até o fim. Eu tinha certeza, assim como dois e dois são quatro, de que ia à casa de seu amigo, o senhor Amédée Vacherot, o zelador. E, de fato, você foi lá na mesma hora.

Lupin retomou o folego e prosseguiu:

– Ah! Só que aí você cometeu uma bela imprudência, velho Siméon, que me tirou de apuro. Cheguei lá: não havia ninguém na portaria. O que fazer? Como achar sua pista? Felizmente, a providência me protegia. O que li em um pedaço de jornal? Um número de telefone que acabara de ser escrito a lápis. Olhe, olhe! Eis uma pista! Liguei para esse número. Consegui a comunicação e, friamente, sugeri: "Senhor, sou eu quem ligou há pouco. Acontece que tenho seu número, mas não tenho seu endereço". E foi assim que me deram esse endereço: "Doutor Géradec, boulevard de Montmorency". Então entendi. O doutor Géradec? É isso mesmo. Primeiramente, o velho Siméon vai receber uma boa intubação. Em seguida, vão cuidar de seu passaporte, já que o doutor Géradec é especialista em passaportes falsificados. Ah! Ah! Então é assim que o velho Siméon pretende fugir? De jeito nenhum! Então, vim aqui, sem me ocupar do seu pobre amigo, o senhor Vacherot, que você assassinou em algum canto para se livrar de um possível acusador. E, aqui, encontrei o doutor Géradec, um homem encantador, que, por causa dos erros que já cometeu, tem-se tornado mais sossegado e flexível, e que me... deixou seu lugar emprestado por uma manhã. Não foi barato, mas, sabe? Os fins justificam... Em suma, como sua consulta estava marcada para as dez horas, eu ainda tinha duas horas inteiras para mim; portanto, fui visitar a barcaça, pegar os milhões, acertar certas coisas. E aqui estou!

Lupin parou diante de Siméon e lhe disse:

– Então, está pronto?

Siméon, que parecia absorto, estremeceu.

– Pronto para o quê? – continuou Lupin, sem esperar a resposta. – Mas para a grande viagem. Seu passaporte está em ordem. Paris-Inferno. Ida simples. Trem-bala. Leito-caixão. A bordo!

Houve um longo silêncio. O velho homem refletia e, visivelmente, procurava uma saída para escapar das garras de seu inimigo. Mas os gracejos de Arsène Lupin deviam atordoá-lo profundamente, porque só conseguiu balbuciar algumas sílabas confusas.

No fim, fez um esforço e pronunciou:

– E Patrice?

– Patrice? – repetiu Lupin.

– Sim. O que vai acontecer com ele?

– Tem alguma ideia a respeito disso?

– Ofereço minha vida em troca da dele.

Lupin pareceu estupefato.

– A seu ver, ele está correndo perigo de morte?

– Sim, é por isso que proponho o acordo: a vida dele contra a minha.

Lupin cruzou os braços, parecendo escandalizado:

– Realmente! Não tem vergonha! Como, Patrice é meu amigo, e acha que sou capaz de abandoná-lo desse jeito? Acha que eu, Lupin, faria gracejos mais ou menos engraçados sobre sua morte iminente enquanto meu amigo Patrice estaria correndo perigo? Está se rebaixando, velho Siméon. Está na hora de ir descansar em um mundo melhor.

Levantou uma cortina, abriu uma porta e chamou:

– E aí, capitão?

Então, após chamar outra vez, ele continuou:

– Ah! Vejo que recuperou a consciência, capitão. Que bom! Não está surpreso por me ver? Não! Ah! Sobretudo, eu lhe peço, nada de agradecimentos. Apenas queira vir até aqui. Nosso velho Siméon reclama sua presença. E, neste momento, o velho Siméon merece certa consideração.

Então, virando-se para o velho homem, ele lhe disse:

– Aqui está seu filho, pai desnaturado.

A ÚLTIMA VÍTIMA DE SIMÉON

Patrice entrou, a cabeça enfaixada, já que o golpe que Siméon lhe dera e o peso da lápide haviam reaberto antigas feridas. Estava muito pálido e parecia sofrer muito.

Ao ver Siméon Diodokis, teve um terrível gesto de fúria. No entanto, conteve-se. De pé um diante do outro, os dois homens não se mexiam, e Lupin, esfregando as mãos, dizia a meia voz:

– Que cena! Que cena admirável! Isso não é mesmo um bom teatro? O pai e o filho! O criminoso e a vítima! Atenção, orquestra... um *tremolo* em surdina... O que vão fazer? Será que o filho vai matar o pai, ou o pai matar o filho? Minutos palpitantes... Que silêncio! Só se expressa a voz do sangue, e em que termos! Pronto! A voz do sangue falou, e eles vão se jogar um nos braços do outro, para melhor se sufocarem.

Patrice dera dois passos adiante, e o movimento anunciado por Lupin ia se realizar, os dois braços do oficial se abriam para a luta. Mas, de repente, Siméon, enfraquecido pelo sofrimento, dominado por uma vontade mais forte, abandonou-se e suplicou:

– Patrice... Patrice... o que vai fazer?

Estendia as mãos, recorria à piedade de seu adversário, e este, detido em seu impulso, ficou confuso e olhou longamente para o homem a quem o vinculavam laços misteriosos e inexplicáveis.

Patrice finalmente falou, os punhos ainda erguidos:

– Coralie! Coralie! Diga-me onde ela está e terá a vida salva.

O velho estremeceu; seu ódio, despertado pela lembrança de Coralie, pela possibilidade de causar algum dano, recuperava energias, e ele respondeu com um riso cruel:

– Não, não... Salvar Coralie? Não, prefiro morrer. Ademais, o esconderijo de Coralie também é o do ouro... Não, nunca, prefiro morrer...

– Mate-o então, capitão – interveio dom Luís. – Mate-o, já que ele prefere que seja assim.

De novo a ideia da morte imediata e da vingança corava de sangue o rosto do oficial. Mas a mesma hesitação suspendeu o impulso.

– Não, não – disse ele em voz baixa. – Não posso...

– Por quê? – insistiu dom Luís... – É tão fácil! Vamos! Torça-lhe o pescoço como o faria com uma galinha.

– Não posso.

– Por quê? Acha repugnante a ideia de estrangulá-lo? Isso lhe dá nojo? No entanto, se fosse um boche[12], no campo de batalha...

– Sim, mas esse homem...

– São suas mãos que estão se recusando, talvez? A ideia de agarrar essa carne e apertá-la?... Olhe, capitão, pegue meu revólver e exploda os miolos dele.

Patrice pegou a arma com ansiedade e a apontou para o velho Siméon. O silêncio foi aterrador. Os olhos de Siméon se fecharam e gotas de suor corriam em seu rosto lívido.

No final, o braço do oficial desceu e ele repetiu:

– Não posso.

– Atire – ordenou dom Luís, impaciente.

– Não... não...

– Mas, mais uma vez, por que não?

– Não posso.

– Não pode? Quer que eu lhe diga o motivo, capitão? Você pensa nesse homem como se fosse seu pai.

[12] Um alemão. (N.T.)

– Talvez – disse o oficial, em tom baixo... – Há momentos em que as aparências me obrigam a acreditar nisso.

– Isso não importa, já que se trata de um crápula e um bandido!

– Não, não, não tenho esse direito. Que morra, mas não pelas minhas mãos. Não tenho o direito.

– Então, renuncia a se vingar?

– Seria abominável, seria monstruoso!

Dom Luís se aproximou e, tocando-lhe o ombro, disse em tom grave:

– E se não fosse seu pai?

Patrice o olhou. Não estava entendendo.

– O que quer dizer?

– Quero dizer que a certeza não existe, que a dúvida, se se apoia em aparências, ou até em presunções, não é corroborada por nenhuma prova. E, por outro lado, pense no desgosto, na repugnância que sente... porque, enfim, isso também deve ser levado em conta. Para quem é, como você, limpo, leal, cheio de honra e orgulho, é aceitável ser filho de tamanho bandido? Pense nisso, Patrice.

Fez uma pausa e repetiu:

– Pense nisso, Patrice... e também em outra coisa que tem seu valor, eu lhe juro.

– Que coisa? – perguntou Patrice, que o contemplava com ar perdido.

Dom Luís pronunciou:

– Não importa qual seja o meu passado, o que possa pensar a meu respeito, você bem que reconhece que tenho certa consciência, não é? Sabe que minha conduta, em todo esse caso, nunca foi influenciada, senão por motivos que posso confessar em voz alta, não é?

– Sim, sim – declarou Patrice Belval com força.

– Pois bem, então, capitão, acredita que o incentivaria a matar esse homem se fosse seu pai?

Patrice parecia fora de si.

– Tenho certeza de que você deve ter alguma prova... Ah, eu lhe peço.

Dom Luís continuou:

– Acha que eu lhe diria para odiar esse homem se fosse seu pai?

– Ah – exclamou Patrice –, então não é meu pai?

– Não, não, repetiu Dom Luís, com irresistível convicção e ardor crescente. – Mil vezes não! Mas observe-o! Veja essa cara de bandido! Todos os crimes e todos os vícios estão inscritos nesse rosto de canalha. Nessa aventura, desde o primeiro dia até o último, não houve um crime que não fosse obra dele... nenhum, entende? Não estivemos enfrentando dois criminosos, como temos acreditado. Não houve Essarès para começar a tarefa infernal e o velho Siméon para terminá-la. Só há um criminoso, um único, entende, Patrice? O mesmo bandido que diante de nós, por assim dizer, matou Ya-Bon, matou o zelador Vacherot, matou sua própria cúmplice, o mesmo bandido havia começado sua sinistra empreitada muito antes, e já matava quem o incomodava. E entre essas vítimas ele matou alguém que você conhecia, Patrice, matou um de quem você é a carne e o sangue.

– Quem? De quem está falando? – perguntou Patrice, sentindo-se totalmente confuso.

– Daquele de quem você ouviu, por telefone, os gritos de agonia; daquele que o chamava Patrice e que só vivia por você: ele matou esse homem! E esse homem era seu pai, Patrice! Era Armand Belval! Entende agora?

Patrice não entendia. As palavras de dom Luís caíam nas trevas sem que nenhuma delas fizesse brilhar a mais ínfima luz. No entanto, algo formidável se impunha à sua mente, e ele balbuciou:

– Ouvi a voz de meu pai... Era ele mesmo que me chamava?

– Era seu pai, Patrice.

– E o homem que o matava?

– Era este – disse dom Luís, apontando para o velho homem.

Siméon permanecia imóvel, os olhos perdidos, como um miserável que espera a sentença de morte. Patrice não deixava de olhá-lo, e era tomado por arrepios de raiva.

E, no entanto, certa alegria surgia na desordem de seus sentimentos, crescia nele e ocupava todos os seus pensamentos. Esse homem imundo não era seu pai. Seu pai estava morto, e era melhor assim. Ele respirava melhor. Podia reerguer a cabeça e odiar livremente, com um ódio justo e santo.

– Quem é você? Quem é você?

E, dirigindo-se para dom Luís:

– O nome dele? Eu lhe suplico… Quero saber o maldito nome antes de poder esmagá-lo.

– O nome dele? – disse dom Luís. – O nome dele? Ainda não adivinhou? É verdade que eu mesmo tive de procurar bastante, no entanto, era a única hipótese admissível.

– Mas que hipótese? Que ideia? – exclamou Patrice, exasperado.

– Quer saber?

– Ah! Eu lhe peço! Não vejo a hora de acabar com ele, mas antes quero conhecer seu nome.

– Pois bem…

Houve um silêncio entre os dois homens. Olhavam-se, de pé um ao lado do outro.

Mas dom Luís teve certamente a impressão de que ainda era preciso adiar o momento da revelação, e assim prosseguiu:

– Ainda não está pronto para a verdade, Patrice, e mesmo assim quero que, quando a ouvir, ela não provoque em você qualquer objeção. Veja bem, Patrice, e não pense que estou brincando, acontecem na vida, como na arte dramática, momentos em que o que chamamos de reviravolta não surte efeito se não for preparada. Não procuro criar uma reviravolta, mas impor-lhe uma convicção total, irresistível, a respeito do homem que não é seu pai, como agora você o admite, mas que também não é Siméon Diodokis, embora tenha tomado a aparência, a identidade e até a própria vida de Siméon Diodokis. Está começando a entender? Devo lhe repetir minha frase anterior: "Durante essa luta, não estivemos enfrentando dois criminosos. Não houve Essarès para começar a tarefa infernal e o velho Siméon para terminá-la". Só existiu, só existe um criminoso, ainda vivo, desde o começo, ainda agindo, eliminando quem o incomoda e, se preciso, utilizando-se da personalidade deles, e perseguindo sob essa aparência sua maldita obra… Entende? Preciso nomear aquele que foi a própria alma desse caso colossal, aquele que escreveu o enredo e que o fez evoluir para um desfecho favorável, apesar de todos os obstáculos e da guerra feroz que seus cúmplices lhe declararam? Procure além daquilo que viu com os próprios olhos, Patrice.

E dom Luís avançou:

– Não questione somente suas lembranças, até as do primeiro dia. Interrogue as lembranças dos outros, e tudo aquilo que Coralie lhe contou sobre o passado. Quem é o único perseguidor, o único bandido, o único assassino, o único gênio de todo o mal que foi feito ao seu pai e à mãe de Coralie, a Coralie, ao coronel Fakhi, a Grégoire, a Ya-Bon, a Vacherot, a todos, Patrice, a todos que foram envolvidos na trágica aventura? Vamos, vamos, sinto que está quase adivinhando. Se a verdade ainda não lhe aparece, seu fantasma invisível já o está rodeando. O nome desse homem brota em sua mente. Sua alma hedionda sai das trevas, sua verdadeira personalidade ganha corpo, sua máscara cai. E, na sua frente, está o próprio criminoso, isto é…

Quem pronunciou o nome terrível? Foi dom Luís, com todo o ardor da certeza? Foi Patrice, com a hesitação e a surpresa de uma convicção nascente? No entanto, assim que as quatro sílabas ecoaram no silêncio solene, o oficial não teve um momento de dúvida. Nem mesmo por um segundo procurou entender por qual prodígio tamanha revelação podia ser a simples expressão da verdade. Instantaneamente, ele admitiu essa verdade como incontestável e comprovada pelos fatos mais evidentes. E repetiu várias vezes o nome no qual nunca pensara, e que dava a explicação ao mesmo tempo mais lógica e mais extraordinária para o mais incompreensível dos problemas.

– Essarès bei… Essarès bei…

– Essarès bei – repetiu dom Luís –, Essarès bei, o homem que matou seu pai, e que o matou, por assim dizer, duas vezes, outrora na casa, tirando-lhe sua felicidade e sua razão de viver, e há poucos dias, na biblioteca, quando Armand Belval, seu pai, estava ligando para você. Essarès bei, o homem que matou a mãe de Coralie e que enterrou Coralie em um túmulo impossível de encontrar.

Dessa vez a morte foi decidida. Os olhos do oficial expressaram uma resolução indomável. Era preciso que o assassino de seu pai, o assassino de Coralie, morresse imediatamente. O dever era claro e preciso. O terrível Essarès devia morrer pela própria mão do filho e do noivo.

– Reze por sua alma – disse ele friamente – Dentro de dez segundos estará morto.

Contou esses dez segundos, e no décimo ia atirar quando o inimigo teve um arrojo de desmedida energia, que provava que, sob a aparência do velho Siméon, ainda havia um homem jovem e vigoroso. E ele exclamou com incrível virulência, que levou Patrice a hesitar:

– Pois sim, mate-me! Sim, e que tudo acabe! Fui vencido... aceito minha derrota. Mas é uma vitória, já que Coralie morreu e meu ouro está salvo!... Morro, mas ninguém os terá, nenhum dos dois... nem a mulher que amo, nem esse ouro que foi minha vida. Ah! Patrice, Patrice, a mulher que nós dois amávamos loucamente, ela não existe mais... ou então agoniza sem que agora seja possível salvá-la. Se eu não a tenho, você também tampouco a terá, Patrice. Minha vingança se cumpriu. Coralie está perdida! Está perdida!

Ele berrava e balbuciava ao mesmo tempo, recuperando uma força selvagem. Diante dele, Patrice o sobrepujava, prestes a agir, mas ainda esperando para ouvir as terríveis palavras que o torturavam.

– Ela está perdida, Patrice – continuou o inimigo com violência redobrada. – Perdida! Não há nada que se possa fazer! E você nem encontrará seu cadáver nas entranhas da terra em que a escondi com os sacos do ouro. Sob a lápide? Não, não sou tão tolo! Não, Patrice, você nunca vai achá-la. O ouro a sufoca. Está morta! Coralie está morta! Ah! Que delícia é poder jogar isso na tua cara! Como deve sofrer, Patrice! Coralie está morta! Morta!

– Não grite tanto. Você vai acordá-la – disse dom Luís Perenna, calmamente.

Havia tirado um cigarro de uma caixinha de metal que estava na mesa, acendeu-o e deu umas tragadas cuja fumaça subia em espirais. E parecia ter dito a frase como um aviso banal, dado despretensiosamente.

Contudo, uma espécie de estupor se seguiu à frase estranha e imprevista, um estupor que paralisava os dois adversários. Patrice deixou cair o braço, Siméon desfaleceu e se deixou desmoronar em uma poltrona. Ambos, sabendo do que Lupin era capaz, entendiam o que ele quisera dizer.

Mas Patrice precisava de algo mais do que palavras obscuras, que bem podiam ser uma bravata. Precisava de certeza. Com a voz entrecortada, ele perguntou:

– O que disse? Vamos acordá-la?

– Diabo! – respondeu dom Luís. – Quem grita demais acaba acordando as pessoas!

– Então ela está viva?

– Apesar do que se diz, ninguém acorda os mortos, somente os vivos.

– Coralie está viva! Coralie está viva! – repetiu Patrice, com uma espécie de embriaguez que o transfigurava. – Como é possível? Mas então ela estaria aí? Ah! Eu lhe peço, confirme esse fato, preciso ouvir seu juramento... Mas não, não é verdade, não é? Não posso crer... Quis brincar comigo.

Dom Luís retrucou:

– Vou lhe dizer, capitão, o que há pouco eu disse a esse miserável: "Você acredita que eu abandonaria minha obra antes de tê-la concluído?". É conhecer-me mal. Tudo que começo, capitão, eu o termino, e com sucesso. Trata-se de um hábito que mantenho porque o acho bom. Portanto...

Dirigiu-se para um dos lados da sala. Simetricamente à primeira cortina que escondia a porta por onde Patrice entrara antes, havia outra que ele levantou e que escondia uma segunda porta.

Patrice Belval dizia, com uma voz quase ininteligível:

– Não, não, ela não está aí... Não posso acreditar... A decepção seria grande demais... Jure-me...

– Não tenho nada a lhe jurar, capitão... Basta que abra os olhos. Diabo! Acha que isso é comportamento de um oficial francês? Está pálido! Pois sim, é ela, é mamãe Coralie. Está dormindo nessa cama, aos cuidados de dois guardas. Não há perigo, aliás. Nenhum ferimento. Um pouco de febre, apenas, e um cansaço extremo. Pobre mamãe Coralie, sempre que eu a vi foi nesse estado de esgotamento e de torpor.

Patrice se aproximou, transbordando de alegria. Dom Luís o deteve.

– Chega, capitão, não vá adiante. Se eu a trouxe aqui em vez de levá-la à sua casa foi porque achei necessário que ela mudasse de ambiente e de atmosfera. Chega de emoções. Já tem sofrido muito e, ao se mostrar, você poderia pôr tudo a perder.

– Você tem razão – disse Patrice –, mas tem certeza mesmo?

– Que está viva? – disse dom Luís, rindo. – Tanto quanto você e eu, e pronta a lhe dar a felicidade que merece e ser chamada de senhora Patrice Belval. Peço-lhe apenas um pouco de paciência. E não esqueça que ainda há um obstáculo para vencer, capitão, porque, afinal, ela é casada...

Ele fechou a porta e trouxe Patrice diante de Essarès bei.

– Eis o obstáculo, capitão. Está determinado, dessa vez? Entre mamãe Coralie e você, ainda há esse miserável. O que vai fazer dele?

Essarès nem havia olhado para o quarto vizinho, como se soubesse que a palavra de dom Luís Perenna não podia ser posta em dúvida. Curvado, sem forças, impotente, tremia em sua poltrona.

Dom Luís o interpelou:

– Olhe, rapaz, não parece estar muito à vontade. O que o aborrece? Está com medo, talvez? Por quê? Eu lhe prometo que não faremos nada sem concordarmos previamente e sem que nós três estejamos com a mesma opinião. Isso o tranquiliza, hein? Que ideia! Nós três somos os que vão julgá-lo. E agora mesmo. O capitão Patrice Belval, dom Luís Perenna e o velho Siméon formam um tribunal. Vamos abrir os debates. Ninguém toma a palavra para defender o senhor Essarès bei? Ninguém. O senhor Essarès bei é condenado à morte. Sem circunstâncias atenuantes. Sem poder recorrer. Sem concessão de graça. Sem suspensão de pena. Execução imediata. Caso julgado!

Bateu no ombro do homem e lhe disse:

– Como pode ver, foi tudo rápido! Por unanimidade, hein? É um veredito satisfatório e que deixa todo mundo feliz. Só resta escolher o tipo de morte. O que acha? Um tiro de revólver? Está entendido. É limpo e rápido. Capitão Belval, siga em frente. O alvo está postado e aqui está a arma.

Patrice não havia se mexido. Contemplava o imundo indivíduo que o prejudicara tanto. Um formidável ódio fervilhava dentro dele. No entanto, ele respondeu:

– Não vou matar esse homem.

– Tem razão – aprovou dom Luís. – Afinal de contas, tem razão, e seus escrúpulos o honram. Não, você não tem o direito de matar esse homem, ainda mais que é o marido da mulher que ama. Não lhe pertence eliminar o obstáculo. Ademais, matar lhe dá desgosto. A mim, também. E esse animal é sujo demais. Então, Siméon, só você pode nos ajudar a sair dessa situação delicada.

Dom Luís se calou e se debruçou sobre Essarès. Será que o miserável havia ouvido? Será que ainda estava vivo? Parecia desmaiado, privado de sua consciência.

Dom Luís o sacudiu bruscamente pelo ombro.

Essarès gemeu:

– O ouro... os sacos de ouro...

– Ah! Está pensando nisso, seu velho malandro? Ainda está interessado?

Dom Luís deu uma gargalhada.

– Aliás, sim, nós nos esquecemos de falar disso. Mas você pensa no ouro, seu velho malandro. Continua interessado? Pois bem, meu caro, os sacos de ouro estão no meu bolso... na medida em que um bolso pode conter mil e oitocentos sacos de ouro.

O homem protestou.

– O esconderijo...

– Seu esconderijo? Mas não existe mais para mim. Não preciso lhe trazer a prova, já que Coralie está aí. E como Coralie estava soterrada no meio dos sacos de ouro, você deve concluir por simples lógica... Consequentemente, está perdido. A mulher que queria está livre, mais terrível ainda, livre junto daquele que adora e nunca mais deixará. E, por outro lado, seu tesouro foi descoberto. Então, acabou, não é? Estamos de acordo? Veja, aqui está o brinquedo de sua libertação.

Apresentou-lhe o revólver, que Essarès, maquinalmente, pegou e apontou para Lupin. Mas seu braço não tinha força e voltou a descer.

– Perfeito! – disse dom Luís. – Sua consciência se revolta, e não é contra mim que seu braço se volta. Perfeito! Estamos nos entendendo, e o ato que quer executar vai redimir a má vida que levou, seu velho bandido. Quando toda esperança desaparece, só resta uma coisa: a morte. É o grande refúgio.

Pegou-lhe a mão, e apertando na coronha os dedos enfraquecidos, apontou a arma para o rosto de Essarès.

– Vamos, um pouco de coragem. O que resolveu fazer está muito certo. Já que o capitão e eu nos recusamos a ter a desonra de matá-lo, você decidiu agir por conta própria. Nossos agradecimentos comovidos. Eu sempre disse: "Essarès não passa de um velho bandido, mas na hora de morrer vai acabar honrosamente, como um herói, com um sorriso no rosto e uma flor na lapela". Ainda mostra um pouco de resistência, mas estamos chegando ao objetivo. Mais uma vez, está de parabéns. Sua maneira de sair de cena é muito elegante. Dá-se conta de que está sobrando na Terra, que incomodaria Patrice e Coralie... Mas, sim, o marido sempre é um estorvo... existem leis, conveniências... Então, prefere se retirar. Que coragem. Um verdadeiro gentleman! E como está certo! Acabou o amor, acabou o ouro. Acabou o ouro, Essarès! As belas moedas reluzentes que cobiçava, com as quais teria construído uma existência confortável, tudo isso se volatilizou, desapareceu... Não, decididamente, é melhor desaparecer, não é?

Essarès mal conseguia resistir. Era uma sensação de impotência? Ou será que entendia realmente que dom Luís tinha razão e que sua vida não valia mais a pena ser vivida? A arma subiu até sua testa. O cano tocou a têmpora.

Ao contato do aço, ele estremeceu e gemeu:

– Perdão!

– Não, não – disse dom Luís –, não pode perdoar a si mesmo. E não vou ajudá-lo nisso! Talvez, se não tivesse matado meu pobre Ya-Bon, talvez pudéssemos ter procurado outro desfecho. Mas, realmente, você não me inspira mais piedade do que tem para si mesmo. Vai morrer, e tem razão. Não vou impedi-lo.

E ele continuou:

– Ademais, teu passaporte está pronto, tua passagem está no teu bolso. Não há mais como recuar. Esperam por você lá embaixo. E sabe, não vai ter tempo de se entediar. Já viu alguma vez os desenhos que representam o inferno? Neles, cada um tem seu próprio túmulo coberto por uma lápide enorme, a qual deve erguer e sustentar com as costas para escapar das chamas que jorram por baixo. Um verdadeiro banho de fogo. Como pode ver, não falta distração. Ora, teu túmulo já está reservado. As chamas estão jorrando. O banho do senhor está pronto.

Lenta e pacientemente, conseguira introduzir o indicador do miserável sob a coronha, de modo a colocá-lo sobre o gatilho. Essarès se entregava. Não era mais que um farrapo. A morte já estava nele.

– Note bem – continuava dom Luís – que está totalmente livre. Quem deve apertar é você, se estiver a fim. Eu não tenho nada a ver com isso. De forma alguma pretendo influenciá-lo. Não, não estou aqui para "suicidá-lo", mas para aconselhá-lo e lhe dar uma ajuda.

De fato, havia soltado o indicador e só segurava o braço. Mas ele pesava sobre Essarès com toda a sua vontade e energia. Vontade de destruição, vontade de aniquilação, vontade indomável à qual Essarès não podia se subtrair.

A cada segundo a morte entrava um pouco mais no corpo inerte, dissociava os instintos, escurecia as ideias e trazia uma imensa necessidade de descanso e inação.

– Você vê como é fácil. A embriaguez está lhe subindo à cabeça. É quase um prazer, não é? Que alívio! Não viver mais! Não sofrer mais! Não pensar mais nesse ouro que não tem e não pode mais ter, nessa mulher que pertence a outro, a quem vai entregar seus lábios, todo o seu ser encantador... Você poderia viver com essa ideia? Você poderia imaginar a infinita felicidade desses dois apaixonados? Não, certo? Então...

O miserável cedia aos poucos, entregue à covardia. Encontrava-se diante de uma dessas forças que esmagam, uma força da natureza, poderosa como o destino e à qual se deve obedecer. Uma vertigem o estonteava. Ele descia rumo ao abismo.

– Então, vamos... Não esqueça, aliás, que já morreu uma vez... Lembre-se... já teve um serviço funeral como Essarès bei, já foi enterrado, rapaz. Consequentemente, só pode reaparecer neste mundo para se entregar à Justiça. E, obviamente, estou aqui para dirigir essa justiça, se for preciso. Então, vai acabar na cadeia, no cadafalso, seu velho.... hein? O amanhecer gelado... a guilhotina...

Tudo havia acabado. Essarès afundava nas trevas. Tudo rodopiava ao seu redor. A vontade de dom Luís se introduzia nele e o aniquilava.

Por um momento, virou-se para Patrice e tentou implorar.

Mas Patrice persistia em sua atitude impassível. Os braços cruzados, olhava sem piedade o assassino de seu pai. O castigo era merecido. Só precisava deixar o destino se cumprir. Patrice Belval não interferiu.

– Então, vamos... Não é nada, e aí vem o grande descanso! Como é gostoso! Esquecer!... Parar de lutar!... Pense no ouro que perdeu... Trezentos milhões volatilizados... e Coralie perdida também. A mãe e a filha, não teve nem uma nem a outra. Em todo caso, a vida não passa de um logro... é melhor escapar. Vamos, um pequeno esforço, um pequeno gesto...

Esse pequeno gesto, o bandido o executou. Inconscientemente, pressionou o gatilho. A arma disparou. E ele caiu para a frente, ajoelhado no chão.

Dom Luís teve de dar um salto para o lado para que o sangue que jorrou da cabeça rompida não respingasse nele. E disse:

– Diabo! O sangue desse bandido teria me trazido má sorte. Mas, meu Deus, que canalha! Creio definitivamente que fiz uma boa ação a mais em minha vida, e que esse suicídio me dá direito a um lugar no paraíso. Ah! Não sou exigente... uma modesta cadeira dobrável na sombra. Mas tenho esse direito. O que acha, capitão?

QUE HAJA LUZ!

No mesmo dia, ao anoitecer, Patrice andava de um lado para outro no cais de Passy. Eram quase seis horas. De vez em quando um bonde passava, ou algum caminhão. Havia poucos pedestres. Patrice estava quase sozinho.

Não voltara a ver dom Luís Perenna desde a manhã. Simplesmente recebera um bilhete pelo qual dom Luís lhe pedia para mandar transportar Ya-Bon à casa de Essarès e dirigir-se em seguida para a parte alta do canteiro Berthou.

A hora do encontro se aproximava e Patrice se alegrava com essa reunião, em que toda a verdade finalmente ia ser revelada. Essa verdade, ele a adivinhava em parte, mas quantas áreas escuras ainda existiam! Quantos problemas insolúveis! O drama havia acabado. A cortina caía sobre a morte do bandido. Tudo estava correndo bem. Não havia mais nada a temer, nenhuma armadilha a evitar. O formidável inimigo havia sido derrotado. Mas com que intensa ansiedade Patrice Belval esperava o momento em que toda a luz se faria sobre esse drama!

– Algumas palavras – ele se dizia –, algumas palavras desse incrível indivíduo que se chama Lupin, e o mistério será esclarecido. Com ele, vai ser rápido. Ele deve ir embora daqui a uma hora.

E Patrice se perguntava:

– Será que vai levar o segredo do ouro consigo? Vai resolver para mim o problema do triângulo? E esse ouro, como o guardará para si mesmo? Como o levará?

Um automóvel chegava do Trocadéro. Diminuiu a velocidade e parou ao longo da calçada. Devia ser dom Luís.

Mas, para sua grande surpresa, Patrice reconheceu o senhor Desmalions, que abria a porta e vinha ao seu encontro, a mão estendida:

– E então, capitão, como vai? Cheguei na hora certa ao encontro, hein? Mas, diga-me, feriu a cabeça de novo?

– Sim... não é nada – respondeu Patrice. – Mas de que encontro se trata?

– Como? Aquele que o senhor marcou comigo!

– Mas eu não marquei nenhum encontro com o senhor!

– Ah – replicou Desmalions –, o que isso significa? Olhe, aqui está o bilhete que me trouxeram na delegacia. Vou ler: "Por parte do capitão Belval, avisa-se ao senhor Desmalions de que o problema do triângulo foi resolvido. Os mil e oitocentos sacos estão à sua disposição. Peça-se que ele queira se encontrar às seis horas no cais de Passy, devidamente outorgado pelo governo, para aceitar as condições da entrega. Seria útil trazer uns vinte agentes robustos, a metade dos quais deveria se postar uns cem metros antes da casa de Essarès, e a outra metade uns cem metros depois dessa casa". Eis o bilhete. Está claro?

– Muito claro – disse Patrice –, mas não é meu.

– De quem é, então?

– De um homem extraordinário, que desvendou todos esses enigmas à medida que surgiam e que, certamente, vai lhe trazer pessoalmente a explicação.

– Seu nome?

– Não posso lhe dizer.

– Ah! Em tempo de guerra é um segredo difícil de guardar.

– Muito fácil, senhor – disse uma voz atrás do senhor Desmalions. Basta querer.

O senhor Desmalions e Patrice se viraram e avistaram um homem com uma longa sobrecasaca que descia até abaixo dos joelhos, e o pescoço rodeado por uma gola alta, à maneira de um clérigo inglês.

– Eis o amigo de quem eu lhe falava – disse Patrice, que teve certa dificuldade a reconhecer dom Luís. – Salvou minha vida e a de minha noiva duas vezes. Respondo por ele.

O senhor Desmalions o cumprimentou e, imediatamente, dom Luís pronunciou com leve sotaque:

– Senhor, seu tempo é precioso, assim como o meu. Devo deixar Paris ainda hoje, e amanhã a França. Assim, minhas explicações serão bem curtas, ainda mais que até agora o senhor acompanhou as principais peripécias do drama que se desatou nesta manhã, e sobre o qual o capitão Belval o deixará a par daquilo que ainda ignora. Aliás, com suas qualidades profissionais e seu sentido apurado dessas questões, o senhor vai elucidar facilmente os poucos pontos que ainda permanecem obscuros. Portanto, só lhe contarei o essencial, e primeiramente o seguinte: nosso pobre Ya-Bon morreu. Sim, morreu nesta noite, ao lutar corajosamente contra o inimigo. Ademais, o senhor vai encontrar três cadáveres, o de Grégoire, cujo verdadeiro nome é senhora Mosgranem, nessa barcaça; o de Vacherot, em um canto qualquer do prédio situado da Rua Guimard, 18; e finalmente, na clínica do doutor Géradec, no boulevard de Montmorency, o cadáver do senhor Siméon Diodokis.

– O velho Siméon? – perguntou o senhor Desmalions, muito surpreso.

– O velho Siméon se matou. O capitão Belval lhe dará sobre esse indivíduo e sua verdadeira personalidade todas as informações possíveis, e creio que o senhor irá concluir, assim como eu, que é necessário abafar o caso. Mas, repito, vamos em frente. Tudo isso, no ponto de vista especial em que se encontra, não passa de ninharias e detalhes retrospectivos. O que o preocupa acima de tudo, e pelo qual o senhor aceitou vir até aqui, é a questão do ouro, não é?

– De fato.

– Vamos falar sobre isso. O senhor trouxe seus agentes?

– Sim, mas por qual motivo? O esconderijo, mesmo que me indique sua localização, permanecerá o que é, um lugar impossível de encontrar para quem não o conhece.

– Sim, mas quanto mais pessoas o conhecerem, menos o segredo poderá ser guardado. Em todo caso – e dom Luís articulou essa frase nitidamente –, de qualquer modo trata-se de uma de minhas condições.

Desmalions sorriu.

– Pode imaginar que está aceita de antemão. Nossos homens ocupam seus postos. E a outra condição?

– Esta é mais grave, senhor, tão grave que, não importa quais poderes lhe tenham sido outorgados, duvido que sejam suficientes.

– Fale e veremos.

– É o seguinte.

E dom Luís, com tom fleumático, como se estivesse contando a mais insignificante das histórias, expôs secamente sua incrível proposta.

– Senhor, dois meses atrás, graças às minhas relações no Oriente, e em decorrência das influências de que disponho em certos meios otomanos, consegui que a camarilha que atualmente governa a Turquia aceitasse a ideia de uma paz em separado. Tratava-se simplesmente de algumas centenas de milhões a serem distribuídos. A oferta, que transmiti aos Aliados, foi rejeitada, não por motivos financeiros, mas por razões políticas que não me cabe julgar. Esse pequeno fracasso diplomático, não quero mais sofrê-lo. Falhei na minha primeira negociação, não vou falhar na segunda. Por isso, tomo minhas precauções.

Fez uma pausa, que o senhor Desmalions, totalmente confuso, não interrompeu. Então ele continuou, e sua voz se tornou um pouco mais solene:

– O senhor não ignora que agora mesmo, em abril de 1915, ocorrem negociações entre os Aliados e a última das grandes potências europeias que ainda ficou neutra. Essas negociações estão prestes a obter êxito, e vão lograr porque o destino dessa potência o exige e seu povo inteiro está muito entusiasta com esse desfecho. Entre as questões levantadas há uma que foi objeto de certa divergência: é a questão do dinheiro. Essa potência nos pede um empréstimo de trezentos milhões em ouro, deixando claro, todavia, que uma recusa de nossa parte não mudaria nada quanto a uma decisão que já foi tomada irrevogavelmente. Pois bem! Tenho esses trezentos milhões, são meus, e ponho-os à disposição de nossos novos amigos. Esta é minha última e, na realidade, única condição.

Desmalions parecia aturdido. O que significava tudo isso? Quem era esse desconcertante personagem que parecia fazer malabarismo com os problemas mais graves e dispor de soluções pessoais para o fim do grande conflito mundial?

Ele retrucou:

– Mas enfim, senhor, trata-se de negócios que não nos dizem respeito, e que devem ser examinados e tratados por outros que não nós.

– Cada um tem o direito de usar seu dinheiro como bem entende.

Desmalions teve um gesto de desânimo.

– Olhe, pense, o senhor mesmo disse que essa própria potência considera a questão secundária.

– Sim, mas o simples fato de discutir a respeito dela vai atrasar o acordo por alguns dias.

– Pois bem, e o que são uns dias a mais ou a menos?

– Cada hora que passa tem sua importância, senhor.

– Mas por quê?

– Por um motivo que o senhor ignora, e que tudo mundo aqui ignora… exceto eu e algumas pessoas que estão a quase dois mil e quinhentos quilômetros daqui.

– Qual?

– Que os russos não têm mais munições.

O senhor Desmalions deu de ombros, com alguma impaciência. O que essa história, esse conto sem pé nem cabeça vinha fazer aqui?

– Os russos não têm mais munições – repetiu dom Luís. – Ora, está ocorrendo lá agora uma batalha formidável, cujo desfecho é uma questão de horas. A linha de frente russa vai ser penetrada e os exércitos russos vão recuar, recuar… até onde? Obviamente, essa eventualidade… certa, inevitável, não pode influenciar a vontade da grande potência de que falamos. No entanto, existe nela um partido neutralista implacável, violento. Que arma lhe oferecemos ao atrasar o acordo! Em que constrangimento o senhor coloca os que dirigem e preparam a guerra! Seria uma falha imperdoável. Quero evitá-la para o meu país. É por isso que pus essa condição.

Desmalions estava totalmente confuso. Gesticulava. Meneava a cabeça. Murmurou:

– É impossível. Tamanha situação nunca será aceita. Precisamos de tempo… de negociações…

– Apenas cinco minutos são necessários… seis, no máximo.

– Mas olhe, o senhor está falando de coisas…

– De coisas que conheço melhor que ninguém, de uma situação muito clara, de um perigo muito real que pode ser resolvido em um piscar de olhos.

– Mas é impossível, senhor, impossível! Enfrentamos dificuldades…

– Quais?

– Mas – exclamou o senhor Desmallions – dificuldades de todo tipo, e mil obstáculos insuperáveis…

Alguém pôs a mão em seu braço, alguém que havia se aproximado um pouco antes e escutado o pequeno discurso de dom Luís. Esse novo ouvinte descera de um automóvel estacionado mais à frente e, para grande surpresa de Patrice, sua presença não suscitara qualquer oposição, nem por parte do senhor Desmalions, nem de dom Luís Perenna.

Era um homem bastante idoso, de rosto enérgico e atormentado.

Ele disse:

– Meu caro Desmalions, creio que esteja vendo a questão sob um aspecto errado.

– É minha opinião, senhor presidente – disse dom Luís.

– Ah! O senhor me conhece – disse o recém-chegado.

– O senhor ministro Valenglay, não é, senhor presidente? Tive a honra de ser recebido pelo senhor, há alguns anos, quando o senhor era presidente do Conselho.

– Sim, de fato!… Bem que estava me lembrando… embora sem saber precisamente…

– Não procure, senhor presidente. O passado não tem interesse. O que importa é que concorde comigo.

– Não sei se concordo com o senhor. Mas penso que isso não significa nada. E era o que eu lhe dizia, meu caro Desmalions. Não se trata de saber se deve discutir as propostas desse senhor. Nesse caso, não há negociação. Em uma negociação, cada um traz algo. Não trazemos absolutamente nada... ao passo que o senhor traz tudo e nos declara: "Querem os trezentos milhões em ouro? Nesse caso, eis o que farão com eles. Do contrário, boa noite". Esta é precisamente a situação, não é, Desmalions?

– Sim, senhor presidente.

– Pois bem, e pode dispensar esse senhor? Pode, sem esse senhor, encontrar o esconderijo do ouro? Note que ele lhe facilitou as coisas, já que o trouxe até aqui e que quase lhe indica onde está o ouro. Isso é suficiente? Espera descobrir o segredo que procura há semanas, há meses?

Desmalions foi muito franco. Não teve qualquer hesitação.

– Não, senhor presidente, não espero mais...

– Então?

E, voltando-se para dom Luís, Valenglay perguntou:

– E quanto ao senhor, essa é a sua última palavra?

– Minha última palavra!

– Se recusarmos... boa noite?

– O senhor disse a expressão certa, senhor presidente.

– E se aceitarmos, a entrega do ouro será imediata?

– Imediata.

– Nós aceitamos.

Foi categórico. O antigo presidente do Conselho acompanhara sua afirmação com um pequeno gesto seco que reforçava seu valor.

E, após uma breve pausa, ele confirmou:

– Nós aceitamos. Nesta noite o embaixador será informado.

– O senhor me dá sua palavra, senhor presidente?

– Eu lhe dou minha palavra.

– Nesse caso, estamos de acordo.

– Estamos de acordo. Agora fale.

Todas essas frases haviam sido trocadas rapidamente. Os quatro homens estavam perto uns dos outros, como passeantes que se encontram e conversam por um momento. Valenglay, um dos braços apoiado no parapeito do muro de contenção do cais, virado para o Sena, levantava e abaixava sua bengala acima do amontoado de areia. Patrice e o senhor Desmalions ficavam calados, o rosto um pouco crispado.

Dom Luís começou a rir.

– Não espere, senhor presidente, que eu faça surgir o ouro com a ajuda de uma vara mágica, ou que eu lhe mostre uma caverna em que o valioso metal se encontra. Sempre pensei que a expressão "O triângulo de ouro" enganava ao evocar algo misterioso e fabuloso. Não, a meu ver tratava-se simplesmente do espaço em que o ouro se encontrava e que tinha a forma de um triângulo. O triângulo de ouro é isso: sacos de ouro dispostos em triângulo, um local tendo uma forma de triângulo. Portanto, a realidade é bem mais simples, e talvez fique decepcionado, senhor presidente!

– Não vou ficar – retrucou Valenglay –, se me puser diante dos mil e oitocentos sacos de ouro.

Dom Luís insistiu:

– Faço minhas as suas palavras, senhor presidente. Assim, sua aprovação será completa.

– Minha aprovação será completa, absoluta, total, se me puser diante dos sacos de ouro.

– Está diante dos sacos de ouro, senhor presidente.

– Como, estou diante deles? O que quer dizer?

– Exatamente o que digo, senhor presidente. A menos que toque os sacos, é difícil ficar mais perto do que o senhor está.

Apesar de seu autocontrole, Valenglay não escondia sua surpresa.

– Contudo, isso não significa que eu esteja pisando em ouro e que bastaria levantar os paralelepípedos da calçada ou derrubar este parapeito.

– Ainda seriam obstáculos a serem removidos, senhor presidente. Ora, nenhum obstáculo o separa de sua meta.

– Nenhum obstáculo!

– Nenhum, senhor presidente, já que só precisa fazer um pequeno gesto para tocar os sacos.

– Um pequeno gesto! – disse Valenglay, que, maquinalmente, repetia as palavras de Dom Luís.

– Chamo de pequeno gesto aquele que podemos fazer sem esforço, quase sem nos mexermos, por exemplo, apenas enfiando a bengala em uma poça d'água… ou então…

– Ou então?

– Ou então um amontoado de areia.

Valenglay permaneceu silencioso e impassível. Apenas um leve estremecimento sacudiu seus ombros. Não fez o gesto sugerido. Não precisava fazê-lo. Havia entendido.

Os outros também se calaram, estupefatos pela prodigiosa e tão simples verdade que de repente aparecia diante deles com a clareza de um relâmpago.

No meio desse silêncio que nenhum protesto ou manifestação de incredulidade rompia, dom Luís continuou a falar lentamente:

– Se tivesse qualquer dúvida, senhor presidente… e vejo que não tem… o senhor afundaria sua bengala… ah, não muito… cinquenta centímetros no máximo… e sentiria uma resistência que a deteria imediatamente. São os sacos de ouro. Deve haver mil e oitocentos. E, como pode ver, isso não faz um volume enorme. Um quilo de ouro convertido em numerário (queira desculpar esses detalhes técnicos, mas são necessários) representa trezentos mil francos. Portanto, como calculei aproximadamente, um saco de cinquenta quilos, que contém cento e cinquenta e cinco mil francos em rolinhos de mil francos, é um saco de dimensões reduzidas. Empilhados uns ao lado dos outros, e uns sobre os outros, esses sacos representam um volume de cerca de cinco metros cúbicos, não mais. Se der a esse volume a forma grosseira de uma pirâmide triangular, o senhor obterá uma base em que cada lado terá aproximadamente de três metros a três metros e meio, considerando o espaço perdido entre as pilhas de moedas. A altura dessa pirâmide seria a desse muro. Se cobrir tudo com uma camada de areia, obterá o amontoado que está diante de seus olhos…

Após uma nova pausa, dom Luís prosseguiu:

– E que está aqui há meses, senhor presidente. Não somente sem que aqueles que procuravam o ouro pudessem tê-lo descoberto sob a areia, mas sem mesmo que o acaso tenha revelado sua presença a ninguém. Pense mesmo, um monte de areia! Procuramos em um porão, vasculhamos tudo que se parece com uma gruta, uma caverna, um buraco, uma escavação, um poço, um esgoto, um subterrâneo. Mas um monte de areia! Quem teria a ideia de fazer nele uma pequena abertura para ver o que contém? Os cães param na beira, as crianças brincam, fazem castelos, algum operário se deita e dorme. A chuva o amolece, o sol o endurece, a neve o cobre de branco, mas isso se produz na superfície, na parte visível. Dentro, o mistério é impenetrável. Dentro, as trevas são inexploráveis. Não há esconderijo no mundo que valha a parte interna de um amontoado de areia exposto em um lugar público. Aquele que imaginou servir-se dele para esconder trezentos milhões de ouro é um homem inteligente, senhor presidente.

Valenglay havia escutado dom Luís sem interrompê-lo. No final das explicações, meneou a cabeça duas ou três vezes e então disse:

– Um homem inteligente, de fato. Mas existe alguém ainda mais forte, senhor.

– Não creio.

– Sim, existe aquele que adivinhou que o amontoado de areia abrigava os trezentos milhões. Este homem é um mestre, diante do qual é preciso se inclinar.

Dom Luís saudou-o, bastante lisonjeado pelo elogio recebido. Valenglay estendeu-lhe a mão.

– Não vejo recompensa digna do serviço que prestou ao país, senhor.

– Não procuro recompensas – disse dom Luís.

– Tudo bem, senhor, mas ao menos eu gostaria que fosse agradecido por vozes mais autorizadas que a minha.

– É realmente necessário, senhor?

– Indispensável. E devo confessar que estou curioso para saber como conseguiu descobrir esse segredo. Passe no Ministério dentro de uma hora.

– Lamento, senhor presidente, mas daqui a quinze minutos estarei de partida.

– Não, não pode ir embora dessa maneira – afirmou Valenglay em tom muito firme.

– E por quê, senhor?

– Diabo, porque não sabemos nem seu nome, nem quem é.

– Isso importa tão pouco!

– Em tempo de paz, talvez. Mas, em tempo de guerra, é inaceitável!

– Bah! Senhor presidente, farão uma exceção para mim.

– Oh! Oh! uma exceção...

– Admitamos que essa seja a recompensa que peço. Será recusada?

– É a única que somos obrigados a lhe recusar. Mas, aliás, o senhor não vai pedi-la. Um bom cidadão como o senhor entende as exigências às quais cada um deve se submeter.

– Entendo perfeitamente as exigências a que se refere, senhor presidente. Infelizmente...

– Infelizmente?

– Não costumo me submeter a elas.

Havia um pouco de desafio na entonação de dom Luís. Valenglay não pareceu notar e disse, rindo:

– Mau costume, senhor, e do qual aceitará se departir por uma vez. O senhor Desmalions o ajudará. Não é, meu caro Desmalions? Queira se entender com o senhor a respeito disso. No Ministério, daqui a uma hora, certo? Conto absolutamente com o senhor. Do contrário... Até mais, senhor. Espero sua visita.

Após uma saudação muito amável, fazendo alegres rodopios com sua bengala, Valenglay se dirigiu para seu carro, acompanhado por Desmalions.

– Muito bem – disse dom Luís com uma risadinha –, eis um homem determinado! Em um piscar de olhos ele aceitou trezentos milhões de ouro, assinou um tratado histórico e decretou a prisão de Arsène Lupin.

– O que disse? – exclamou Patrice, desconcertado. – Sua prisão?

– Ou ao menos meu comparecimento, o exame de meus documentos e tudo o mais.

– Mas seria abominável!

– É legal, meu caro capitão. Portanto, devemos aceitar.

– Mas...

– Capitão, acredite que alguns contratempos desse tipo não diminuem em nada a satisfação absoluta que sinto por prestar serviço ao meu país. Durante a guerra, eu queria fazer algo para a França e desfrutar amplamente o tempo que eu podia lhe dedicar durante minha estada. Está feito. E, ademais, tenho outra recompensa... os quatro milhões. Porque mamãe Coralie me inspira estima demais para que eu acredite que ela seja capaz de tocar nesse dinheiro... que, de fato, lhe pertence.

– Posso lhe garantir, em nome dela.

– Obrigado, e tenha certeza de que o presente será bem empregado e que nenhuma parcela será desviada para outra finalidade senão a grandeza de meu país e a indispensável vitória. Portanto, está tudo acertado. Agora, ainda tenho alguns minutos a lhe consagrar. Vamos aproveitar. O senhor Desmalions já está juntando seus homens. Para facilitar a tarefa deles e evitar um escândalo, vamos descer no cais, perante o amontoado de areia. Ali lhe será mais cômodo me prender.

Desceram e, enquanto andavam, Patrice disse:

– Aceito esses poucos minutos, mas, antes de tudo, quero ter a oportunidade de me desculpar...

– Por quê, capitão? Por ter-me traído um pouco e por ter-me trancado no ateliê da casa? O que quer? Defendia mamãe Coralie. Por ter acreditado que eu fosse capaz de me apossar do tesouro no dia em que o descobrisse? O que quer? Era possível supor que alguém como Arsène Lupin ia desdenhar trezentos milhões de ouro?

– Portanto, nada de desculpas – disse Patrice, rindo. – Porém, agradecimentos.

– A respeito do quê? Por ter salvado sua vida e a de mamãe Coralie? Não me agradeça. Para mim, salvar pessoas é como um esporte.

Patrice segurou a mão de dom Luís e a apertou com muita força. Então, disse com uma alegria que escondia sua emoção:

– Então não vou lhe agradecer. Não vou lhe dizer que me livrou de um terrível pesadelo ao me revelar que eu não era o filho desse monstro e ao me mostrar sua verdadeira personalidade. E também não lhe direi que estou feliz, que a vida se abre para mim, toda radiante, e que Coralie está livre para me amar. Não, não vamos falar. Mas devo lhe confessar que minha felicidade é ainda... como explicar?... um pouco obscura... um pouco tímida... não existe mais dúvida em mim. Mas, apesar de tudo, não entendo bem a verdade e, enquanto eu não entender, a verdade me trará alguma preocupação. Portanto, fale... explique-me... quero saber...

– Mas essa verdade é tão clara! – exclamou dom Luís. – As mais complexas verdades sempre são tão simples! Olhe, não entende? Reflita na maneira como o problema se apresenta. Durante dezesseis a dezoito anos Siméon Diodokis se comportou a seu respeito como um amigo perfeito, dedicado até a abnegação, em suma, como um pai. Não teve outra ideia, fora sua vingança, senão sua felicidade e a de Coralie. Queria uni-los. Coleciona suas fotografias. Segue-o em toda sua existência. Entra em contato com você. Manda-lhe a chave do jardim e prepara um encontro. E, de repente, mudança total! Torna-se seu inimigo implacável, que só pensa em matar Coralie e você. O que houve entre esses dois estados de espírito? Um único fato, ou melhor, uma data, a noite de 3 para 4 de abril, e o drama que ocorreu naquela noite e no dia seguinte na casa de Essarès. Antes dessa data, você é o filho de Siméon Diodokis. Depois dessa data, você se tornou o maior inimigo de Siméon Diodokis. Isso lhe abre os olhos, hein? Quanto a mim, todas as minhas descobertas decorrem dessa visão geral que tive desde o começo do caso.

Patrice meneava a cabeça, sem responder. Decerto, ele entendia, e, no entanto, o enigma conservava parte de seu segredo.

– Sente-se aí – disse dom Luís – em nosso famoso monte de areia e ouça-me. Em dez minutos terei acabado.

Encontravam-se no canteiro Berthous. O dia começava a definhar e, do outro lado do Sena, as silhuetas se tornavam imprecisas. Na beira do cais, a barcaça balançava lentamente.

Dom Luís começou a sua análise:

– Na noite em que, escondido na sacada interna da biblioteca, você assistia ao drama da casa de Essarès, havia, diante de seus olhos, dois homens amarrados pelos cúmplices, Essarès bei e Siméon Diodokis. Ambos os homens, agora, já morreram. Um era seu pai. Vamos falar do outro, de Essarès bei. Naquela noite, sua situação era crítica. Após ter extraído o ouro da França em favor de uma potência oriental, obviamente a mando da Alemanha, ele procurava se apossar do saldo do bilhão que havia coletado. A *Belle-Hélène,* avisada pela chuva de faíscas, vinha atracar ao longo do canteiro Berthou. A transferência devia ocorrer à noite, do amontoado de areia até a barcaça a vapor. Tudo estava correndo bem, quando houve uma reviravolta inesperada, os cúmplices, alertados por Siméon, entraram em cena. Daí a cena da chantagem, a morte do coronel Fakhi, etc... e o senhor Essarès descobriu então que os cúmplices conheciam seu esquema e seu projeto de se apossar do ouro, e que o coronel Fakhi havia apresentado uma denúncia contra ele junto à Justiça. Ele estava perdido. O que fazer? Fugir? Mas, em tempo de guerra, a fuga é quase impossível. Ademais, fugir significa abandonar o ouro, e abandonar Coralie, e isso nunca. Então? Então só havia um único meio, desaparecer. Desaparecer e, no entanto, ficar presente, no local da luta, perto do ouro e perto de Coralie. E a noite chega, e ele se aproveita dessa noite para executar seu plano. Isso é o que diz respeito a Essarès. Agora vamos para o segundo personagem, Siméon Diodokis.

Dom Luís retomou o fôlego. Patrice o ouvia avidamente, como se cada palavra trouxesse seu quinhão de luz na sufocante obscuridade.

– Aquele que era chamado de velho Siméon – prosseguiu dom Luís –, isto é, seu pai... sim, seu pai, porque você já sabia disso, não é? Esse homem também estava em um ponto crítico de sua existência. Armand Belval, outrora vítima de Essarès com a mãe de Coralie, Armand Belval, seu pai, estava alcançando sua meta. Denunciara e entregara seu inimigo, Essarès, ao coronel Fakhi e aos cúmplices. Conseguira aproximá-lo de Coralie. Havia lhe enviado a chave da casa. Alguns dias ainda e ele podia imaginar que tudo acabaria conforme seus desejos. Mas no dia seguinte, quando acordou, certos sinais, que ignoro, revelaram-lhe a ameaça de um perigo, e certamente ele deve ter pressentido o projeto que Essarès estava elaborando. E ele também se fez essa pergunta: o que fazer? Avisá-lo, e sem demora ligar imediatamente para você. Porque o tempo urge.

O perigo está se aproximando. Essarès vigia, espia aquele que, pela segunda vez, escolheu como vítima. Talvez Siméon tenha sido perseguido. Talvez então tenha se trancado na biblioteca... conseguiria ligar para você? Você atenderia à ligação?

– De qualquer modo, ele quer alertá-lo a qualquer preço. Portanto, pede a ligação. Consegue e o chama, ouve sua voz e, enquanto Essarès tenta arrombar a porta, seu pai, ofegante, exclama: "É você, Patrice? Está com a chave? E a carta? Não? Mas é terrível! Então, você não sabe...". Então um grito rouco, que você ouve do outro lado da linha, e esses sons incoerentes, o ruído de uma discussão. E a voz colada no telefone, e que balbucia, ao acaso: "Patrice, o medalhão de ametista... Patrice, eu queria tanto!... Patrice, Coralie". Um grito alto... clamores que se apagam... e então o silêncio. É isso. Seu pai está morto, assassinado. Dessa vez, Essarès bei, que antes havia falhado, na casa, vingava-se de seu antigo rival.

Dom Luís parou. Todo o drama ressuscitava com estas palavras veementes. O crime se cometia de novo diante dos olhos do filho.

Patrice, atordoado, murmurou:

– Meu pai, meu pai...

– Era seu pai – afirmou dom Luís. – Eram sete e dezenove da manhã, como o notou. Alguns minutos depois, ávido por saber e entender, você ligava e era Essarès quem respondia, o cadáver de seu pai aos pés dele.

– Ah, o miserável! De modo que esse cadáver, que não encontramos e que não podíamos encontrar...

– Essarès bei simplesmente maquiou esse cadáver, ele o desfigurou, transformou-o, e foi assim, capitão, e aqui está o caso inteiro, que Siméon Diodokis morreu, e se tornou Essarès bei, até que Essarès bei, transformado em Siméon Diodokis, interpretasse o personagem de Siméon Diodokis.

– Sim – murmurou Patrice –, entendo... percebo...

E dom Luís continuou:

– Ignoro que relações existiam entre esses dois homens. Será que Essarès sabia antes que o velho Siméon era ninguém menos que seu velho rival, o amante da mãe de Coralie, o homem que escapara à morte? Sabia que Siméon era seu pai, isto é, Armand Belval? São tantas perguntas que nunca serão resolvidas e que, aliás, não importam. Mas o que suponho é que esse novo crime não foi improvisado. Creio firmemente que Essarès, tendo constatado certas semelhanças de altura e aparência, já havia preparado tudo para tomar o lugar de Siméon Diodokis, caso as circunstâncias o obrigassem a desaparecer. E foi fácil. Siméon Diodokis usava uma peruca e não tinha barba. Ao contrário, Essarès era calvo e usava uma barba. Barbeou-se, esmagou o rosto de Siméon com um golpe de suporte de lareira, mesclou pelos da própria barba a essa ferida sangrenta, vestiu o cadáver com as próprias roupas, tomou para si as roupas da vítima, pôs a peruca, pós os óculos e o cachecol. A transformação estava acabada.

Após refletir, Patrice objetou:

– Tudo bem, isso foi o que ocorreu às sete e dezenove da manhã. Mas ocorreu algo mais ao meio-dia e vinte e três…

– Nada…

– No entanto… esse relógio que marcava meio-dia e vinte e três?

– Nada, digo-lhe. Somente era preciso despistar as investigações. Acima de tudo, era preciso driblar a inevitável acusação que ia ser formulada contra o novo Siméon.

– Que acusação?

– Como? Ora, a de ter matado Essarès bei. Descobre-se de manhã um cadáver. Quem o matou? As suspeitas teriam imediatamente sido dirigidas contra Siméon. Ele teria sido interrogado, detido. E, sob a máscara de Siméon, iam encontrar Essarès… Não, ele precisava estar livre, dispor de seus movimentos. Para tanto, escondeu o crime a manhã toda e deu um jeito para que ninguém entrasse na biblioteca. Por três vezes foi bater à porta de sua mulher, para que ela pudesse afirmar que Essarès bei ainda estava vivo durante a manhã. Então, quando ela saiu, ele ordenou em voz alta a Siméon, isto é, a si mesmo, que a levasse até a enfermaria dos Champs-Élysées. E, dessa maneira, a senhora Essarès acreditou ter deixado seu marido vivo e estar acompanhada do velho Siméon, enquanto, na realidade, ela deixava, em um cômodo desocupado da casa, o cadáver do velho Siméon e acreditava que estava sendo acompanhada de seu marido. O que aconteceu? O que o bandido havia desejado. Por volta de uma da tarde, a Justiça, avisada pelo coronel Fakhi, chegava e se deparava com um cadáver. O cadáver de quem? Não houve a esse respeito a sombra de uma dúvida. As camareiras reconheceram seu patrão e, quando a senhora Essarès chegou, foi seu marido quem avistou estendido diante da lareira em que havia sido torturado na noite anterior. O velho Siméon, isto é, Essarès, confirmou essa identidade. Você mesmo caiu na armadilha. A fraude era perfeita!

Patrice meneou a cabeça.

– Sim, foi assim que os acontecimentos se produziram, é mesmo a maneira como as coisas se desenrolaram. – A fraude era perfeita – continuou dom Luís. – E ninguém teve dúvidas. Ademais, não havia lá, como prova, essa carta escrita pelo próprio Essarès e achada em sua escrivaninha? Essa carta, datada de 4 de abril, ao meio-dia, endereçada à sua mulher e na qual anunciava sua partida? Além disso, a fraude era tão perfeita que os próprios indícios que deviam ter revelado a verdade só serviram para reforçar a mentira. Assim, seu pai carregava um pequeno álbum de fotografias em um bolso dentro de sua camiseta. Essarès não prestou atenção e não o despiu dessa camiseta. Pois bem, quando o álbum foi encontrado, admitiu-se imediatamente o que era inverossímil: Essarès bei conservava consigo um álbum com fotografias de sua mulher e do capitão Belval!

– Da mesma maneira, quando encontraram na mão do morto, isto é, na mão de seu pai, um medalhão de ametista com suas duas mais recentes fotografias, e quando encontraram também um papel amassado que mencionava um triângulo de ouro, admitiu-se logo que Essarès bei havia roubado o medalhão e o documento, que ainda os segurava no momento de sua morte. Era tão evidente que quem morrera era Esarrès bei, já que seu corpo fora encontrado, que não havia mais motivo para tratar desse assunto! Desse modo, o novo Siméon passou a controlar a situação. Essarès bei está morto, viva Siméon!

Dom Luís deu uma gargalhada. A aventura lhe parecia mesmo divertida, e, como artista, desfrutava tudo o que ela sugeria de invenção perversa e de gênio maléfico.

– E imediatamente – prosseguiu – Essarès, sob sua máscara impenetrável, pôs seu plano em execução. No mesmo dia, ouvia pela janela entreaberta sua conversa com mamãe Coralie, e, enfurecido ao vê-lo debruçado sobre ela, atirou com o revólver. Então, como esse novo crime havia fracassado, fugiu e interpretou essa comédia perto da porta do jardim, gritando contra um assassino, jogando a chave por cima do muro de maneira a criar uma pista falsa, e deixando-se cair semimorto, como se tivesse sido estrangulado pelo inimigo que, supostamente, havia disparado a arma. Comédia que terminava com a simulação da loucura.

– Mas qual era o objetivo dessa loucura?

– Qual objetivo? Para que o deixassem em paz, para não ser interrogado, para que não desconfiassem dele. Louco, ele podia ficar calado e permanecer no seu canto. Do contrário, já nas primeiras palavras a senhora Essarès teria reconhecido sua voz, mesmo que tivesse disfarçado perfeitamente sua entonação. Doravante, ficou louco. É um ser irresponsável. Vai e vem conforme sua vontade: é louco! E sua loucura é um fato tão aceito que ele leva você, por assim dizer, pela mão até seus antigos cúmplices, e faz com que sejam detidos, sem que você se pergunte, um instante sequer, se esse louco não está agindo com a visão mais clara dos próprios interesses. É um louco, um pobre louco, um louco inofensivo, e quem sofre de loucura nunca é incomodado! A partir daí, só resta a ele lutar contra seus dois últimos adversários, mamãe Coralie e você, capitão. E isso é fácil. Penso que ele deve ter-se apropriado de um diário escrito por seu pai. De qualquer modo, dias após dia, ele toma conhecimento daquilo que você escreve. Assim, aprende toda a história dos túmulos, e sabe que, em 14 de abril, mamãe Coralie e você irão fazer uma peregrinação nesse lugar. Incentiva-os, aliás, por meio de suas maquinações, a ir até lá. Seu plano está pronto. Ele prepara contra o filho e a filha, contra o Patrice e a Coralie de hoje, o golpe que outrora havia preparado contra o pai e a mãe. Esse golpe dá certo no começo. E ele teria tido êxito até o fim se, graças a uma ideia de nosso pobre Ya-Bon, um novo adversário não tivesse surgido com minha pessoa...

Dom Luís tinha mais explicações:

– Mas é preciso mesmo lhe contar mais? O resto, você o conhece como eu e, como eu, pode julgar em todo o seu esplendor o imundo bandido que, nas últimas vinte e quatro horas, deixou estrangular seu cúmplice Grégoire, ou melhor, sua amante, a senhora Mosgranem, soterrou mamãe Coralie debaixo de um monte de areia, assassinou Ya-Bon, trancou-me, ou ao menos acreditou me trancar, na casa, enterrou-o no túmulo cavado por seu pai e eliminou o zelador Vacherot. E agora, capitão, acredita mesmo que eu deveria tê-lo impedido de se matar, esse bandido que, em última instância, tentava se fazer passar por seu pai?

– O senhor teve razão – disse Patrice. – Nisso tudo, o senhor teve razão do começo ao fim. Agora enxergo o caso em sua totalidade, o conjunto e os detalhes. Só resta um ponto: o triângulo de ouro. Como descobriu a verdade? O que o levou até esse amontoado de areia? E o que lhe permitiu liberar Coralie da mais terrível das mortes?

– Ah – respondeu dom Luís –, desse lado é ainda mais simples, e a luz se fez quase sem que eu percebesse. Em poucas palavras, você vai ver... Mas, primeiramente, vamos sair daqui. O senhor Desmalions e seus homens estão se tornando um pouco incômodos.

Os agentes estavam espalhados pelas duas entradas do canteiro Berthou. O senhor Desmalions dava-lhes suas instruções. Falava claramente de dom Luís, e se preparava para abordá-lo.

– Vamos até a barcaça – disse dom Luís. – Deixei nela documentos importantes.

Patrice o seguiu.

Em frente à cabine onde estava o cadáver de Grégoire, havia outra, à qual se chegava pela mesma escada. Uma mesa e uma cadeira compunham o único mobiliário.

– Capitão – disse dom Luís, que abriu uma das gavetas e pegou uma carta que selou –, capitão, eis uma carta que lhe peço para entregar... mas não, chega de frases inúteis. Mal terei tempo de satisfazer sua curiosidade. Esses senhores estão se aproximando. Trata-se por enquanto do triângulo. Vamos falar sobre isso sem mais demora.

Apurou os ouvidos com uma atenção cujo real sentido logo Patrice ia entender.

E, ao mesmo tempo que escutava o que acontecia do lado de fora, ele continuou:

– O triângulo de ouro! Existem problemas que resolvemos um pouco ao acaso, sem procurar. São os eventos que nos levam à solução, e entre esses eventos escolhemos inconscientemente, desemaranhamos, examinamos este, descartamos aquele, e de repente avistamos a solução... Portanto, hoje de manhã, após tê-lo levado para os túmulos, e enterrado sob a lápide, Essarès bei voltou para mim. Acreditando ter-me trancado no ateliê da casa, teve a gentileza de abrir o gás, foi embora e veio até o cais, acima do canteiro Berthou. Ali, teve uma hesitação, e essa hesitação foi para mim, que o seguia, um precioso indício. Decerto, ele pensava em libertar mamãe Coralie. Umas pessoas passaram. Ele se afastou. Sabendo aonde ia, voltei para socorrê-lo, alertei seus camaradas na casa de Essarès e pedi para que cuidassem de você.

– Em seguida, voltei aqui. Aliás, todo o andamento do caso me obrigava a voltar. Era de supor que os sacos de ouro não estavam dentro da canalização, e, como a *Belle-Hélène* não os retirara, deviam estar fora do jardim, fora da canalização, portanto nos arredores. Vasculhei esta barcaça, não tanto para procurar os sacos, mas mais para achar alguma informação imprevista, e para procurar também, devo confessar, os quatro milhões entregues a Grégoire. Ora, quando comecei a explorar o lugar onde não acho o que procuro lembro-me do estranho conto de Edgar Allan Poe: *A carta roubada*... Você lembra, esse documento diplomático que foi roubado e que sabemos estar escondido em certo cômodo? Vasculham-se todos os cantos desse cômodo. Levantam-se todos os tacos do chão. Nada. Mas o senhor Dupin chega e, quase imediatamente, dirige-se para uma caixa pendurada na parede da qual sobressai um velho papel. É o documento. Pois bem, instintivamente, emprego o mesmo procedimento. Procuro onde ninguém teria a ideia de procurar, em lugares que não constituem esconderijos, porque seriam fáceis demais de descobrir. Foi assim, por exemplo, que tive a ideia de folhear quatro velhas listas obsoletas, alinhadas nessa prateleira. Os quatro milhões estavam dentro. Eu tinha a informação de que precisava.

– Como, qual informação?

– Sim, sobre o estado de espírito de Essarès, sobre suas leituras, sobre seus hábitos, a maneira como concebia um bom esconderijo. Procuramos longe e profundamente demais. Fomos atrás da dificuldade. Era preciso optar pela facilidade, olhar para fora, a superfície. Dois pequenos indícios também me serviram. Eu havia notado que os montantes da escada que Ya-Bon encontrara por aí tinham alguns grãos de areia. Finalmente, lembrei-me do seguinte: Ya-Bon havia traçado um triângulo a giz na calçada, e esse triângulo só tinha dois lados, o terceiro sendo constituído pela base do muro. Por que esse detalhe? Por que não uma terceira linha traçada a giz? Será que a ausência dessa terceira linha significava que o esconderijo se encontrava no pé do muro? Em resumo, acendi um cigarro, subi até o convés da barcaça e eu me disse, enquanto olhava ao redor: "Meu pequeno Lupin, eu lhe dou cinco minutos". Toda vez que me digo "Meu pequeno Lupin", não consigo resistir a mim mesmo. Eu mal havia fumado um quarto do cigarro e já sabia.

– O senhor sabia?...

– Eu sabia. Entre os elementos de que eu dispunha, qual fez surgir a faísca? Ignoro. Todos ao mesmo tempo, provavelmente. É uma operação psicológica bastante complexa, como uma experiência de química. A ideia simplesmente se forma de repente mediante reações e combinações misteriosas entre os elementos que a continham potencialmente. E, ademais, havia em mim um princípio de intuição, uma sobre-excitação bem especial que, fatalmente, me obrigava a descobrir o esconderijo: mamãe Coralie estava lá dentro. Eu tinha certeza de que um fracasso de minha parte, que uma falha, uma hesitação mais longa, seria sua perdição. Uma mulher estava ali, em um raio de poucas dezenas de metros. Era preciso saber. Eu soube. A faísca se produziu. A combinação ocorreu. E corri reto até o amontoado de areia. Imediatamente, vi rastros de passos, e quase no cume, outros mais marcados. Vasculhei. No primeiro contato com um dos sacos, pode acreditar que minha emoção foi viva. Mas eu não tinha tempo para me emocionar. Retirei alguns sacos. Mamãe Coralie estava ali, mal protegida da areia que, aos poucos, a sufocava, se infiltrava, tampava seus olhos e a asfixiava. É inútil contar-lhe mais detalhes, não é? Como de costume, o canteiro estava deserto. Eu a tirei dali. Chamei um táxi. Primeiramente, levei-a até sua casa. Então, cuidei de Essarès, do zelador Vacherot e, informado sobre os projetos de nosso inimigo, fui tratar de negócios com o doutor Géradec. Finalmente, mandei que você fosse levado à clínica do boulevard Montmorency e dei a ordem para que mamãe Coralie também fosse levada até lá, já que ela precisava mudar um pouco de ambiente. É isso, capitão. Tudo em três horas. Quando o carro do médico me levou à clínica, Essarès chegou lá ao mesmo tempo que eu para ser tratado. Não tinha como escapar de mim.

Dom Luís se calou.

Nenhuma outra palavra era necessária entre os dois homens. Um havia prestado ao outro os maiores serviços que se pudesse prestar a alguém, e esse outro sabia que eram serviços para os quais não existe agradecimento. E sabia também que jamais teria a ocasião de provar seu reconhecimento. Dom Luís, de certo modo, estava acima desse tipo de demonstrações pelo fato de serem impossíveis. Como prestar serviço a um homem como ele, que dispunha de tamanhos recursos, e que fazia milagres com a mesma facilidade com que executamos pequenos atos do dia a dia?

Mais uma vez Patrice apertou a mão vigorosamente, sem nenhuma palavra.

Dom Luís aceitou a homenagem dessa emoção silenciosa e disse:

– Se um dia falarem de Arsène Lupin em sua frente, defenda-o, capitão, ele fez por merecer.

E acrescentou, rindo:

– É engraçado, mas, com a idade, preocupo-me com minha reputação. O diabo está se tornando eremita.

Prestou atenção em redor e, depois de um momento, disse:

– Capitão, chegou a hora de nos separarmos. Apresente meus respeitos a mamãe Coralie. Por assim dizer, eu não conheci mamãe Coralie, e ela não me conhece. Talvez seja melhor assim. Adeus, capitão.

– Então, já nos separamos?

– Sim, estou ouvindo o senhor Desmalions. Vá ao seu encontro, por favor. E faça a gentileza de trazê-lo.

Patrice hesitou. Por que dom Luís o mandava ao encontro do senhor Desmalions? Era para que ele, Patrice, intercedesse em favor de Lupin?

Essa ideia o animou. Ele saiu.

Produziu-se então algo que Patrice jamais ia entender, algo muito rápido e totalmente inexplicável. Foi como o desfecho imprevisto que bruscamente põe fim a uma longa e tenebrosa aventura.

No convés, Patrice encontrou o senhor Desmalions, que lhe perguntou:

– Seu amigo está ali?

– Sim, mas antes, duas palavras... O senhor não pretende...

– Não tenha medo. Não lhe queremos mal algum, ao contrário.

O tom foi tão nítido que o oficial não encontrou nenhuma objeção.

O senhor Desmalions seguiu adiante. Patrice foi atrás dele. Desceram a escada.

– Que estranho – disse Patrice –, deixei a porta dessa cabine aberta.

Empurrou. A porta se abriu. Mas dom Luís não estava mais na cabine.

Uma averiguação imediata provou que ninguém o vira sair, nem os agentes espalhados pelo no cais, nem os que haviam atravessado a passarela.

Patrice refletiu um instante:

– Não duvido de que, quando tivermos tempo de examinar essa barcaça a fundo, vamos descobrir que tem muitos truques.

– De modo que nosso amigo terá fugido por algum alçapão, e a nado? – perguntou o senhor Desmalions, que parecia muito ofendido.

– Acho que sim – disse Patrice, rindo –, ou até por algum submarino.

– Um submarino no Sena?

– Por que não? Acho que os recursos e a vontade de meu amigo não têm limites.

Mas o que espantou mesmo o senhor Desmalions foi encontrar, sobre a mesa, uma carta que lhe era endereçada, carta que dom Luís Perenna havia deixado desde o começo de sua conversa com Patrice Belval.

– Então ele sabia que eu viria aqui? Previra, antes mesmo de nosso encontro, que eu ia exigir certas formalidades dele?

A carta era assim redigida:

Senhor,

Desculpe minha partida, e creia que, de meu lado, eu entendo perfeitamente o motivo que o traz aqui. De fato, minha situação não é regular, e o senhor tem o direito de exigir explicações de mim. Prometo que, um dia ou outro, eu lhe darei essas explicações. O senhor verá então que, se sirvo a França da minha maneira, essa maneira não é a pior, e que meu país me deverá algum reconhecimento pelos imensos serviços, ouso dizer a expressão, que eu lhe terei prestado durante esta guerra. No dia desse encontro, senhor, quero que me agradeça. Nessa época, porque conheço sua ambição secreta, o senhor será o chefe da polícia. Talvez até seja possível que eu contribua pessoalmente para sua indicação, que acho merecida. Aplico-me nisso desde já. Queira receber, etc...

O senhor Desmalions permaneceu em silêncio durante bastante tempo. Então, disse:

– Que homem estranho! Se quisesse, poderíamos tê-lo encarregado de grandes coisas. Era a missão que eu lhe trazia por parte do senhor Valenglay.

– Tenha certeza, senhor – disse Patrice –, de que as coisas que ele está realizando atualmente são ainda maiores.

E acrescentou:

– Um homem estranho, de fato! E ainda mais estranho, mais poderoso e mais extraordinário do que pode imaginar. Se cada uma das nações aliadas tivesse tido ao seu dispor três ou quatro indivíduos como ele, decerto a guerra não teria durado nem seis meses.

E o senhor Desmalions murmurou:

– Acredito mesmo... só que indivíduos como ele costumam ser solitários, são pessoas refratárias que agem conforme sua vontade e não aceitam se submeter a nenhuma autoridade... Olhe, são indivíduos como esse famoso aventureiro que, uns anos atrás, obrigaram o kaiser a ir até sua prisão e libertá-lo... e que, em decorrência de um amor infeliz, se precipitou do alto das falésias de Capri.

– De quem está falando?

– O senhor sabe muito bem... De Lupin... De Arsène Lupin...